Y0-AFT-349

От ненависти До любви

Читайте романы Аллы Полянской в серии

От ненависти До любви

ОДНА МИНУТА И ВСЯ ЖИЗНЬ

СЛИШКОМ ЧУЖАЯ, СЛИШКОМ СВОЯ

ПРОГУЛКИ ПО ЧУЖИМ НОЧАМ

МОЯ НЕЗНАКОМАЯ ЖИЗНЬ

ЖЕНЩИНА С ГЛАЗАМИ КОШКИ

НАЙТИ СВОЙ ОСТРОВ

ПРАВО БЕЗУМНОЙ НОЧИ

НЕВИДИМЫЕ ТЕНИ

ЧАСОВОЙ МЕХАНИЗМ ЛЮБВИ

НЕВОЗМОЖНОСТЬ СТРАСТИ

ВСТРЕЧА ОТ ЛУКАВОГО

ВДВОЕМ ПРОТИВ ЦЕЛОГО МИРА

ТАЙНЫ ВИРТУАЛЬНОЙ ЖИЗНИ

ВИРУС ЛЖИ

ЕСЛИ ЖЕЛАНИЯ НЕ СБУДУТСЯ

ФАРФОРОВАЯ ЖИЗНЬ

ПРОТИВ ВЕТРА, МИМО ОБЛАКОВ

АЛЛА ПОЛЯНСКАЯ

ПРОТИВ ВЕТРА, МИМО ОБЛАКОВ

МОСКВА
2017

УДК 821.161.1-312.4
ББК 84(2Рос=Рус)6-44
П54

Оформление серии *А. Саукова*
Иллюстрация на обложке *Ф. Барбышева*

Полянская, Алла.

П54 Против ветра, мимо облаков : [роман] / Алла Полянская. — Москва : Издательство «Э», 2017. — 320 с. — (От ненависти до любви).

ISBN 978-5-699-99665-0

Когда Вика вышла из колонии, она думала, что самое страшное осталось позади. Да, ее осудили безвинно — она не убивала собственную сестру! — но в заключении девушка сумела выжить. Вот только забыть такое и жить дальше — невозможно... Со временем Вика, в прошлом известная телеведущая, смирилась с тем, что возврата к прежней успешной жизни нет, и стала привыкать к своему новому, полуподпольному, существованию. Однако судьба решила, что испытаний на ее долю выпало недостаточно. Случилось еще одно убийство, в котором вновь обвинили Вику, и теперь ей угрожает новый срок! Но для нее лучше умереть, чем вернуться в тюрьму...

УДК 821.161.1-312.4
ББК 84(2Рос=Рус)6-44

ISBN 978-5-699-99665-0

Светлой памяти моего друга.
Здесь ты жив, и всегда будешь жив, Женька.

1

— Игорь, ну скоро?

Она очень юная, очень хорошенькая и очень пустенькая. В блестящих узких брючках, красной кофточке, с волнистыми золотистыми волосами, причем и волны, и золото — все искусственное, а вот молодость... Ей и двадцати нет, и тут уж без подделки. Капризно надутые губы, здоровенный телефон, в который она постоянно пялится, вытягивая губы уточкой, а когда говорит, то намеренно слегка шепелявит — возможно, ей кажется, что это мило.

— Киса, подожди еще немного. Хочешь, в кафе посидим? Там есть мороженое.

Ему тоже кажется, что шепелявит она мило.

Вика презрительно поморщилась и нырнула за машину, поправив бейсболку — козырек полностью скрыл ее лицо.

— Придорожная забегаловка с оригинальным названием «У Алены». Ты меня еще в ларек поведи, шаурму есть. Лучше поторопи их, чего они возятся.

Он не изменился. Все та же гордо посаженная голова с профилем античной статуи, все те же светлые волнистые волосы — длинные, до плеч, собранные в пучок пижонским кожаным шнурком, а Вика точно знает, что под шнурком обычная резинка. Все те же синие миндалевидные глаза и четко прорисованная линия губ... Когда все стояли на раздаче в очереди кто за чем, этот парень успел три раза постоять за красотой, и три раза ему отсыпали сверх меры. И его сорок два года совершенно не очевидны.

— Девушка, вы долго еще?

Вика наклонилась совсем низко к переднему бамперу и полировала его ветошкой, делая вид, что спрашивают не ее.

— Девушка, я к вам обращаюсь!

— Чего вы орете, мужчина? — Из комнаты кассира выглянула Лидия Васильевна, кассирша. — Уже заканчивает, не видите, что ли? Идите в кассу и рассчитайтесь, вместо того чтобы кричать. Что за народ, им стараешься как лучше, а они только орать горазды. Быстрее вам никто не сделает, нешто не знаете.

Вика рада, что он не узнал ее. А вот машина узнала. Открыв дверцу водителя, Вика принялась вытирать руль. В машине пахнет совсем не так, как когда-то.

— Девочка моя.

Вика погладила руль, понимая, что ведет себя глупо — но это она, ее родная машинка.

Теперь в ней ездит какая-то капризная «киса» и **этот**.

Вика давно уже не называла его по имени, даже в мыслях — просто «этот». Потому что никакого названия данному индивиду придумать просто не могла, а потом стало уже все равно, и вот теперь снова всколыхнулось, потому что вот он — этот, с какой-то разрисованной «кисой», на ее машине.

Вика нежно погладила руль и захлопнула дверь. Это уже не ее машина, не ее жизнь, все двери перед ней закрыты. Остались только вот эта экспресс-мойка и куча тряпок разного калибра.

— Смотри, смотри же, сколько малины! В лукошках! А лукошки тоже продаются? Купи мне, я хочу малины!

— Малина не продается. — Лидия Васильевна оттеснила «кису» от столика с ягодами. — Это мне родственница привезла, буду идти домой — заберу.

— Да ладно вам, продайте лукошко — я хорошо заплачу.

Он тянется в карман за деньгами, а Лидия Васильевна темнее тучи.

— Сказано — не продается! Или вы, господин хороший, слов не понимаете? Помыли вам машинку — езжайте с богом, капризы вашей дочки мне здесь ни к чему, дома пусть капризничает. Распустили детей, а ведь девка-то не маленькая, и все туда же — хочу, и все. Она у вас, случайно, на пол не падает ногами дрыгать, если не получает того, чего хочет?

Вика хохочет, спрятавшись в чулан с ведрами. Ай да Лидия Васильевна, вот ведь нашла чем уесть — ему такие слова как серпом по яйцам, особенно сейчас, когда он сделал себе первую подтяжку — уж она-то это хорошо видит.

И он всегда любил девочек помоложе, но эта «киса» совсем уж на грани уголовной статьи.

Он поспешно влез в машину и уехал, забрав с собой кису. На ее машине.

— Вика!

Именно сегодня из всего персонала на работе только она. Ванька после вчерашнего никакой, остальные тоже — «после вчерашнего», и Лидия Васильевна прогнала их, чтоб не позорили заведение. Что им скажет Юрка, хозяин мойки, Вике безразлично — она ни рук, ни ног не чует, помыв за пару часов десяток машин.

Вика сбросила резиновые сапоги и подставила ноги солнцу. Несмотря на то что обувь водонепроницаемая, вода попадает внутрь, и к обеду ноги словно в луже, которая плещется в сапогах. И нужно время от времени сушить и сапоги, и ступни.

— Вик, а ведь я его не сразу признала.

Вика молчит. Разговаривать об «этом» она не хочет принципиально. Она-то его сразу узнала, а вот он ее — нет, а значит, она изменилась настолько, что даже хорошо знакомый человек не признал. Впрочем, лица ее он не видел, голоса не слышал — а все ж.

— Я его, паразита, потом уж признала — наглость-то какова, на твоей машине малолетнюю стервь катает, бесстыжий мужик!

Вика молчит, греясь на солнце, и думает о том, что осенью она сможет уйти отсюда.

Вот только георгины пристроит.

Лето достигло своего пика.

* * *

Назаров торопился, а когда он торопился, то всегда нервничал.

Впереди были выходные, которые он планировал провести в свое удовольствие, а тут как на грех — задержка с передовицей, потом подвел художник, и рекламодатели вдруг заартачились, и пока Назаров все это разгребал, прошел день. Уже шестой час, и пора бы закругляться — ведь пятница же, и футбол сегодня, но дел еще полно.

— Здравствуй, Евгений Александрович.

Этот человек всегда ходит тихо, как индеец, — но на индейца был совсем не похож. Небольшого роста, поджарый и очень загорелый — явно загорал не здесь, и что его привело сюда, неизвестно. И лучше бы он не приходил, но очень сложно предложить не приходить в здание человеку, которому это здание принадлежит.

— Здравствуйте, Николай Андреевич.

Назаров вышел из-за стола и пожал протянутую руку, этикет соблюден. Гость сел в кресло для посетителей и огляделся.

— Смотрю, ты совсем освоился. Не жалеешь, что вернулся?

— Нет, жалеть не о чем. — Назаров пожал плечами. — Писать я могу где угодно, а вот жить мне удобнее здесь. По семейным обстоятельствам в том числе.

— Думаешь, твоя бывшая тебя здесь не достанет? — Гость захохотал. — Я вчера вернулся с Кипра, заехал в Париж, Ира хотела побродить по бутикам. На улице купил газету, на первой странице твоя благоверная, снова в центре внимания: устроила дебош в ресторане. В общем, жизнь ее, похоже, бьет ключом.

— Ага, и почему-то всегда по голове. — Назаров старался не злиться, ведь он дал себе слово не реагировать на упоминания о его неудачном браке. — Я здесь, потому что бабушка болеет и нужно быть рядом.

— Нанял бы кого-нибудь.

— Когда она растила меня, то никого не нанимала. — Назаров знал, что гость специально дразнит его, и сердился. — Бабушка для меня самый близкий человек, и у нее тоже, кроме меня, никого нет. А мое вдохновение не зависит от страны пребывания.

— Да, читал твою последнюю книгу. Чтиво это не по мне, но я хотел кое-что понять.

— И поняли?

— Понял, что безнадежно устарел. — Гость рассмеялся. — Ладно, все это присказка — а сказка будет впереди.

Я чего к тебе пришел-то, Женя. Я знаю, что Виктория вышла.

Назаров меньше всего ожидал подобного разговора. Он было решил, что гость пришел к нему по поводу редакционной политики относительно освещения городских новостей, где Назаров не щадил никого, тем самым за короткий срок снискав огромную популярность среди читателей и ворох претензий от чинуш самых разных рангов. А ведь скоро выборы, и Назаров точно знает, что его гость финансирует предвыборные кампании нескольких кандидатов. И вдруг — разговор о Вике. Он даже сам с собой это не обсуждал, а тут...

— Да, вышла еще зимой. Живет в Привольном, в старом доме ее бабки.

— Теперь ясно, магнит какого рода держит тебя там. — Гость жестом приказал Назарову молчать. — Я все ждал, когда же она ко мне придет, но не дождался. Ехать к ней я не могу, но ты уж, будь добр, сообщи мне, если понадобится помощь. Конечно, телевидение для нее закрыто, но я что-нибудь придумаю. Не хотел бы, чтобы она ставила на себе крест.

— Я тоже этого не хотел бы, и...

В дверь заглянула секретарша.

— Евгений Александрович, звонит ваша жена.

Секретарша никак не может усвоить, что жена бывшая — впрочем, Анна кого угодно умеет заставить делать то, что ей нужно, а потому Назаров просто не отвечает на ее звонки, и Анна звонит в приемную, а секретарша вынуждена докладывать о звонке. Противостоять Анне очень сложно. Настолько сложно, что секретарша рискнула прервать его разговор с этим человеком.

— Я возьму.

Конечно, секретарша не виновата, она сделала все, что могла.

— Извините, Николай Андреевич, это недолго, иначе она не даст нам поговорить.

— Конечно.

Назаров предпочел бы говорить с бывшей женой без свидетелей, потому что никому не надо знать, что он бесхребетный дурак, но спровадить человека, владеющего креслом, на котором он сам сидит, и кабинетом, и даже телефонным аппаратом... в общем, это плохая идея.

— Же-е-е-ень!

Голос Анны, тягучий и сладкий, и такой же обманчивый, как ее внешность Белоснежки. Когда-то и он обманулся, но это в прошлом. Правда, Анна так не считает.

— Анна, я занят.

Он понимает, что проиграл в тот момент, как только взял трубку — но оставлять секретаршу на растерзание бывшей жене было нечестно и малодушно. И потому он вынужден сейчас выставить себя тряпкой в глазах человека, которого он... ну, да, уважает — несмотря на его одиозную репутацию. Но у Анны есть свойство: она умеет заставить любого делать то, что хочет она.

— Женя, я завтра буду в городе, давай встретимся?

Назаров тупо уставился на кипу статей у себя на столе, на миг даже забыв о человеке в кресле посетителя. Какого-то черта Анна прилетит из Парижа в Александровск? Зачем хочет с ним встретиться?

— Посидим в милом смешном кафе «Маленький Париж», ты мне закажешь какао и их фирменный торт, а я куплю каких-то новых стеклянных фигурок... Жень, ты чего молчишь?

Назаров понимал, что это ловушка: и голос, тяжелый и гладкий, как жидкое золото, и невинные планы насчет кафе и стеклянных фигурок... Но как сказать, что ему все это не нужно? А самое главное — как сделать, чтобы Анна осталась где-то там, в Париже, демонстрировать моды и позировать фотографам, а не вваливалась снова и снова в его уже налаженную жизнь?

— Же-е-енечка!

Она знала, что он не устоит — конечно же, попрется с ней в это кафе, а потом... Да бог знает, что Анне взбредет в голову, учитывая, что она всегда под кайфом. А закончится все скандалом и полицией, и его, Назарова, испорченными нервами и подорванной репутацией. Потому что ни о ком, кроме себя, Анна думать не умеет. Она вообще не умеет думать, похоже. А если в Париже она сейчас в центре нового скандала, стоит ожидать, что за ней потянутся папарацци, и Назаров тоже может оказаться героем скандального репортажа, а учитывая, что неделю назад парижское издательство выпустило в продажу его книгу... Конечно, Анна все просчитала.

Назаров уставился в первую попавшуюся статью — из тех, что еще ждали его одобрения. Их много, а в номер нужно отобрать всего три.

«Бизнесмен и меценат Николай Ладыжников на открытии бассейна». Ну, этого «мецената» Назаров отлично знает, его второе имя — Коля-Паук, и весь рэкет, все незаконные операции и уголовщина происходят под его патронатом, так что никаких статей о его меценатстве он не пропустит. Несмотря на то что меценат сидит сейчас в его кабинете, полирует задницей кресло для посетителей и заинтересованно слушает его разговор с Анной.

И вот это тоже не годится — эка невидаль, беременная школьница из многодетной семьи, и...

Что?!

«Виктория Станишевская вышла из тюрьмы!»

Заголовок прост и понятен, и как раз этой понятностью и простотой автор и заинтересует аудиторию. Фотографии Вики — босиком, в кепке с козырьком, она из шланга моет бока большого внедорожника.

«Убийца вышла на свободу! Приговоренная к семи годам тюрьмы за убийство собственной сестры Виктория не отбыла в колонии и половины срока, выйдя на свободу — но чиста ли ее совесть? Кровь на руках не смыть никакими средствами, и убитую не вернешь. И я думаю, что три года — это слишком мало. Назовите меня мстительным, но как так получилось, что убийца на свободе?

Она прячется от всех в одном из пригородных сел — там у нее, как оказалось, есть собственный дом. И она живет, наслаждается каждым днем — а ее жертва...»

Назаров вдруг ощутил ту абсолютную ясность, которая бывает у него только тогда, когда он достигает точки абсолютной ярости.

— Же-е-е-ень!

Это Анна, она до сих пор на проводе, и ее фальшивый голос, подогретый кокаином, звучит неуместно и глупо.

— Анна, ты можешь ездить, куда тебе вздумается, но с чего ты взяла, что я хочу с тобой встречаться?

«В ее дворике полно цветов, она плетет корзины и продает на трассе ягоды и травы — в промежутках между мытьем машин, и уже никогда не вернется ни на телевидение, ни в светское общество, но достаточно ли этого? Почему кто-то счел возможным выпустить на свободу жестокую убийцу, когда...»

— Жень, ты что?

— Ничего. — Назаров понимал, что Анна не виновата в его ярости, но теперь уж получит и она. Чтоб два раза не вставать. — Прекрати мне звонить! Прекрати пытаться мною манипулировать, мы развелись год назад, прими это и не беспокой меня. У меня другая жизнь, другая работа и другая женщина, или ты своим прокисшим от кокса мозгом не в состоянии этого осознать?

— Жень... Ну ты чего?

Теперь она включила сценарий «потерявшаяся сиротка». Назаров знал все ее уловки и, несмотря на это, постоянно велся на них, но не сейчас, когда он так зол.

— Я — ничего. Просто перестань мне звонить, присылать письма и третировать мой персонал. Не надо приезжать, чтобы со мной встретиться, я не хочу с тобой встречаться, и у меня есть с кем посещать кафе, ясно? Анна, тебе нужно лечь в клинику и полечиться, а потом...

— Женя, мне очень нужна помощь! — Анна зарыдала очень натурально. — Женечка, только ты настоящий, и только ты...

— Только я вижу тебя насквозь.

«Виктория Станишевская заплатила долги обществу? Я так не считаю, и родители ее жертвы тоже так не считают. Мать убитой Дарины Станишевской возмущена...»

— Жень, ты не понимаешь! Я сегодня стояла на крыше и думала прыгнуть вниз! И только мысли о тебе...

— Так надо было прыгать, Анна. — Назаров цедил слова сквозь зубы, изо всех сил стараясь держаться в рамках приличий. — Надо было взять и прыгнуть, вместо того чтобы доставать меня и лить водопады соплей по себе любимой, потому что единственная твоя проблема — настоящая проблема, а не выдуманная — это кокаин. И ты уж будь добра, с этой проблемой разбирайся сама, я пас.

— И тебе все равно, что я покончу с собой?

— Да. — Назаров вдруг понял, что ему и правда это безразлично. В обычное время он бы почувствовал себя бессердечной скотиной, но не сейчас. — Но знаешь, что будет на самом деле? Сейчас ты наешься каких-то практически безвредных таблеток, а через десять минут придет массажистка и обнаружит тебя около пустого пузырька, ты притворишься мертвой, но она обнаружит сердцебиение, конечно же. Массажистка поднимет крик, вызовет врачей, тебя под щелканье фотокамер перевезут в клинику, станут пичкать успокоительными и таскать к психологу, а журналисты примутся расписывать это на все лады, и ты будешь нежно ронять слезы перед камерами, и обыватели простят тебе твой давешний дебош в ресторане. Ты слишком сильно себя любишь, чтобы прыгнуть с небоскреба и умереть тяжкой и страшной смертью, расплескав кровь и мозги по тротуару и ощутив в последний миг, как ломаются все до единой твои кости и рвутся внутренности, а лицо превращается в месиво. А возможно, ты проживешь после падения еще какое-то время, наслаждаясь ощущениями? Нет, Анна, эта клоунада с суицидом мне уже не интересна, я это все уже с тобой проходил, уроки извлек, теперь поищи другого дурака.

— Скотина ты, Назаров!

Конечно, она ломала комедию, и он знал, и она знала, что он знает, — но Анна думала, что воспитание не позволит ему озвучить это. И не позволило бы, и ему пришлось бы тащиться за ней в кафе, и все пялились бы на них, а папарацци щелкали бы фотоаппаратами из всех щелей, а потом Анна вдруг принялась бы танцевать на столе, например.

И он бы ощущал себя набитым дураком, которого использовали в очередной раз.

Но теперь этого не будет. И Анна, похоже, тоже это поняла.

Назаров повесил трубку и поднял взгляд на гостя.

— Извините, Николай Андреевич.

— Ничего, я был женат четыре раза. — Ладыжников засмеялся. — Правда, ни одна из моих жен не была такой красоткой, но стервами были практически все. Тянет нас на стерв, да, Женя? Когда барышня стервозная, с ней интересно. Это та, кто ни рыба ни мясо, пусть на дачу ездит огурцы солить, а стерва... Впрочем, ты был на высоте. Так я о чем тебе толкую...

— Одну минутку, Николай Андреевич. — Назаров еще ощущал ярость и не хотел, чтоб она вот так зря пропала. — Еще минутку.

Он выглянул из кабинета, секретарша что-то записывала в толстый журнал.

— Клара, позови ко мне Зайковского. Как только найдешь, пусть тотчас идет ко мне.

Этот мерзкий пасквиль нужно похоронить — желательно вместе с автором. Но сказать, что статья не годится, а уж тем более что это аморально, будет неправильно. Воззвать к совести можно только тогда, когда совесть есть, а эта молодая журналистская поросль, напоминающая агрессивный плотоядный сорняк, лишена ее напрочь. Правда, Зайковскому уже двадцать восемь, и он не намного моложе самого Назарова, но выглядит он, тощий и нескладный, как студент-первокурсник.

Назаров был не из тех, кто, придя на должность, начинает увольнять сотрудников. Он считал, что любой человек заслуживает шанса, и хотя Дмитрий Зайковский не нравился ему и как личность, и как журналист тоже казался посредственным из-за тяготения к различной «желтухе», Назаров собирался избавиться от него так, чтобы поганец больше никогда не смог работать журналистом.

И вот запретить, просто запретить эту злобную писанину, взывая к каким-то морально-этическим соображениям Зайковского, будет глупо и бесполезно. Он тут же разместит статью в Интернете, а то и конкурентам предложит. Нет, нужно стереть его в порошок вместе с его грязной статейкой, но так, чтобы ему и в голову не пришло копать дальше, а уж тем более дать материалу ход в альтернативных источниках информации.

— Женя, да я, собственно, все сказал, что хотел. — Ладыжников поднялся. — Темноват кабинет, пришлю тебе дизайнера, подберем мебель получше.

— Мебель и эта сойдет. — Назаров чувствовал неловкость из-за того, что не смог уделить посетителю достаточно времени. — А вот если бы вы могли посодействовать мне в другом деле...

— Говори.

— В городской детской больнице сломался рентген-аппарат, и это для них катастрофа. Дети вынуждены стоять в очереди во «взрослых» больницах, вместе с пенсионерами, и...

— Понял. — Ладыжников кивнул. — Спасибо, что сказал. Думаю, аппарат у них будет через несколько дней. Жень, ты обращайся, если что нужно, тем более мы же не чужие люди. Ирина хотела завтра к тебе заехать, повидаться... А насчет Вики — просто имей в виду, я всегда помогу.

— Спасибо, Николай Андреевич. За все.

Ладыжников хлопнул Назарова по плечу и открыл дверь, столкнувшись на пороге с худым очкариком. Тот, завидев гостя, отскочил назад, словно узрел привидение, но Ладыжников прошел мимо, игнорируя его полные стеклянного ужаса глаза и лицо, искривленное в какой-то почтительно-перепуганной ухмылке. Назаров поморщился, сам он был напрочь лишен какого бы то ни было чинопочитания, и когда видел подобную готовность к унижению в других, всегда ощущал стыд за этого человека.

— Вызывали, Евгений Александрович?

Зайковский уже опомнился и деловито заглядывал в кабинет. Высокий и тощий, весь какой-то нескладный, и до сего дня он Назарову просто не нравился — еще и оттого, возможно, что он испытывал отвращение к таким вот подчеркнуто некрасивым людям. Назаров понимал, что это неправильно, и тем не менее ничего не мог с собой поделать, дурнушки обоих полов вызывали в нем подсознательное отторжение.

А теперь Назаров понимал, что нужно быть очень осторожным — парень неглупый и напрочь лишен любых нравственных ориентиров.

— Сядь. — Назаров бросил перед журналистом страницы со статьей. — Это что такое?

— Это джекпот, Евгений Александрович! Я знал, что вам понравится. — Зайковский подскочил и взмахнул руками. — Я ее чисто случайно увидел, сразу и не узнал. Но у меня профессиональная память. И я проследил, несколько дней следил, у меня и фотографии есть. Это же бомба, понимаете? Номер нарасхват пойдет, мы же...

— Ты или дурак, или меня таким считаешь. — Назаров холодно окинул парня взглядом, и тот словно уменьшился в размерах. — Сядь и слушай.

— Да я что, Евгений Александрович, я же... Да что такое происходит?!

— Происходит то, что ты сейчас отдашь мне все материалы, которые нарыл, — все, и карту памяти, и прочее. И забудешь, что вообще была такая статья. И такая женщина.

— Да почему?!

— А ты не думал, почему ей за убийство дали всего семь лет? — Назаров смотрел на парня в упор, не мигая. — И почему из семи она отсидела всего три года, в колонии с практически санаторным режимом? Или ты не в курсе, **кто** ее прикрыл тогда — и прикрывает сейчас, и почему? Ты что, смерти моей захотел, и сам смерти ищешь?

— Да я... О господи, неужели это... Это он из-за нее приходил?!

— Молчи и не дыши. — Назаров прищурился. — Кому ты сказал о своей статье?

— Никому. — Зайковский поежился. — Даже корректору не дал, даже секретарша не видела, сразу вам в папку положил после утренней летучки, вы же помните.

Что-то такое Назаров действительно помнил.

— Если ты хоть слово скажешь в ту сторону, спасти тебя я не смогу, — нахмурился Назаров. — Это тебе не загнивающий Запад, тут нельзя все подряд вываливать. Ты и сам едва не подставился, и меня чуть под монастырь не подвел, ты это понимаешь своей башкой?!

— Теперь понимаю... Господи, так вот почему все! Если она все время была ЕГО любовницей...

Назаров мысленно хохочет. Очень удачно зашел в гости господин Ладыжников, вот просто невероятно удачно. Главное, теперь напугать парня так, чтоб ему и в голову не пришло копать дальше.

— Ты ходил к матери?..

— Нет, это я так, только собирался...

— Где материалы?

— Вот. — Парень вытащил из сумки ноутбук. — А фотографии в телефоне.

Вид у него был разочарованный и несчастный, и Назаров его понимал, материал-то и вправду отличный.

— Хорошо, что больше никто этого не видел... Или кто-то видел?

— Нет, Евгений Александрович, честное слово, никто!

Конечно, коллегам он ничего не сказал, потому что боялся, как бы не перехватили сенсацию.

— Если это где-то всплывет, я прикрыть тебя не смогу. — Назаров сам почистил жесткий диск и забрал карту памяти из телефона парня. — Если есть хоть малейшая вероятность, что кто-то это видел и выложил в Сеть... А информация есть только у тебя, то я и укажу на тебя, когда у меня спросят, понимаешь? А если это где-то всплывет, то у меня первого и спросят.

— Я клянусь, что... О господи! Это что же могло быть, он бы меня за это...

— Именно. Иди, и молчок. А в номер пойдет твоя статья о молокозаводе, на вторую полосу. Статья хорошая, кстати.

— Спасибо, Евгений Александрович, спасибо за все!

— То-то, что спасибо. Иди и подумай, как ты мог попасть, если бы я вовремя все это не остановил. — Назаров кивнул, показывая, что аудиенция окончена. — И держи рот на замке, иначе...

— Я знаю, знаю!

— Откуда тебе знать...

— Евгений Александрович, да все знают, что он делает с теми, кто ему дорогу перешел. — Зайковский затравленно оглянулся. — Хозяин в городе, что ж. Он даже в тюрьме не сидел, а говорят, что весь криминал под ним, и все у него схвачено. Меткая кличка — Паук. Он всех в паутине держит, а поглядишь — добропорядочный бизнесмен, в офисе сидит, и... А ведь когда все случилось, они и вместе-то не были, а он прикрыл ее, надо же!

— Много текста.

— Да, согласен. — Парень подхватил сумку и попятился к двери. — Спасибо, Евгений Александрович. Ведь мог вляпаться, и поминай как звали...

Назаров снова перечитал статью. Написано зло, с подковыркой, и выводы читателю делать не надо, все уже сделано. Да, не сейчас, и не в его газете, но рано или поздно, а Вику кто-то узнает, и тогда...

— Нужно с Аленой поговорить.

Он просмотрел статьи, одобрил правки и подписал номер в печать. Дома ждала бабушка, горячий ужин, запах ночной фиалки во дворе, сверчки и теплая летняя ночь.

И Вика. Хотя уж его-то она точно не ждала.

2

Утренняя влажная прохлада, когда за домом белорозовым кружевом зацветал вьюнок, сменилась полуденной жарой, и граммофончики вьюнка испуганно спрятались, а большие блестящие листья подорожника лениво развалились посреди спорыша, покачивая свечами стеблей.

Сейчас уже не утро, но еще и не полдень, и босые ноги ощущают одновременно прохладу, которая затаилась в траве, и горячие касания солнца, пробивающегося сквозь вишневые ветки. Запах трав и влажной земли такой знакомый, как и звуки, приходящие отовсюду, сливающиеся в одну общую музыку лета.

Вика села в траву, прислушалась. Она любила лето, любила самозабвенно, и обычно, живя в городе, тосковала весь год, вспоминая теплую прозрачность речной воды, запахи травы и многоголосые песни сверчков летними вечерами, пахнущими матиолой и дымком от надворной печи. И пусть в этом доме не имелось привычных удобств, это был единственный дом, который она могла назвать своим и где она всегда была счастлива. И даже теперь, когда она заперта в этом доме на неопределенный срок, лето все равно радовало ее, а мысли о будущем не одолевали: когда лето, о будущем думать не хочется.

Дом стоит на небольшом возвышении — вернее, с фасада, там, где застекленная веранда, никакого возвышения нет, просто от калитки дорожка, обсаженная лилейником, а вот задняя стена, за которой почти всегда прохладная тень, находится словно на небольшом холмике, полого спускающемся до самых ворот. Здесь растет папоротник, из-за дома выглядывает сирень. Вика всегда любила сидеть здесь, ощущая полнейшее счастье. Сейчас со счастьем напряженка, но Вика все равно пришла сюда.

Среди деревьев бродили соседские цыплята, голенастые и смешные, что-то клевали в траве, под козырьком крыши деловито сновали ласточки — целых два гнезда оказалось в этом году, а в прошлом году было одно, второе гнездо ласточки строили буквально у нее на глазах. И Вике нравится думать, что это прошлогодние птенцы вернулись сюда, свили гнездо под крышей, и, возможно, следующим птенцам тоже захочется вернуться.

Она скучала по этому дому долгих три года. Дом приходил в ее сны, и утром, открывая глаза и видя казенные стены, покрашенные бледно-голубой краской, и ряды убогих кроватей, она думала лишь о том, что вот прошел еще один день, и этот день приближает ее к дому еще ненамного. Она ни о ком не жалела и ни по кому не скучала, только по дому, который пришлось оставить, но который единственный ждал ее где-то там, за забором. И лето ждало тоже.

И когда ворота колонии закрылись за ней, Вика поняла: не важно, что зима, она поедет в свой дом. Тем более что ехать ей было больше некуда. В рюкзаке лежали нехитрые пожитки, в кошельке была та сумма денег, которая была при ней на момент ареста, и даже небольшие золотые серьги с голубыми камнями, подаренные отцом на совершеннолетие, вернулись к ней — а о них Вика часто думала. Она и вообще старалась думать о вещах второстепенных, потому что если начинала думать о главном, то возникала одна мысль: спрятаться где-нибудь и... что-нибудь предпринять относительно собственной жизни.

— Вика!

Это Алена, неизменная подруга детства. Синеглазая смуглая Алена, с милым курносым носиком и длинными ногами фотомодели. Правда, никакой фотомоделью Алена не была, она и вообще презрительно относилась к разным «фанабериям», не имеющим отношения к реальной жизни. Алена окончила кулинарное училище и работала поваром в собственном придорожном кафе, воспитывала двоих сыновей и сама руководила бизнесом, семейством, как и вообще всем, что попадалось под руку.

— Здесь я.

Алена выглянула из-за угла, но Вика и не подумала встать. Уж ею-то Аленка руководить не будет ни за что. Вика и сама всегда не прочь поруководить, и эта молчаливая борьба за главенство всегда была между ними, что не мешало им с Аленой дружить и скучать друг по дружке. И Алена была одна из троих людей, которые приезжали к ней — **туда**.

— Чего на земле сидишь?

Вика улыбнулась. Она знала, что Алена это скажет. Когда знаешь человека всю свою жизнь, то в какой-то момент начинаешь понимать, что он скажет или сделает в той или иной ситуации, и это радует, потому что означает одно: в жизни есть кто-то, кто настолько близок.

— Нормально, Алена. Лето же.

— Лето...

Алена тоже любила лето и любила сидеть в тени Викиного дома, зарывшись босыми ногами в прохладную траву. И это был еще один фактор, объединяющий их. В детстве подруги любили здесь играть вдвоем. Бабушка давала им домотканую дорожку, они расстилали ее поверх травы, сажали кукол, приносили посудку — они могли часами играть в какую-то свою жизнь, придумывая диалоги, устраивая чаепития и обеды. И бабушки нахвалиться не могли, какие у них замечательные девочки, тем более что они не особо жаловали уличную компанию, хотя иногда и ходили на реку вместе с остальными детьми.

Но даже на реке Вика и Алена вскоре отрывались от общей компании и шли по своим, понятным только им, делам. Они бродили по оврагам, по развалинам старой тракторной бригады, влезали в здание опустевшей старой школы, иногда — в окна заброшенных домов. Никаких трофеев не приносили, но так странно было, например, ходить по коридору старой школы, сидеть за старыми деревянными партами с откидными крышками, рисовать на досках цветы и чертиков или играть «в школу». И это была та жизнь, о которой знали только они двое.

Это было их царство, в которое они не впускали никого. Они не хотели показывать свои лазейки, не хотели делиться пыльными коридорами старой школы, выложенным кирпичом водосливом на заброшенной тракторной бригаде — там, глубоко в зарослях бузины и вишняка, было небольшое озеро, образовавшееся от постоянно текущей из старой трубы воды, и вода была чистой, пригодной для питья. Они смотрели в глубины озерца, радуясь невесть откуда взявшимся там небольшим рыбкам, наслаждаясь тишиной, а мысли о том, что это место известно, возможно, только им двоим, добавляло баллов к их личной шкале счастья.

И теперь Алена тоже приходит в этот дом, который сберегла для Вики, и они понимают друг друга попрежнему. С того момента, как Вика вернулась сюда, Алена приходила каждый день: приносила какую-то еду, молоко и новости. Алена всегда была специалистом по новостям, они каким-то невероятным образом сами стекались к ней, и Вика иногда думала, что если бы забросить Алену во вражеский тыл, то через совсем непродолжительное время она бы владела не то что копиями секретных карт, но и всеми подробностями личной жизни любого, кто оказался бы в поле ее зрения. Причем не прилагая к этому никаких усилий. Люди отчего-то сами все рассказывали Алене.

— Я тебе поесть принесла. — Алена села рядом с Викой и вытянула загорелые ноги. — Вадима видела, разводится с Алкой, знаешь? А Лешка, сын тетки Ленки, на следующей неделе из тюрьмы вернется, снова все пропадать начнет, горбатого могила исправит. Венька позавчера приехал и о тебе расспрашивал — говорит, хотел в гости зайти, да постеснялся. Оксанка снова беременная. Непонятно, зачем плодит детей? А была же, помнишь, нормальная девка, симпатичная — а сейчас спилась, дети зачмоханные, сама беззубая, хотела бы я знать, кто теперь-то мог на нее позариться, чтоб заделать очередного ребенка. Я чего пришла-то... Там бабка Варвара умерла — отмучилась, бедолага, я Женьку видела только что, и он просил тебе передать, чтоб ты на похороны обязательно пришла, бабка тебя очень любила.

Вика замерла, и сердце ее сжалось. Умерла бабка Варвара, та самая бабка Варвара, которая отчего-то очень ее любила, с самого детства. Всегда зазывала во двор, чем-то угощала, расспрашивала, что и как, хвалила, какая Вика неописуемая красавица... Бабка не была добра совершенно: обеих невесток ненавидела, сыновей презирала, а из пятерых своих внуков признавала только Женьку, остальных обзывала безмозглым отродьем и на порог не пускала. И тем более странной была эта ее привязанность к Вике, абсолютно чужой девочке с соседней улицы.

И теперь она умерла.

В последние годы бабка Варвара уже никуда не выходила, но когда Вика вернулась в дом, на третий день пришел Женька. Когда стряслась беда, Женьки не было в стране, он жил в Париже со своей женой-фотомоделью, тощей красоткой. Писал книгу по заданию какого-то иностранного издательства, а его статьи то и дело публиковали в разных журналах — Женька писал о политике в разрезе социума, что бы это ни значило. И когда все случилось, Женьки не было, и Вика была этому рада.

А потом, уже совсем потом, он приехал к ней вместе с Аленой, и Вика не обрадовалась этому, потому что одно дело — Алена, ей без разницы, что у Вики неухоженное лицо и жуткий ватник, а совсем другое дело — Женька. И Вика прогнала его, просто потому, что не могла позволить ему видеть себя такой.

И когда она вернулась, то даже Алена об этом сначала не знала. Вика просто не зажигала вечером свет. И как о ее возвращении прознала бабка Варвара, неизвестно, а она прознала, потому что Женька пришел. Долго топтался у порога, словно ждал приглашения пройти в дом, но Вика молча смотрела на него, и он явно ощущал себя не в своей тарелке. Впрочем, тогда до Женькиных тарелок Вике дела и вовсе не было, она сидела в нетопленном доме, где едва теплилась электропечка, на которой Вика сварила себе пшенную кашу из крупы трехлетней давности. И Женька смотрел на нее своими большими карими глазами, и в них читался вопрос. Но Вика не стала упрощать ему задачу, и Женька сразу скис.

— Там... это... бабушка хочет, чтоб ты пришла к ней. — Женька передал Вике увесистый пакет. — Вот... тебе передала. Ты не раскисай и приходи к нам сегодня, бабушка заболела совсем, не ходит никуда, так только, по дому если, а сюда ей не дойти, особенно по снегу. Ладно, еще увидимся. Сама-то как, норм?

Он всегда говорил вот так — «норм», вместо «нормально», и это его слово осталось от прежнего Женьки. И большие карие глаза в длинных загнутых ресницах тоже были привычными. Правда, когда они были детьми, эти Женькины девчачьи ресницы и круглые карие глаза придавали ему трогательный и беззащитный вид, хотя забиякой он был не из последних, а на взрослом лице глаза стали очевидно привлекательными, и Вика подумала вдруг, что сама она выглядит сейчас не лучшим образом.

— Ага. Ладно, приду, как стемнеет, часов в шесть.

В пакете, который передал ей Женька, был свежий хлеб, пирожки с яблочным повидлом, банка малинового варенья, кусок домашнего сыра, творог и банка сметаны. Вика долго смотрела на этот нехитрый продуктовый набор и думала о том, что зря не повесилась **там**. Надо было закончить разом эту бодягу и не мучиться.

Но когда стемнело, Вика, ежась от холода в своей осенней курточке, огородами побрела во двор к бабке Варваре, в душе надеясь, что Женьки в бабкином доме не окажется. Она чувствовала его неловкость, и ей от этого было неуютно, потому что они знали друг друга много лет, а теперь она изгой среди людей, и ладно бы среди чужих, а то Женька... Впрочем, если даже родители отвернулись, что ж тут о чужих говорить?

Бабка Варвара в доме была одна. Ничего здесь не изменилось: все тот же круглый стол, на котором под стеклом лежали фотографии, в углу икона, а на стенах портреты бабкиных родителей, и она сама — молодая, круглолицая, с черными вразлет бровями, карими веселыми глазами — Вика лишь тогда поняла, почему из всех внуков бабка привечала только Женьку. Он единственный был похож на нее и ее род, потому что, судя по фамильным бабкиным портретам, большие карие глаза в длинных ресницах она унаследовала от своего отца.

— Садись. — Бабка подвинула Вике стул. — Ужинать будем.

Вика молча уселась за уже накрытый стол, и хозяйка достала из буфета графин с наливкой. Ее знаменитой малиновой наливкой, которую Вика впервые попробовала в возрасте шестнадцати лет, когда Женька принес ее к ней на день рождения и клялся, что не украл, а бабка сама налила. Напиток был ароматным, очень сладким и легким, и никто не знал, как бабке Варваре удается сделать его, она держала рецепт в секрете.

Тяжело вздыхая, бабка достала из буфета две рюмки старинного синего стекла и поставила на стол. Запах малины поплыл по кухне, перебивая запах жареного мяса и соленых огурцов. Наполнив рюмки, бабка Варвара тяжело опустилась на стул.

— Ну, со свиданьицем, Викушка.

У Вики вдруг защипало в глазах, и она прикусила нижнюю губу, чтобы не расплакаться самым позорным образом. Чокнувшись с бабкой рюмкой, она выпила сладкий тягучий напиток, словно лекарство, ощущая запах малины, лета, какого-то прошлого счастья, которое уже никогда не вернется. И жизнь уже никогда не будет прежней, и она сама.

— Ешь.

Вика принялась за еду, захрустела огурцами — огурцы бабка Варвара солила в бочках, с разными приправами и вишневыми прутиками, с которых даже листья не обрывала, и огурцы эти в свое время ей бочками заказывали. Вот только секретов своих бабка не выдавала, рецептами ни с кем не делилась.

— Женька тебе завтра дров и угля привезет. — Бабка Варвара смотрела на Вику немного сердито. — Что сразу не пришла?

— А что вам со мной... — Вика нахмурилась. — Откуда я знала, что меня кто-то хочет видеть.

— Ну и дура! — Бабка снова наполнила рюмки. — Чтоб ты знала, у нас ни один человек не поверил, что ты виновата. А что посадили... Да мало ли у нас невиновных сидит! А люди не верили. А я так и вовсе знала всегда, что на тебе вины нет никакой, но чашу эту ты выпила. Три года, конечно, жаль — но это же не семь, и молодая ты еще, наверстаешь. Пей наливочку-то, за твое здоровье выпьем.

— И за ваше.

— А моего здоровья осталась чайная ложка, летом помру. — Бабка Варвара вздохнула. — Ну, да я пожила, восемьдесят семь лет — немалый срок.

— Чего вам помирать, живите.

Вика и представить себе не может, что вдруг не станет бабки Варвары. Уже многие старики-соседи переселились на кладбище, стоящее в сторонке от села, но бабка Варвара все жила, занималась хозяйством и, казалось, никуда не торопилась. И тут на тебе — помру летом!

— Пора и честь знать. — Бабка подвинула Вике вазочку с хлебом. — Пользы от меня нет уже — так, по дому еще туда-сюда, а по хозяйству уже не гожусь, в огороде да на дворе меня все равно что нет, все на Женьке. А ему разве до этого? У него работа важная, что ему в огороде ковыряться да кур обихаживать? Вот по всему выходит, что и мне пора в путь-дорожку. А тебе жить и жить, и хочется мне, чтоб жила ты хорошо, даром что ни за что пострадать пришлось. Погоди-ка, я едва не забыла...

Бабка поднялась и заковыляла к буфету. И тогда лишь Вика увидела, как она состарилась, как согнулись ее плечи и какой нетвердой стала походка.

— Вот.

Бабка положила перед Викой толстую книгу в синем кожаном переплете, и Вика удивленно посмотрела на нее. На книге не было никакой надписи, и если бы не была она такой большой и явно старой, то Вика могла бы подумать, что это просто блокнот или ежедневник.

— Это, чтоб ты знала, моей бабки еще книга. — Бабка Варвара вздохнула. — А ей досталась от матери, а той — от ее матери. Теперь она твоя. Здесь много нужного найдешь, пригодится.

— Но... почему я?

— Как же. — Бабка Варвара улыбнулась. — Ты же тоже наша кровь, родня.

— Как это?!

Она никакой родней с Женькиным семейством не была и знала это совершенно точно.

— Ну а как же. Мать моей прабабки и мать прабабки твоей бабушки Любы, чтоб ты знала, были родными сестрами. Вот погоди, покажу тебе. — Бабка Варвара снова заковыляла к шкафу. — Смотри сама, коли мне не веришь.

В старом Евангелии оказались страницы, исписанные странным почерком. Чернила выцвели от времени, но буквы были четкими.

— Вот, погляди: Антон и Елизавета Разумовские, а дальше по святцам их дети: Николай, Григорий, Мария, Наталья, Ольга. Мария родила мою прабабку Феклу, а Наталья родила Елену, которая была прабабкой твоей бабушки Любы, царствие ей небесное. Дальняя родня, да кровь одна, Викушка. Фекла, гляди, родила мою бабку Марию, а Елена — Оксану, бабку твоей бабушки. Ну а дальше ты знаешь. Все они родились здесь — здесь же и замуж вышли, и тут жили, да. И времени от Антона и Елизаветы прошло, почитай, что под двести лет, а однако ж кровь — не вода. Так что самое твое наследство — книжка эта с записями разными. Тем более что тебе она нужнее всех. Там найдешь рецепты и наливки, и хлеба, и отваров из трав, и чего там только нет, разберешься. Никакого колдовства, просто рецепты на все случаи жизни, жизнью же и проверенные. Но наказ такой: никому в руки не давать пользоваться, даже не показывай никому, и рецептами не делиться ни с кем. Вот даже с Аленкой — разве что рецептами отваров целебных ради спасения жизни. Знание это по роду идет, и как настанет твой час, передашь книгу женщине нашей крови — хоть дочери, хоть внучке, а хоть и дальней родне, кому сердце подскажет, кто не выбросит на помойку, а применять станет и приумножать. Так-то, Викушка, владей теперь ты, а мне уж незачем. Летом-то помру я, чтоб ты знала. Так ты на похороны мои приди, не прячься. А люди, имей в виду, не верят, что ты виновата, разве что самые дураки, да немного их, и те сказать побоятся.

— Баб-Варя, а ведь я-то и вправду не виновата.

— А я знаю, детка. — Бабка неумело погладила Вику по голове. — Знаю, дитятко золотое, что зря ты пострадала, без вины такую муку приняла, и молилась я о тебе, почитай, каждый день, чтоб отпустили тебя на волю, да чтоб мои глаза тебя еще раз увидели. Вот и попустил Господь, дождалась. И не таись по ночам, а ходи по солнцу свободно, люди не дураки, все понимают. А Женька завтра тебе дров привезет, зимы еще много осталось, в холодном доме сидеть не получится, не ровен час — заболеешь, а то и замерзнешь насмерть. Давай чай пить, что ли.

Бабка жестом остановила Вику и сама собрала со стола опустевшую посуду, поставила чашки и чайник, блюдо с пирогами.

— Пирогов напекла — эти вот с яблоками, а эти с творогом. — Бабка вздохнула. — Как помру, дом опустеет... Женька что — он в городе, и сюда не наездится, жить здесь не будет, опять же, а остальные мои внуки, ей-богу, пустые люди оказались, дочери-то нет у меня, а невестки дуры дурами, и дети у них такие же бестолковые, вот один Евгений в мой род пошел. Вы хоть с ним и родня, но очень дальняя, ничего страшного. Ешь пироги-то, и чай остывает. Родители не объявлялись?

— Нет. Да и незачем.

Бабка осуждающе покачала головой, но ничего не сказала, и Вика тогда была рада, что ни о чем ее не расспрашивают, потому что и так по ночам ей часто казалось, что и дом, и свобода — все приснилось, а откроет утром глаза и снова увидит ненавистные бледно-голубые стены.

И теперь бабки Варвары не стало.

— Она зимой мне говорила, что умрет. — Вика пошевелила ногой в траве. — Как она знала?

— Она много чего знала. — Алена вздохнула. — К ней на картах гадать приезжали, она гадала хорошо. Вот и это, стало быть, тоже знала. Завтра похороны, мы с Юркой за тобой зайдем, хватит прятаться.

Вика хотела возразить, что, дескать, ничего она не прячется, да смысла врать не было. Конечно же, она пряталась. Ей казалось, что все смотрят на нее и показывают пальцем. Наверное, было бы проще вернуться в город и затеряться там, но дело в том, что ей некуда возвращаться. Только этот дом, который когда-то принадлежал ее бабушке. После ее смерти обнаружилось завещание, в котором указана только она, Вика. Только сюда она могла вернуться, и вернулась. Но здесь она оказалась на виду у всех. Здесь ее знали с самого рождения, затеряться не получилось. Да она и знала, что не получится. И Вика свела свои появления на людях к необходимому минимуму.

Но не пойти на похороны бабки Варвары она не могла, и не потому, что Женька просил, а потому, что бабка еще зимой ей велела прийти обязательно, и нарушить ее волю Вика не могла никак.

— Заходите, конечно. — Вика подумала о том, что вместе с Аленой она, пожалуй, что и рискнет появиться на людях. — Что мне надеть, не знаю.

Когда-то она привозила в этот дом одежду, которую в городе носить было уже нельзя, но на даче в самый раз. И теперь оказалось, что это единственная одежда, которая у нее есть. Благо ее много, но вся преимущественно летняя, зимой и весной Вике пришлось туго, да и эта летняя одежда не слишком годится для похорон.

— Я тебе джинсы принесла. — Алена внимательно наблюдала, как тяжелый шмель безуспешно пытается пристроить свою пушистую полосатую тушку на небольшой желтый цветок ноготков. — Купила себе по весне, а вчера примерила — они большие, похудела я по лету, а тебе в самый раз будут.

— Алена!

— Что — Алена? — Алена фыркнула. — Чтобы мне их носить, надо же перешивать, а мне некогда возню с шитьем затевать. А тебе они будут как раз.

Конечно, Алена не стала говорить подруге, что купила эти джинсы вчера, выдернув одну из продавщиц в качестве манекена, потому что ростом и фигурой та была похожа на Вику. Но Алена знала: Вика ни за что на свете не примет у нее никакого подарка подобного рода, гордая. А денег у нее негусто: моет машины на мойке при ее кафе и зарплату получает как все, больше — ни-ни, сразу рогом упирается. Да еще продает на трассе фрукты, ягоды, пучки лекарственных трав — рядом с мойкой оборудовал ей Юрка небольшой прилавок, вот с того и живет. Да с огорода, который они с мужем помогли ей посадить по весне и за которым Вика ухаживает люто.

— Рассказывала мне тетка Лида, как вчера бывшего твоего в лужу усадила. — Алена хихикнула. — Ему это небось хуже горькой редьки было — вот так его при девице опустили.

— А то. — Вике не хотелось вспоминать вчерашнее, да от Алены не отвяжешься. — Он подтяжку сделал, а тут — мужчина, уймите вашу дочь!

— Так и ездит на твоей машине, вот же сволочь.

— Ага. — Вика поднялась и отряхнула юбку. — Алена, не хочу я об этом говорить. Моя жизнь закончилась — в том, привычном смысле. Я опустилась на самое дно, и выхода отсюда уже нет, и давай оставим эти разговоры.

— Ты хочешь сказать, что жить здесь — это самое дно?

— Не заводись. — Вика спустилась с бугорка и встала в полосу, освещенную солнцем. — Ты отлично знаешь, что я хочу сказать, к чему утрировать и передергивать, цепляясь к формулировкам.

Она пошла в сад, думая о том, что совершенно напрасно не нашла смелости покончить с собой в колонии, а здесь, в этом доме — нет, нельзя. Это светлое место, осененное счастливыми воспоминаниями. Впрочем, остается надежда, что ее может, например, сбить машина.

— Когда меня не станет, этот дом будет твой. — Вика прижалась спиной к каштану, когда-то посаженному для нее дедом. — Не пили этот каштан, он красивый.

Алена плюнула в сердцах и тоже поднялась. Ей хочется стукнуть Вику по голове, до того она разозлилась на подругу, но даже этого она не может себе позволить. За три года от той Вики, которую она знала, ничего не осталось, вернулся человеческий обломок, который пока еще функционирует, но Алена знает: в любой момент, придя в этот двор, она может застать подругу висящей в петле.

Но видеть Вику такой она тоже не может, а как исцелить ее раны, не знает.

— Ладно, поговорили. — Алена тоже спустилась в сад и, встав с другой стороны каштана, посмотрела вверх. — Смотри, Вика, листья как кружево.

— Ага. — Вика тоже подняла голову и посмотрела вверх, где сквозь листья проглядывало летнее небо. — А помнишь, как мы в каменном карьере прыгали со скалы в воду, а пацаны боялись?

— Еще бы! — Алена хихикнула. — Все боялись.

— Я тоже боялась. — Вика вздохнула. — И до сих пор боюсь. Я тогда, в первый раз, не думала даже, как оно будет — прыгнула, и все, и уже лечу вниз, в животе ужас, мимо красноватая скала летит, и страшно... Выплыла, смотрю — а наши наверху стоят, высоко-высоко.

— Мы тогда раза по три прыгнули. — Алена засмеялась. — Я тоже боялась, но сам факт, что мы им всем носы утерли, сильно грел душу.

— Однозначно.

Когда они вспоминали детство, у Вики словно тьма отступала с души. И словно снова они беззаботны и счастливы.

И все еще живы.

— Идем, там жаркое стынет, поешь. — Алена толкнула Вику плечом. — Хватит раскисать. Кстати, я хочу купить у тебя огурцов для кафе.

— Спятила? — Вика хмыкнула. — Бочонок в погребе, спустись да набери, делов-то.

— Мне нужен весь бочонок и через месяц еще один. — Алена покосилась на Вику. — И наливочки тоже купила бы... Есть наливка-то?

— Есть чуть-чуть. — Вика улыбнулась, вспомнив ряды разнокалиберных бутылок на полке в погребе. — Но малины много.

Малинник за домом был еще бабушкин, но по весне Вика взяла саженцев у бабки Варвары, и малина разрослась в промышленных масштабах, Вика едва успевала ее срывать и пускать в дело. Бутылки брала у Алены в кафе, там всегда было много бутылок. Конечно, Алена поняла, откуда дровишки — наливки, которые делала бабка Варвара, славились далеко в округе, и понятно было, что бабка поделилась с Викой рецептом, что дело вообще небывалое, но вопросов подруге она не задавала. Вика сама расскажет, если посчитает нужным, а не расскажет — значит, не расскажет, что ж.

— Тогда куплю пять бутылок малиновой и вишневой столько же — пока немного, я погляжу, как пойдет. — Алена одним движением руки остановила протесты Вики. — Не спорь со мной на эту тему, тем более что мне это очень нужно, мы же расширяемся. Так что я собираюсь сотрудничать с тобой и дальше, а потому вот тебе деньги за наливку и огурцы. На следующей неделе мне понадобится еще столько же наливки, а огурцов еще бочонок возьму через месяц. Бочонок я купила, завтра Юрка тебе привезет, бутылки под наливку тоже. Огурцы-то у тебя хоть и уродились, но если делать на продажу, твоих не хватит, так что я тебе на днях привезу еще и огурцов.

Они вошли в летнюю кухню, где на столе стояли банка молока и чугунок, зазывно пахнущий жареным мясом.

— Жаркое сегодня у нас, вот привезла тебе. — Алена деловито полезла на печь и достала оттуда пустую банку. — Все, заканчивай кукситься, а я побегу дальше. Завтра похороны, не забудь.

Алена ушла, за воротами приглушенно затарахтел скутер — подруга передвигалась только так и всегда торопилась. Скутеров в Аленином гараже было несколько, их сдавали напрокат соседям и просто желающим покататься, но у каждого члена семьи был свой скутер, и Аленин был красно-золотой, очень веселый и юркий. И вот Алена укатила на нем, а Вика осталась.

Иногда Вика брала один из скутеров и ездила на дальние озера, Алена предлагала ей отдать скутер насовсем, но Вика не соглашалась, это было неправильно. А взять покататься можно, в этом ничего такого нет.

Лето превратило двор в цветущий луг, весной Вика насадила множество цветов — впервые за всю свою жизнь она жила в этом доме и зиму, и весну, и лето — и похоже, что вся жизнь теперь будет проходить в этом доме. Весной бабка Варвара дала ей целое ведро корневищ георгин, которые теперь стеной стоят вдоль веранды, до того густо разрослись. Только желтых не оказалось, а Вика любила желтые георгины. Соседки весной приносили разные семена, и Вика просто сеяла все, что давали, и теперь ее двор был сплошь засажен цветами, так их оказалось много.

Необходимость жить в доме постоянно не вызывала у нее протеста, Вика ценила то, что ей было куда вернуться, потому что большинству тех, кто находился за забором вместе с ней, вернуться было некуда. Тем не менее она скучала по своей прошлой жизни, по работе скучала, но вышло так, что никто из этой прошлой жизни не помог ей, когда случилась беда. Отвернулись все — отвернулись дружно, просто словно перешли на другую сторону улицы и сделали вид, что ее, Вики, больше нет на свете.

Осталась Алена, и это было важно.

Вика открыла чугунок и вдохнула запах еды. Она многое научилась ценить, потому что три года подряд была лишена элементарных вещей. Кусочки запеченного мяса и картофеля, с овощами и фасолью, пахли приправами, и Вика вдруг ощутила, что голодна. Она взяла из сушилки чистую тарелку, достала приборы, салфетки, стакан и кувшин с компотом, поставила на поднос. Нужно заниматься делами, но для начала поесть не мешает. В холодильнике банка с огурцами, и Вика довольно улыбнулась — много ли надо человеку для счастья.

Забрав с собой еду, Вика вышла на улицу — за кухней с незапамятных времен был вкопан стол и скамейки. Здесь раньше они обедали и ужинали всей семьей, а если гости приезжали, то приходилось еще стулья выносить. Но теперь Вика здесь одна, и гостей у нее не бывает. Тем не менее стол накрыт красивой клеенкой, купленной еще в той, другой жизни, и тарелки тоже оттуда, красивые тарелки, блестящие приборы. Вике этого так долго не хватало, и сейчас она сервирует стол по всем правилам — это ее маленький ритуал, который всякий раз словно говорит ей: ты дома. И пусть прежняя жизнь для тебя закончилась навсегда, у тебя все еще есть дом.

Вика села на скамейку, застланную домотканой полосатой дорожкой, и замерла. Звуки и запахи лета нахлынули на нее, и ей снова семь лет, сейчас она поест, и они с Аленой побегут на реку, а потом... Да куда захотят! В этом и смысл лета — жить, а жизнь — это свобода.

Вика отпила из чашки малиновый компот и потянулась за пирожком. Эти пирожки позавчера испекла бабка Варвара, и Женька принес их вместе с домашним хлебом. Вот этим самым, что сейчас на столе.

Острое ощущение непоправимой потери наконец настигло Вику, и она, бросив на столе посуду, побежала в дом. Плакать на людях нельзя.

3

— Много ты понимаешь!

Алена сердито смотрела на соседку Валентину, и та отступила на пару шагов — когда Алена сердится, то может и стукнуть сгоряча.

— Да я что... Просто люди говорят — зачем нам убийца в деревне. Да не кого-то убила, родную сестру, это кем надо быть! — Валентина попятилась от забора. — Вот ты туда ходишь к ней, и Женька ходит. Ну, с Женькой ясно, мне вот люди говорили, что там любовь была, а еще бабка его сильно привечала Викторию, хоть непонятно, за какие заслуги. Но я считаю, ни к чему ей тут жить, мало ли, что ей в голову стукнет, после тюрьмы особенно. И люди так говорят тоже.

— Кто так говорит? Ну-ка, скажи мне по именам, кто это говорит? Ты сама приезжая, без году неделя тут живешь, с чего ты взяла, что можешь рассуждать, кому где жить? — Алена вышла из калитки и двинулась в сторону Валентины, и голос ее разнесся по пустой улице. — Ты сама-то кто такая есть? Или ты думаешь, я не в курсе, что ты в городе квартиру пропила, а детей у тебя соцслужба отняла? А здесь живешь — в хате грязь, на дворе беспорядок, ходишь вечно пьяная, платье на тебе нестиранное, сама воняешь, как скотобойня, шею помыть — и то не можешь. Позорище какое! А думаешь, я не знаю, что мужик твой в тюрьме по пятому разу сидит? Так тебе есть место здесь, а Вике нет, когда ее семья тут с деда-прадеда жила? Или ты решила, что никто не знает, что ты тут уже всем желающим дала, и не по разу? А теперь ходишь по дворам, сплетни разносишь, хорошего человека грязью поливаешь, шалава подзаборная!

Алена двинулась к Валентине, и та, взвизгнув, припустила по улице, сверкая черными пятками — свои грязные шлепанцы она потеряла сразу же, как бросилась наутек. На голос Алены через забор выглянули соседи — Настя и дед Григорий.

— Что ты ее так, Ален?

Настя, видимо, убиралась в доме: подол подоткнут, руки влажные, полы мыла, не иначе. Дед Георгий выглянул с граблями — за сеном собрался, но на шум выглянул, не поленился.

— Так представь, что заявила! — Алена все еще злилась. — Ты, говорит, скажи подруге своей, что ей тут у нас не место, раз она убийца.

— Тут у нас?! — Настя от возмущения всплеснула руками. — Года нет как приехала, алкашка грязная, прощелыга городская, а туда же! Правильно наподдала! Жаль, меня рядом не случилось, я б ей волосенки-то повыдергала.

— Руки марать... — Дед Григорий достал пачку сигарет и, постучав ею о ладонь, вытащил сигарету и закурил. — Не то ты говоришь, Настя. Такой вот Вальке можно, конечно, для профилактики морду подрихтовать, так она сразу в полицию побежит, у тебя же и выйдут неприятности. А вот придет она, допустим, просить чего — а она явится, завсегда является, так ты ей от ворот поворот. Я Вику-то с детства помню, вас всех помню... Бывает всякое в жизни, что ж, пережить надо. Не могла она убить, и никто меня не убедит в том, что убила, а что осудили... Так вот ведь, и я когда-то сидел. Что, не знали? То-то, что не знали, вас тогда и в проекте не было. А ведь сидел два года — как с армии вернулся, через два месяца и закрыли меня. И тоже ни за что сидел: Марта моя сыну тогдашнего председателя сильно приглянулась, а я мешал, любовь у нас была со школы еще, она меня и с армии дождалась, свадьбу ладили, а тут этот... пащенок председательский. Я пока в армии был, он ей проходу не давал, а как я вернулся, тут-то они меня с папашей и подкузьмили. Подбросили, значит, зерно мне в машину — я водителем устроился. Значит, и посадили, думали, видать, что Марта ждать не станет из тюрьмы, побежит к председательскому сыну, а она дождалась меня, хоть родители ее и противились, и то верно, одно дело из армии ждать, другое — из тюрьмы... А ведь почти пятьдесят годков скоро, как мы с ней вместе живем, а если рассудить по-ихнему — так да, сидел, судимый. Да я-то что, я мужик, посидел да вышел, приятного мало, но пережил, а девчонке, такой как Вика наша, — это, конечно, на всю жизнь рана незаживающая. Как она там? Я вот никак ее не увижу, она будто прячется от всех.

— А кто б не прятался! — Настя вздохнула. — Ведь без вины пострадала, любой бы прятался. А всякие идиоты языками треплют... Ну, погоди ж ты у меня, Валька! Только приди за чем-то, уж я расскажу, почем дыни на базаре. Она что, специально к тебе за этим приходила, что ли?

— Нет. — Алена презрительно поджала губы. — Пришла работы спрашивать — типа, может, уборщица мне в кафе нужна, или на мойке машины мыть, или там посуду мыть в кафе... В общем, жить-то надо на что-то, хозяйства она не держит, за хозяйством уход нужен, тут сноровка надобна и понимание, да и работа немалая. А куда же ей? Она не привыкши и понятия не имеет нужного.

— Понятие и сноровка — что, не в пустыне живет, все можно у людей спросить, всему научат. — Дед Григорий погасил окурок и открыл калитку. — Желания нет, глупая бабенка, пьющая и ленивая, не хозяйка. Одним словом, шваль приблудная.

— Так я о чем. — Алена сердито поглядела на грязный резиновый тапок в траве, оброненный убегающей Валентиной. — Ленивая, неряха тем более, да и чужая. Ну, я ей так прямо и говорю: кабы мне нужен был человек, я бы своего кого взяла, а не пришлого, со стороны. А она, видать, подумала, что я Вику имею в виду, вот и принялась мне объяснять... Зря она это, конечно.

Алена и Настя переглянулись, а дед Григорий засмеялся сухим стариковским смехом.

— Приезжая она, вот и не знает пока, что вы за зелье. Ладно, потопал я на луг, работа не ждет.

Они разошлись каждый по своим делам, но Алена не скоро успокоилась. Конечно, таких, как Валентина, немного — на пальцах пересчитать, если вдуматься, но Вике-то не легче, ее каждое слово ранит. И, конечно, Алена видит, во что превратилась ее лучшая подруга за три года пребывания в колонии, а когда думает о том, что Вике пришлось пережить, то невольно ежится. Кто знает, смогла бы она сама пройти все это и остаться прежней и кто бы смог.

Она помнила Вику столько, сколько помнила себя. Первые ее воспоминания о том, как они на берегу лепят пасочки из песка, и Викина бабушка сидит на перевернутой лодке, читает какую-то книгу. По Алениным прикидкам, было им тогда года по три, не больше. И каждый год они скучали друг по другу зимой, а летом из города привозили Вику, и Алена, забросив своих «зимних» подружек, почти не расставалась с Викой.

А зимой они писали друг другу письма и планировали, что сделают летом.

Викиных брата и сестру, неразлучных двойняшек, Алена почти не знала, как и ее родителей, которых тоже видела редко. Они все занимались спортом, любили организованный отдых в спортивных лагерях, двойняшки ездили туда с родителями — бывшими спортсменами. Впечатление у Алены о родственниках Вики сложилось двойственное. С одной стороны, Викины родители учили местных ребят плавать, играли с ними в футбол и баскетбол, организовав команду, где верховодил Викин брат Никита, а Викина сестра Дарина была гимнастка и чемпионка каких-то там игр. Алена терпеть не могла Дарину, потому что та всегда ходила с презрительной миной и ныла: когда мы отсюда уедем, еще долго?

Двойняшки Дарина и Никита, если не занимались своим спортом, всегда были вместе, у них водились какие-то секреты, родители тоже были на своей волне. Это была хорошая, дружная семья, крепко спаянная общими интересами, а Вика просто старалась меньше попадаться им на глаза. Она практически с младенчества жила в Привольном, потому что даже с ее рождением родители продолжали спортивную карьеру, даже мать, едва родив Вику, отдала ребенка свекрам и продолжила тренировки.

И не родители, а бабушка с дедом заметили, что с девочкой что-то не то — Вике тогда было полтора года, и сельская фельдшерица Николаевна дала направление на обследование в городскую больницу, где и выяснили, что Вика очень больна, у нее порок сердца, требующий операции. И родители решили, что лучший выход — завести другого ребенка, тем более что карьера гимнастки у Викиной матери подошла к концу. А бабушка с дедом повезли внучку в столицу, добились, чтобы ее оперировал знаменитый кардиолог, и деньги на это всем селом собирали. Когда Вику прооперировали, только бабушка была рядом с ней, потому что родителям снова оказалось не до старшей дочки: отец уехал на очередной чемпионат, у матери родились близнецы, абсолютно здоровые сильные дети.

Вика в эту семью не вписывалась — несмотря на операцию, спортом ей заниматься врачи запретили, и родители как будто списали ее в отбраковку. Они всецело посвятили себя близнецам и занимались ими. Но когда Вике исполнилось семь, ее забрали в город, чтобы записать в городскую школу. Это было первое их общее горе, потому что Вика почти не знала родителей, городская жизнь ее пугала, но делать было нечего, Вику увезли, и с тех пор она приезжала только на каникулы.

Бабушка с дедом обожали внучку, и когда ее у них забрали, дед Андрей стал все чаще болеть, пока не умер от сердечного приступа. Оставшись одна, бабушка Люба вернулась на работу в школу, где и трудилась почти до самой смерти. Только она интересовалась Викой, писала ей письма зимой, советовала книги, радовалась ее успехам. Она так и не простила невестке то, что та отобрала у нее внучку — а то, что это было полностью решение невестки, она не сомневалась.

Вика никогда не говорила Алене, как ей живется в городской квартире родителей, но Алена знала: если Вика о чем-то не хочет говорить, значит, это доставляет ей боль. И по тому, как Вика пряталась от родителей, когда те приезжали летом погостить, было ясно, что они так и остались для нее чужими людьми, недобрыми и непонятными.

Викина семья приезжала в Привольное всегда ровно на неделю. Словно отбывали некую повинность, и хотя ничего явного не было, но даже бабушка Люба понимала это, ну а в селе и вовсе ничего не утаишь. Одно счастье — Викино семейство всегда приезжало именно что ровно на неделю, так что можно было просто считать дни, стараясь при этом не попадаться на глаза ее родителям и Никите с Дариной. И когда они, к огромной радости Вики и Алены, грузились в машину, то и бабушка Люба, казалось, тоже радовалась — она не любила невестку, которую обвиняла и в смерти деда Андрея, и в том, что ее сын превратился в чужого человека, вздыхая, что Валерий теперь отрезанный ломоть, ночная кукушка дневную-то завсегда перекукует. А уж двойняшек бабушка и вовсе словно опасалась. Она всю жизнь работала в школе, и для большинства сельчан была первой учительницей, за что ее любили и уважали. Она всегда могла сказать, что получится из того или иного ребенка, а вот что получится из ее внуков-двойняшек, боялась даже думать.

— Испорченные, напрочь испорченные дети. — Бабушка Люба горестно вздыхала, разговаривая с Алениной бабушкой. — Бессердечные, вот что хуже всего. Ничего им не жаль, никого они не любят, ничему не радуются, они и на детей-то не похожи, цены себе не сложат, высокомерные и злые дети.

— Как и Раиса. Какая мать, такие и дети, и Валерий, уж не взыщи, подруга, стал таким же точно. — Аленина бабушка тоже вздыхала в ответ. — Знать бы тогда, что такое выйдет...

— Да кабы знать... Андрей-то хотел как лучше. Одна теперь отрада — Викушка...

Это они имели в виду странную идею Викиного дедушки Андрея отдать единственного сына в спортинтернат — мальчишка любил спорт, хотел стать футболистом, была возможность... А вылилось все в то, что сын стал чужим человеком с непонятными стремлениями и жизнью, в которой не было места ничему, что не связано со спортом.

— Андрей-то, царствие ему небесное, думал, что мальчишка тут будет свой талант губить, если ему по душе мяч гонять, и способности есть... У самого Андрея не получилось это, куда там, старший сын у матери-вдовы, оставшейся с ребятами, вот он и ухватился за представившуюся возможность хоть сыну своему дорогу пробить. И поначалу-то оно и ладно было, иные в тринадцать лет за сараями табак да самогон распробовали уже, а наш в спортшколе, у известного тренера. А потом вырос и женился на Раисе. Ведь знала я, что недобрая она душа, да разве могла помешать? А теперь ни сына у меня на старости лет, ни отрады никакой, окромя Викушки, Валерий считай что чужой теперь.

— Да пусть бы гонял свой мяч до посинения, Люба. А от матери и от Вики не отказывался, а он как отрезал — то, значит, дети, а это чурка осиновая. Девчонка хворая с детства, в чем ее вина? И ты тоже... Родила сына, растила, а он...

— Все, Галка, закрыли тему. — Бабушка понимала, что подруга права, но кому было легче от такой правоты? — Он как побудет здесь, так душой-то немного и отойдет под конец, снова становится похож на моего прежнего мальчика, он ведь добрый всегда был у меня... Беда только, что недолго он тут бывает, и всегда с Раисой, а там уж как уедет, то Раиса его снова обработает как ей надо.

— Свою голову на плечах иметь надо, виданное ли дело — позволить бабе собой вертеть.

Вика мечтала остаться с бабушкой, ходить вместе с Аленой в школу и всякий раз, когда наступал август, становилась мрачной, а вечерами, слушая сверчков, тоскливо вздыхала — возвращаться в город ей не хотелось. Она была там чужая, подолгу оставалась одна — когда родители и брат с сестрой уезжали «на сборы», оставляя ей деньги «на жизнь». Редкие звонки от родителей, а звонили они всегда по очереди, словно график дежурства соблюдали, не спасали положения. Но хуже было, когда они все возвращались, переполненные впечатлениями, постоянно обсуждая спортивные новости, они не замечали ее присутствия, и это было лучшее, что они могли сделать.

Вика не понимала, почему родители не позволяют ей жить с бабушкой, иногда она говорила Алене, что мать специально не позволяет этого, чтобы причинить боль и ей, и бабушке. И Алена с ней соглашалась — она и сама старалась держаться подальше от молодой тонкой женщины с горделивым профилем и огромными светлыми глазами, какими-то бесцветными, Раиса никогда не улыбалась и всегда казалась холодной и отстраненной.

Алена вошла в дом и принялась складывать стирку. Муж и старший сын управлялись сейчас в кафе сами — наплыв клиентов был, как правило, ближе к вечеру, и в обед Алена может заняться хозяйством, потому что родители уже немолоды, да и возни с огородом и скотиной им хватает.

А еще это единственное время в сутках, когда она может побыть одна. Не то чтобы Алена любила одиночество, но иногда ей было нужно собраться с мыслями и просто ощутить себя в мире и почувствовать свое личное пространство именно своим. Она приезжала домой посреди дня и занималась какими-то мелкими делами или просто шла на реку и купалась в теплой воде, любуясь зарослями ивняка на берегу. Всю свою жизнь Алена прожила в этом месте — нет, она ездила и за границу, и по стране, но не видела мест красивее, воды ласковее и прозрачнее, не знала ветра слаще того, что налетает из степи в жаркий летний день. И всякий раз тянуло ее домой непреодолимо, хотя и ждала ее здесь работа, хлопоты, но ощущение того, что она находится на своем месте, доставляло ей радость.

А вот Вика не была здесь на своем месте, и Алена это понимала. Конечно, Вика любила и старый бабушкин дом, в котором сейчас жила — как когда-то они с Аленой вместе мечтали, и реку любила, и вечную дорогу через улицу в лес, но когда оказалось, что альтернативы всему этому нет, Вика упала духом. Потому что вся ее жизнь была где-то там, в шумном городе, а здесь просто место, осененное счастливыми воспоминаниями, куда Вика любила приезжать на выходные или в отпуск, чтобы, набравшись сил, снова вернуться в ту, другую жизнь. Которая теперь для нее закрыта навсегда.

Во дворе залаяла собака — огромный волкодав Питер. Это Вика его так когда-то назвала, когда они взяли щенка, и он скулил посреди двора, отказываясь от еды. И Вика взяла щенка на руки, прижала к себе, укрыв своей кофтой, и запела песенку, как ребенку:

> И не надо плакать — жабы будут квакать,
> Даст коровка молока, чтобы Питер наш лакал,
> Чтобы рос пушистым, с шерстью золотистой.

Вика часто вот так придумывала на ходу песенки и стихи, Алена всегда удивлялась, как у подруги это получается, сама она так не умела. Но имя прижилось, и волкодав, выросший огромным, с песочного цвета шерстью в серых подпалинах, узнал Вику, когда она впервые после разлуки пришла к ним в дом. Питер заскулил вдруг и прыгнул на Вику, словно обнял лапами, лизнул ее в щеку. Не забыл. Остальных же он облаивает как положено, а ночью его спускают с цепи, и он сторожит двор, и Алена знает: когда Питер во дворе, сараи можно не запирать, а съестного он от чужих брать не приучен.

— Мама, там пришли за молоком!

Это младший, пятилетний Артемка, вбежал в дом, принося с собой пыль и запах горячего солнца. Алена вздохнула — слишком быстро вырос, она и не наигралась малышом. А теперь это крепенький пятилетний мальчишка, бойкий и веселый, рвущийся на свободу из-под пристального присмотра бабушки и деда.

— А бабушка где?

— С дедушкой сено за огородом сгребают, некогда им.

Алена вышла из дома, обнаружив за забором высокую рыжую женщину — стройную, одетую в синие джинсы и голубую легкую блузу.

«Дачница, но не из наших, — поняла Алена шагая по дорожке к калитке. — Откуда она узнала о том, что у нас можно купить молока?»

— День добрый. — Женщина улыбнулась Алене и подняла вверх большую полупрозрачную сумку с трехлитровой банкой. — Вы Алена?

— Я Алена. — Алена рассматривала рыжие кудри гостьи — ну, надо же, огонь прямо! — А что?

— Молочка не продадите? Мне сказали, у вас можно купить.

— Утреннего, может, и наберу. — Алена открыла калитку, впуская гостью. — Но оно уже остыло.

— А это ничего. — Женщина подала Алене банку. — Мне подойдет.

Алена взяла банку и пошла по дорожке к летней кухне, женщина шагнула за ней, ступая легко и стремительно.

— Могу дать свою банку, чтоб не переливать. — Алена подняла чистое полотенце, которым утром накрыла банки с молоком. — Выбирайте любую, это утреннее.

Алена решила не задавать лишних вопросов — из опыта знала: если не совать нос в чужие дела, люди сами все рассказывают. Пусть не сразу, а со временем, но рассказывают.

— А творога нет?

Рыжая заинтересованно рассматривала летнюю кухню, и Алена ее понимает. Здесь когда-то жила ее бабушка Галя, пережившая Викину бабушку всего на два года, — и Алена ничего не меняла в ее бывшем обиталище. Все так же в углу стоит старый расписной сундук, все та же деревянная кровать, домотканые дорожки и вышитые занавески. Словно не двадцать первый век на дворе, а на сто лет назад вернулись, если бы не большой холодильник у дверей да не телевизор на тумбочке напротив кровати, то и вовсе было бы натурально. Особенно же колоритно смотрится самодельный буфет с тарелками прошлого века, его сделал когда-то свекор бабушки Гали, хороший столяр. И теперь, конечно, гостья рассматривает — а ведь тут почитай что и в каждом дворе такая экзотика имеется.

— Творог есть, но кисловатый получился.

— Это в самый раз, я люблю кисловатый. — Рыжая улыбнулась. — Прямо как музей тут у вас. Мебель самодельная...

— Это что, вот у моей подруги Вики такая мебель не то что в кухне, а даже и в доме стоит. — Алена вспомнила гостиную и спальню Вики и тоже улыбнулась. — Эта времянка раньше домом была, в нем жила моя бабуля, это потом мы тут все под летнюю кухню приспособили, когда родители новый дом построили, но бабуля так и жила здесь — по привычке, тут и померла. А у подруги моей бабушкин дом постарше этой времянки будет, и мебель вся сохранилась как была, она ничего не меняла. Вот там и правда заходишь — и как на сто лет назад... Ну, не на сто, но на семьдесят — уж точно.

— Как интересно! — Рыжая весело блеснула глазами. — Вот бы глянуть...

— Она гостей-то не жалует особо. — Алена открыла холодильник и достала миску со свежим творогом. — Сколько тебе?

— Пару килограммов. Нас много, как раз сырники будут на всех. — Рыжая взяла из миски крошку творога. — Ничего не кислый, как раз такой, как надо.

Алена достала весы, отвесила творог, пересыпала в пакет. Две коровы во дворе — хорошее подспорье, и себе хватает молочного, и людям остается. Рыжая чем-то понравилась Алене, и ее терзало любопытство, к кому она приехала и кто ей посоветовал обратиться за молоком в ее, Аленин, двор. Но правило есть правило, соваться с вопросами последнее дело, и Алена сноровисто завязала пакет, чтоб творог не просыпался.

— Яйца домашние есть еще. — Алена поставила банку с молоком в объемистую сумку гостьи. — А то вот наливка малиновая — но наливка, правда, недешевая. Если понравится, пойдем к моей подруге, она сама ее делает, попробуешь?

— А давай. — Рыжая махнула рукой, словно говоря: сгорела хата — спалим и сарай. — Меня Валерия зовут, я из Озерного приехала.

Алена хмыкнула — Озерное она знала, поселок за оврагом, где раньше был дикий лес и озеро с синими камнями. Туда раньше местные ходить не любили, место было не слишком доступное и пустое, делать там было нечего, то ли дело — Научный городок, там дачи ученых, и небольшие озерца то тут, то там. В Научном городке публика была знакомая, и доктора водились хорошие, никогда в помощи не отказывали, а Озерное выросло недавно, и поселились там какие-то богатеи, которые к ним в Привольное не заглядывали никогда. И как сюда попала эта рыжая дамочка, неизвестно.

— На-ка вот, попробуй. — Граненый лафитник до половины наполнился тягучей сладостью. — Я купила для своего кафе, но и дома оставила маленько. Понравится — пойдем, тоже купишь.

Валерия с опаской понюхала содержимое, потом пригубила.

— Боже, какая прелесть! — Она допила ликер и повертела в руках лафитник. — И стекло старинное, но напиток... Я куплю обязательно, далеко идти? Я на машине, доедем.

— Погоди тогда, я тебе яиц наберу. Какие ж сырники без яиц? А у меня яйца свежие — вчерашние тебе выдам, десятка два наберу. Сметану возьмешь? Сметана хорошая, не сомневайся.

— А масло есть?

— Есть и масло, как не быть. И сливочное, и подсолнечное, и топленое. Банку-то с молоком из сумки вынуть придется, она все яйца передавит, пока довезешь.

Машина Валерии стояла за кустом сирени, что за домом деда Григория, оттого-то Алена ее и не приметила. Машина оказалась большой, совершенно черной — какой-то неженской, и пахло в ней не так, как пахнет в женских машинах.

— У мужа взяла внедорожник, мне сказали, что дорога тут так себе. — Валерия вырулила из-за куста на дорогу. — Я давно хотела найти кого-то, у кого можно брать домашнее молоко, творог там, а может, мясо и овощи. На рынке как-то покупала у женщины творог, а она и говорит: из Привольного привезла. А я думаю — я-то что ж сижу, Привольное всего в пяти километрах, пешком дойти можно, просто несподручно потом с грузом возвращаться. Заехала с трассы в село, а там старик какой-то сено сгребал у дороги, вот он меня сюда и направил.

Алена усмехнулась — конечно, дед Григорий ее не забыл, отправил к ней покупательницу.

— Я молока могу отпустить, сметаны или творога — телефон мой запишешь, и как будет нужно, просто позвонишь, и я все тебе приготовлю. А вот если мясо нужно, то моя соседка Настя держит свиней и птицу на продажу, каждую субботу свинью режут на базар, и так если люди приезжают, то берут. Мясо хорошее, дрянью она животных не кормит, все по-честному. И птица на пшенице выкормлена, гуси и утки хорошие у нее, куры тоже есть. Надо будет — приезжай, отведу тебя к ней, не пожалеешь. Все, вот тут останови, разгоняться некуда, рядом совсем.

Алена подумала, хорошо ли поступает, приводя к Вике в дом чужого человека, но теперь уже поздно что-то менять.

— Ты посиди вот на скамеечке, я пойду, найду Викторию. Бог знает, где она сейчас может быть.

— А цветов сколько!

— Да, в цветах тут нехватки нет. Посиди, посмотри на цветы.

Алена точно знала, где найдет подругу — в малиннике за летней кухней. Там сейчас поспевают гроздья малины, и Вика собирает ее в эмалированные миски. Алена подозревала, что Вике просто нравится этот процесс, потому что на столе около кухни уже стоят две большие миски, доверху наполненные спелыми ягодами.

— Ой, сколько малины!

Вместо того чтоб остаться у калитки на скамейке и любоваться цветами, рыжая Валерия пошла за Аленой во двор, и теперь помоги ей, боже. Алена представить себе не может, как среагирует Вика на чужого человека.

— Вика!

Алена решила не тянуть с неприятным делом. К тому же Вике пора уже начать контактировать с внешним миром, и почему бы не начать сейчас? Ведь завтра все равно нужно выходить на люди, поскольку хоронят бабку Варвару, и тут уж не пойти нельзя никак.

— Чего орешь?

Вика вынырнула из-за угла, держа в руках миску, полную спелых ягод. Увидев Валерию, попятилась, но предостерегающий взгляд Алены остановил ее.

— Вот, привела к тебе покупательницу. — Алена делает страшные глаза, понимая, что Вика сейчас вполне может сбежать. — Наливки купить хочет.

— И малины. — Валерия взяла из миски ягодку. — Вот, одну миску хотя бы... А лучше две. У нас, понимаете, дети, а своих ягод нет. Ну и наливка ваша просто невероятная.

— В погребе. — Вика хмуро посмотрела на Алену. — Достала бы сама, чего меня от дел отрывать.

Алена прекрасно понимала, как вертятся сейчас винтики в голове у подруги. Ей хочется сбежать, потому что эта чужая женщина пришла из той, другой жизни, которая Вике теперь недоступна. И потому, что Вика боится встретить знакомых из той жизни. Но Валерия производит впечатление нормальной тетки, так что вряд ли можно ждать неприятностей.

— Чего я у тебя в погребе буду хозяйничать? — Алена пожала плечами. — Малины-то отпустишь человеку?

— Одну миску можно, там килограмма четыре. Найди во что пересыпать, а я достану наливку. — Вика смотрела куда-то поверх головы Валерии. — Вам малиновую?

— А еще какая есть?

— Вишневая есть и бузиновая, с мятой.

— Возьму каждой по бутылке. — Валерия достала из сумки кошелек. — И с Аленой я за молочное не расплатилась еще. Сколько с меня?

— С Аленой разговаривайте. — Вика с облегчением нырнула в погреб. — Наливка недешево вам обойдется, малина тоже не две копейки, но Алена по ценам лучше ориентируется.

На полках в погребе выстроились ряды бутылок. Вика остаток зимы разбирала записи в книге, что дала ей бабка Варвара, и к весне была уже уверена, что сумеет осуществить любой рецепт, указанный там. Старые записи разбирались тяжело, кое-где чернила выцвели, кое-где в рецептах были исправления или дополнения — другим почерком, более поздние, и Вика ощущала, как ее словно кто-то взял за руку и повел, и этот кто-то оказался доброжелательным и все понимающим.

И Вика с замиранием сердца ждала первых ягод, чтобы испробовать на них рецепты.

Но сначала зацвела сирень, и цветы сирени стали первым ее сырьем, из которого Вика сделала мыло и крем. Конечно, понадобились некоторые компоненты, их привезла Алена, но результат того стоил. Вика снова стала узнавать себя в зеркале, а это было немало.

— Держи, вот деньги. — Алена сунула ей в карман фартука купюры. — Давай, Лера, сумку свою, загрузим туда малину, а бутылки с наливкой отдельно повезешь.

— А вы говорили, мебель старая в доме... — Валерия умоляюще посмотрела на Вику. — Это у вас же, да? Я понимаю, что наглость с моей стороны, но я бы хотела посмотреть. Я не ради праздного любопытства, понимаете? У нас с подругой есть кафе — «Маленький Париж», на улице Сталеваров в Александровске, вы его знаете?

Вика кивнула — она когда-то очень любила это кафе, особенно Кошачий зал, у нее дома были стеклянные фигурки кошек, которые она приобрела в тамошнем магазинчике. Вещи пропали вместе с квартирой, но кафе она помнит, это хорошее воспоминание.

— Мы хотим открыть еще одно кафе, сделаем несколько залов в разном стиле, и вот стиль тридцатых годов прошлого века мне интересен, идеи нужны. — Валерия улыбнулась Вике. — Нет, если нельзя, то...

— Ну, пойдите и посмотрите. — Вика взяла со стола пустую миску. — Алена, покажи ей. А мне некогда...

Это был предел, дальше которого она не могла пойти. Валерия была частью той ее жизни, возврата в которую нет и не будет, и напоминать об этом Вике не требуется. И нежданная гостья — ухоженная, в ладно сидящих джинсах и голубой блузке, улыбчивая и благополучная, приехавшая на большой блестящей машине, — олицетворяет собой все то, что навсегда ушло из жизни Вики.

— Запах прекрасный в доме. — Валерия с интересом осмотрела веранду. — Дорожки самодельные?

— Бабушка Викина ткала, в летней кухне ткацкий станок до сих пор стоит. — Алена вздохнула. — Да только куда нам теперь ткать, ни материала нужного, ни сноровки. Вот, заходи и смотри.

Комната большая, Алена помнит ее столько, сколько помнит себя. Большой диван с полочками, зеркалами и откидными валиками, самодельные стулья, крашенные в белый цвет, самодельное же кресло и круглый стол, и туалетный столик-трюмо, и монументальный шкаф с резными дверцами, и портреты на стенах. Из большой комнаты три двери в спальни, одна из них Викина, в ней большая деревянная кровать с расписной спинкой и резными столбиками, небольшой туалетный столик и этажерка из лозы, в углу комод.

— Это все самодельная мебель?

— Прадед мой столяром был, делал мебель, а Викина и моя бабушки закадычными подругами были, вот прадед им мебель и сделал. Дом этот в войну не сгорел, потому что, видишь — сработан из камня, и крыт был черепицей, а не соломой или дранкой, так что это один из самых старых домов у нас. Ну и внутри Вика ничего не меняла, все осталось, как было при бабушке. Дом тоже особо не перестраивали — веранду пристроили, и все.

— Замечательно! — Валерия с удовольствием рассматривала вышитые скатерти и занавески. — А вышивал кто?

— Да все понемногу вышивали. Этим вышивкам лет по сто многим, кое-что бабушка Викина вышивала, а кое-что и Вика. — Алена кивнула на красивую дорожку, лежащую поверх круглого столика. — Вот эти маки. Вика цветы очень любит.

— Я заметила.

Что-то было в этой хмурой женщине, явно не радующейся гостям, что-то знакомое, но Валерия могла поклясться, что не была знакома с Викторией прежде. И тем не менее она не могла отделаться от ощущения, что где-то видела ее, эту Вику, живущую в доме, полном воспоминаний и теней прошлого.

— У нее, понимаешь, цветы эти растут словно сами. — Алена вздохнула. — Она их насадила полон двор — чтоб сорняки не сеялись, ну а теперь красота, конечно. Идем, а то молоко у тебя прокиснет в машине.

Валерия понимала, что ее вежливо выпроваживают вон, и понимала, что ведет себя нахально — и такое поведение для нее нехарактерно совершенно, но уйти из этого дома не имела никаких сил.

— Сиренью пахнет в доме почему-то.

— Вика мыла наварила из цветов сирени, вот и пахнет. — Алена знала, что если сейчас же не уведет Валерию, Вика ей этого не простит. Для нее это слишком. — Она много чего делает. Дать тебе мыла, что ли?

Алена зашла в спальню, где раньше спала бабушка, и открыла дверцу буфета.

— Вот, держи. Так бери, Вика его много наварила, есть еще ромашковое, но это самое пахучее. — Алена закрыла буфет и кивнула Валерии. — Так что можешь теперь приезжать и за молоком, и за прочим, только позвони предварительно. А то если что, я в кафе — на трассе, недалеко от нашего поворота, видела?

— Это которое «У Алены», что ли?

— Ну да. Я в кафе управляюсь, а у мужа там мойка для машин и ремонтная мастерская. — Алена ухмыльнулась. — Но и в кафе он помогает, конечно. У нас, правда, кухня простая — борщ да каша, ну и прочее, что обычно в семье готовим, так и публика у нас простая — дальнобойщики в основном. А дальнобойщику что, ему в рейсе не салат из крабов надо, а горячего борща да картошки с куском мяса, но и десерты есть для барышень, вечером местная молодежь тусит.

Они вышли во двор, из прохлады дома в горячий летний воздух, пахнущий цветами и травами, и Валерия снова подумала о том, что ей очень приятно находиться в этом дворе, где время словно остановилось на какой-то ноте безмятежного покоя, и с тех пор ничего не менялось.

— Подбросишь меня до кафе? — Алена поискала глазами Вику, но та, как нарочно, спряталась. — Вика!

— Да здесь я. Ты уже уходишь?

— Ага.

— Ну и ладно. — Вика выглянула из-за угла, с охапкой каких-то трав в руках. — В добрый путь.

Так всегда говорила бабушка Люба — в добрый путь, и не важно, кто уходил и как надолго. Бабушка считала, что любое расставание может стать вечным, потому что судьбы своей никто не знает.

— Вечером не зайду, надо матери помочь стенку подправить в коровнике, она уже и глину замесила. — Алена кивнула в сторону летней кухни. — Я тебе творога и сметаны принесла, в холодильник поставила, поешь обязательно.

— Поем, спасибо.

Валерия видела, что эти двое привыкли общаться, опираясь на полное понимание. Они именно что понимали друг друга, чувствовали так, как могут чувствовать друг друга только очень близкие люди, знакомые много лет, — и эти две женщины, молодые и совсем друг на друга не похожие, знакомы, наверное, с самого детства. И хотя одна из них — плоть от плоти этой земли, а вторая — словно вырванный с корнем и пересаженный на новое место капризный цветок, тем не менее для них не имеют значения слова, потому что общаются они не словами.

И пряно пахла охапка трав в руках Вики, а ее гладкое лицо с шелковистой кожей, такое не по-летнему белое, контрастирующее с загорелой Аленой. Ну, откуда ей знакомо это лицо, этот голос, манера держать голову, большие голубые глаза с прозеленью...

— Вы Виктория Станишевская! — Валерия даже подскочила на месте. — Боже мой, как я могла не узнать вас сразу, я же...

Валерия осеклась, испуганно закрыв рот ладонью. Популярная телеведущая, по совместительству диктор музыкального канала, Виктория Станишевская исчезла на пике своей популярности и стремительно идущей вверх карьеры. Ее обвинили в убийстве сестры, Дарины Станишевской — известной гимнастки, чемпионки Олимпиады, и посадили в тюрьму. Пресса еще долго перемывала косточки всему семейству, особенно же досталось покойной Дарине, которую, по идее, должны были жалеть, но никто, как оказалось, не сожалел. А Виктория исчезла, и о ней давно уже ничего не было слышно.

Значит, она вышла из тюрьмы. Валерия прикинула в уме — да, и половины срока не отсидела. Черт, и кто только за язык тянул, могла же промолчать!

— Я... извините, Вика, я не должна была...

Вика бросила на скамью охапку травы и молча ушла в дом.

4

Назаров не любил лето — жара, комары опять же. Особенно же отвратительным было лето в городе, и даже река не спасала, потому что в центре города когда-то были понастроены предприятия тяжелой металлургии — осуществили задание товарища Сталина насчет «рабочий человек должен ходить на работу пешком», и город вырос вокруг двух десятков дымящих заводов. О том, как будут жить люди в этом городе, когда вонючий смог накроет их — совершенно не думали. Не учли ни розу ветров, ни вредность выбросов — главное, чтобы винтики исправно обслуживали систему, износился винтик — в утиль его, на его место всегда есть другой.

И потому лето в Александровске всегда мучительное. Назаров старался летом уезжать в Привольное. И там ему всегда были рады, бабушка Варвара, такая строгая, даже временами жестокая, любила Назарова самозабвенно, невесть за какие заслуги, а он знал, что вот не за что его так любить, но купался в этой безусловной и абсолютно субъективной бабушкиной любви.

В последний год он постоянно жил в Привольном, благо оттуда до Александровска десять минут езды. Бабушка совсем расхворалась и уже не могла управляться даже с тем небольшим хозяйством, что осталось. И только цветники, состоящие из георгин, соорудила по весне, как и всякий год, — сколько себя помнил Назаров, бабушка высаживала георгины и ухаживала за ними, а они в благодарность цвели изо всех сил до поздней осени, и, конечно, это было красиво.

Но вот все закончилось. В тот день бабушка встала спозаранку. Как всегда, кряхтя и охая, поднялась с кровати, нетвердо ступая ослабевшими ногами, прибралась в доме — он слышал ее шаги и дыхание, но просыпаться не хотелось, потому что было еще совсем раннее утро. Бабушка ушла в летнюю кухню, и он снова уснул. А она тем временем наварила ему еды, даже пирожков испекла — пока он спал, уставший с пятницы, и к моменту его пробуждения уже успела посудачить с соседками. Когда Назаров в половине десятого утра выполз из кровати, ванная оказалась занята — он оборудовал в доме отличную ванную, с душевой кабинкой, горячей водой и прочими удобствами. Бабушка долго мылась, потом тщательно сушила волосы, пока не сочла, что уже можно их украсить новым гребнем, который Назаров привез ей в подарок накануне вечером. А потом, обрядившись в новое чистое белье, бабушка прилегла отдохнуть.

— Баб, ты что тут?

Назарову нужно было складывать поленницу в сарае, и он заглянул в дом, чтоб сказать бабушке, что поел и завтрак отличный. А она лежала на своей кровати с высокими подушками и улыбалась знакомо и ласково.

— Устала немного, Женечка. Ты поел?

— Ага. Баб, очень вкусно, да только не надо было, тебе отдыхать доктора велели.

— Отдохну теперь. Как поленницу сложишь, курам воды налей и обед бери, наварила свеженького. А дальше уж сам справляйся.

Бабушка протянула к Назарову темную исхудавшую руку, и он послушно нагнул голову, позволяя поцеловать себя в макушку. Это в десяти километрах отсюда он солидный человек, главный редактор городской газеты «Суббота» — Евгений Александрович, а для бабушки он Женечка, как для местных подруг и приятелей — Женька или Жека, и это осталось неизменным.

— Как не станет меня, дом хоть и продай, но лучше живи тут, дом хороший, крепкий.

Назаров поморщился — разговоров о бабушкиной смерти он не любил категорически. Он, конечно, понимал, что рано или поздно это случится, но понимал где-то там, где он был Евгением Александровичем, а там, где он был Женечка или Жека — там он не хотел даже думать о том, что бабушка может вот так вдруг взять и уйти. Ну, вот умрет она, например, — и дальше что? Бабушка была ***всегда*** — строгая, все на свете знающая и умеющая, большая аккуратистка и вообще авторитет. Она всегда слушала и слышала его, вникала в его дела, а иной раз могла дать очень нужный и верный совет.

И то, что ее в какой-то момент может не стать, Назаров в глубине души не понимал и не принимал никаких разговоров о закономерном итоге жизни. Что это за итог, когда вдруг исчезает человек, который нужен?

— Баб, вот давай не будем об этом.

— Ты не верти головой, как норовистый жеребец, а слушай. — Бабушка нахмурилась. — Дальше-то разговор откладывать незачем. Дом я отписала тебе одному. Будут разговоры, скандалы — ну, пусть скандалят. Денег я скопила маленько, в сундуке лежат, найдешь. Вот ключ, держи.

Бабушка достала из-под подушки большой старый ключ и впихнула в руки Назарову.

— Вот с чего ты это сейчас затеяла, не понимаю.

— С того, Женечка, что старая стала, силы на исходе, уж то хорошо, что лета дождалась. Люблю я лето, понимаешь? — Бабушка вздохнула и погладила руку Назарова. — Как помру, не трать своих денег на похороны, мне гроб полированный, с вензелями, ни к чему. Одевают меня пусть Ленка и старуха Ткачева, им известно, что и как надевать. А им за это отдельно подарки положены, они знают, где взять, я уж распорядилась. А яму выкопает Гришка, Ленкин муж, и его дружки-алкаши, только водки им дашь уж после того, как готовую работу примешь, а то перепьются и копать позабудут. Ленка-то присмотрит, конечно, но и ты не зевай. Гришка знает, где рыть, я ему уж за это все обсказала. А дом потом захочешь — так хоть и продашь, а нет, то живи в нем, до города-то недалеко совсем, зато свежий воздух и овощи свои. А георгины мои осенью выкопаешь и спрячешь в погреб, в заслонку, а по весне если сажать не захочешь, то Вике отдашь.

— Бабушка...

— Ты не вертись, а слушай. — Бабушка тяжело вздохнула. — Я о Вике отдельно хочу тебе сказать.

Назаров вздрогнул. Бабушкину привязанность к Вике он знал, хотя о причинах не догадывался. Конечно, когда-то и для него Вика значила очень много, но с тех пор много воды утекло, да такой воды, что хуже помоев. Но бабушка была человеком очень стойким как в своих привязанностях, так и в антипатиях, и ее родственное отношение к Вике удивляло многих.

— Отдашь ей мой сундук, вместе с ключом вот этим и всем содержимым, тряпки-то тебе ни к чему, а Вика найдет им применение. И кур наших, если некогда будет ухаживать, отдашь ей, резать их не надо, молодые куры, несутся хорошо, и петух красавец. — Бабушка вздохнула. — А Вика... Я защищала ее как могла, и тебя прошу о том же.

— Баб, да от кого ее защищать? Виктория и сама...

— Женечка, она уже совсем не та сорвиголова, что была. Сломали они ее, нелюди, сломали совсем, и сейчас любое злое слово может толкнуть ее... к непоправимому. А потому, когда меня не станет, приглядывай за ней. — Бабушка тяжело поднялась и села в кровати. — Ты один у меня, Женечка, и я прошу тебя исполнить все в точности. А я уж оттуда за вами присмотрю.

— Баб, ну что за разговоры? Чего тебе вздумалось вдруг умирать? Живи, все же хорошо у нас! И не один я у тебя, и отец мой, и остальные...

— Молчи уж, защитник! — Бабушка презрительно прищурилась и снова стала похожа на себя прежнюю. — Умирать всякому человеку положено в свой час, вот для меня он и настал, что тут толковать и руки заламывать, пожила — пора и честь знать. А касаемо остальных... Бестолковые и пустые люди оказались и сыновья мои, и невестки, и внуки. Жадность им глаза застит, жадность и глупость, а живут непонятно зачем — едят, пьют, в ящик пялятся, и все их разговоры вокруг этого. Ведь и тебя они не привечают из-за того, что ты чего-то большего хочешь от жизни.

Возразить тут было нечего. Бабушка всегда была права, ее свойство насквозь видеть любого человека иногда пугало Назарова, потому что ее суждения о людях и событиях чаще всего оказывались верными, даже тогда, когда, казалось, она не понимает, о чем речь, — а через время оказывалось, что она была права.

Назаров никогда не заблуждался относительно своих родителей и остальных родственников. Самой смешной шуткой на семейных сборищах была отличная школьная успеваемость «Женьки-выскочки», как и его страсть к порядку. Его двоюродные братья частенько в лицах показывали злые шаржи на Назарова, и все весело смеялись. И даже мать ни разу не заступилась за него, считая все это просто семейными беззлобными шутками, на которые обижаться некрасиво.

Но время шло, и шутки становились все злее, пока в какой-то момент, как раз в тот год, что Назаров заканчивал школу, а впереди уже сияла медаль, шутки перестали быть шутками. На очередном семейном сборище по поводу Нового года двоюродные братья, подвыпив, нешуточно избили Назарова — просто за то, что «а че он!». И снова ни мать, ни отец не вступились за него, а наоборот, утром попеняли ему за то, что Женька загордился и шибко умный, нос воротит от родни. И в кого он только такой уродился, зазнайка? И вообще ни к чему обижаться — ну выпили, а чего по пьянке не бывает, тем более между своими, не со зла же.

А он категорически отказался считать «своими» людей, презирающих его просто по факту его существования, а потому молча собрал книги и кое-какие вещи и уехал жить к бабушке. Больше идти ему было некуда, и когда он, избитый и растерянный, возник на пороге бабушкиного дома, она всплеснула руками и заплакала. Назаров никогда не видел бабушку плачущей, даже когда умер его дед, бабушкин муж, с которым она прожила полвека без малого, и тогда бабушка не плакала, а лишь сказала: ну, прощай, Митя, свидимся не скоро. А тогда бабушка плакала, и Назаров, почти взрослый и самостоятельный, вдруг тоже заплакал — от обиды, от ощущения предательства, от того, что не знал за собой никакой вины, а с ним так обошлись не чужие даже, а свои. Которые в один миг превратились в чужих, мало того — во врагов. Потому что прощать напрасных обид Назаров никогда не умел, и этим он тоже был похож на бабушку.

И с тех пор он считал, что родни у него нет, только бабушка Варвара.

Конечно, мать с отцом тогда приехали за ним, через пару дней после случившегося, — Женькины синяки уже почернели и выглядели устрашающе, но до конца каникул обещали исчезнуть. Он расчищал во дворе снег, когда родители вошли во двор и, не взглянув на сына, сразу направились в дом.

Назаров и по сей день не знает, что им тогда сказала бабушка, но выскочили они из дома, будто за ними гнались все демоны ада, и на следующий день отец молча, пряча глаза, привез в бабушкин дом остальные пожитки сына и так же молча уехал, подгоняемый презрительными и обидными бабушкиным словами, лучшими из которых были «набитый дурак» и «подкаблучник».

Назаров знает, что в разное время остальная родня пыталась помириться с бабушкой, но она не простила им того, как они обошлись с ее ненаглядным Женечкой. И сам Назаров тоже вычеркнул из жизни и родителей, и отцовского брата, и сестру матери, и своих кузенов и кузин, словно их и не было. Как и бабушка, он уж если выбрасывал кого-то из своей жизни, то навсегда.

Но сейчас он отчего-то напомнил бабушке об остальных, кого они оставили за бортом своей жизни, и ее вердикт остался неизменным: она никого не простила. И близость смерти не изменила ее отношения, потому что видеть она никого из «них» не хотела.

— Нечего ***их*** защищать, Женечка. — Бабушка снова откинулась на подушки. — Кровь — не вода, конечно, да иной раз уж лучше бы вода. Право, не знаю даже, как так вышло, что сыновья мои оказались глупыми и бестолковыми мужиками. Мы с Дмитрием воспитывали их как должно, и я теперь думаю, что вот останься они при нас, то прожили бы свои жизни по-людски. Да только мы хотели им лучшего, и чтоб учились они ремеслу, и не горбатились забесплатно на государство, а они, оказавшись в городе без родительского присмотра, тут же пустились во все тяжкие, а по итогу женились на глупых, жадных и пустячных бабах, родили мне внуков-идиотов, и только ты один получился на славу. Что ж, и это хорошо — не одна пустая порода останется после меня, есть и золото, и тут уж можно мне перед Создателем глаз не прятать на суде-то. Вот так прямо ему и скажу при встрече: Ты, Господи, тоже ведь наделал пустяков разных, но среди них и нужные вещи создал, а я что ж... Я человек всего лишь, но жизнь прожила не зря, останется на земле семя мое, которое созреет не сорняками, а золотыми колосьями. То-то, дорогой мой, вот так оно и будет. А *этих*... их и в дом не пускай, посидят на улице и будет с них, а после пусть проваливают. Уж я Антону тоже это обсказала...

— Это когда ж ты председателя-то успела повидать, баб?

— А когда успела, тогда и успела. Он тебе поможет, как меня не станет. — Бабушка погладила руку Назарова. — Только тебя одного мне и жаль оставлять, да Викушку вот, душу неприкаянную... Спросишь ее, она тебе скажет, за что люблю ее. Защити ее и помоги, как только сможешь, и тебе тоже лишь она одна опорой будет, как меня не станет.

— Да ты что, баб! — Назаров испугался. — Может, приболела, надо врача вызвать? Вот говорил же: не затевайся с обедом, а ты и пирогов еще...

— Не надо врача, от старости нет лекарства. — Бабушка вздохнула. — А я отдохну, и правда устала я что-то — и то ведь, все утро топталась, дела торопилась доделать. Иди, займись хозяйством, но не надрывайся — чего не успеешь сегодня, то завтра сделаешь, у тебя много забот еще будет, и нужно уметь отдыхать.

Он выпустил бабушкину руку и ушел складывать дрова, будь они неладны, и за это теперь казнит себя, потому что через час Ленка, соседка через забор, пришла дрожжей занять — и нашла бабушку в доме, но добудиться не смогла. И Назаров растерянно смотрел на бледное бабушкино лицо, и ему казалось несусветной глупостью, что Ленка голосит на весь дом, когда бабушка спит. И там, где он был Евгений Александрович — вот там он понимал, что случилось, и звонил, куда положено звонить в таких случаях, и отдавал какие-то распоряжения, а там, где он был Женька, Женечка — он не понимал случившегося, хотел выгнать всех этих чужих людей из дома, потому что бабушка не могла умереть, не могла совсем, это было не в ее характере — вот так вдруг взять и умереть, посреди лета и цветущих георгин во дворе.

И теперь он слушает, как в доме читает молитву священник, привезенный им из соседнего села, а соседки подпевают ему «Вечная память!» нестройным горестным хором. И всегда так было, когда умирал кто-то из односельчан, и Назаров не раз присутствовал на похоронах. Если умирает односельчанин, то не прийти его проводить в последний путь в Привольном всегда считалось дурным тоном, скидка делалась только немощным и беременным. Соседи сами готовили поминальный обед — были признанные мастерицы варить и кисель, и картошку с мясом, и пироги печь тоже, и отказаться помочь никому в голову не приходило — сегодня у соседа горе, завтра у тебя. И на такие случаи были заведены большие котлы и прочая посуда, которые хранились в сельсовете, в кладовке, а на кладбище вкопаны стол и скамейки, которые после похорон накрывались клеенками и домоткаными дорожками, и люди садились поминать покойного. И вся забота Назарова — привезти из города продукты по списку, а уж соседки сами все приготовят и организуют, а если чего и не хватит, то свое принесут или по соседям спросят, никто не откажет, ведь не свадьба же, а горе случилось.

— Привет.

Назаров молча подвинулся на скамейке, чтобы новая гостья могла присесть рядом.

* * *

— Творожники невероятные. — Ника откинулась на стуле и блаженно улыбнулась. — Лера, где купила такой творог? А сметана...

Валерия хихикнула и лукаво посмотрела на подругу.

— У меня есть кое-что и получше. — Она торжественно водрузила на стол бутылку наливки. — Предлагаю всем оценить. Это нечто особенное, я такого в жизни не пробовала.

— С каких это пор ты покупаешь шмурдяк? — Панфилов подозрительно рассматривал бутылку из-под водки, наполненную розовым густым напитком. — Лера, это же...

— Ты сначала попробуй, потом скажешь. — Валерия откупорила бутылку, и над столом поплыл запах малины. — Ника, давай стопочки. Кто не захочет, настаивать не буду, мне больше останется.

Валерия налила в прозрачную стопку густую жидкость.

— Слушай, это очень вкусно. — Панфилов отпил из стопки и теперь с удивлением смотрел на жену. — Лерка, где ты это взяла?

— Вы не поверите.

Валерию целый день распирало от желания поделиться новостями, но она мужественно дотерпела до ужина, дождалась, когда все поедят и будут расположены к беседе. Чего ей это стоило, знает только она, да вот сейчас Панфилов сообразит, ведь муж как-никак.

— Вываливай! — рассмеялся Панфилов. — Я же вижу, что у тебя новостей полная телега. Ты ведь не только творог и наливку раздобыла?

— Не только. — Валерия внутренне веселилась, предвкушая всеобщее удивление. — На той неделе покупала я на рынке творог и разговорилась с продавщицей, а она возьми и скажи: я из Привольного, у нас там многие коров держат. А Привольное-то — вот оно, рядом совсем! Каждый день поворот проезжаем. Вот я решила, что съезжу туда и раздобуду нам человека, у которого будем постоянно брать молочные продукты, потому что магазинное — чисто отрава. Въехала я в село, а там за поворотом луг, и старик сено сгребает. Я спросила у него, кто торгует, а он меня направил к некой Алене — дескать, торгуют многие, но у Алены самое лучшее. И правда, дворик чистый, сама Алена — девушка симпатичная и опрятная, и продукт оказался на высоте. Ну и налила она мне наливки этой на пробу. Говорит, что подруга ее делает, и мне, понятное дело, очень понравилось. Алена мне и говорит: если хочешь, можешь у нее купить. Мы поехали к этой ее подруге, а там дом старый, каменный — я таких и не видела, и двор сплошь в цветах, а за летней кухней огромный малинник. Алена, значит, позвала подругу, и выходит из-за угла девушка — платье деревенское, в клетку какую-то, цветастый фартук, волосы в пучок собраны. Поговорили насчет наливки, и она вынесла мне из погреба несколько бутылок, а сама снова пропала. А мне еще раньше Алена-то сказала, что в этом самом доме куча мебели старинной, вот я и попросила показать. Мы же зал новый открыть планируем, вот и захотелось мне глянуть, а там и правда дорожки самотканые, мебель старинная, местный столяр еще до войны делал. Дом-то в войну уцелел, не сгорел, потому что был из камня и под черепицей. И вот не хотелось мне просто уходить, до чего дом светлый... Ощущение такое, словно на сто лет назад нырнула. Алена меня на выход подталкивает, а тут и хозяйка вышла с охапкой каких-то трав. И смотрю я на нее, и понимаю, что где-то я видела эту девушку, знакома она мне, и все! И тут она заговорила, и я ее узнала! Это Виктория Станишевская! Ну, помните? ТА САМАЯ!!!

— О боже! — Ника вздохнула. — Она вышла?

— Ну да. — Валерия обвела взглядом публику. — Три года прошло, и она, видимо, вышла досрочно. И теперь сидит в том доме, сама на себя не похожа, и...

— Тюрьма никого не красит, что ж.

— Ника, дело не в том, что не красит. — Валерия встряхнула рыжими кудрями. — Она красивая. Правда, красивая: все те же серо-зеленые глаза, светлые волосы, эти губы ее идеальные, прорисованные так, что завидно прямо, и ее прежнее правильное лицо, но... она словно угасла, понимаешь? Глаза совершенно неживые, и очень заметно было, что она хотела, чтоб я как можно скорее ушла, а я — ну вот кто меня за язык тянул! — возьми да и ляпни: вы Виктория Станишевская! Понять не могу, как я могла такое вычудить, но слово не воробей, вылетит — лопатой не прибьешь. А она отшатнулась от меня, с лица стала как покойница, бросила траву и ушла. Я...

— Ничего не понял. — Панфилов непонимающе смотрел на жену. — Виктория Станишевская — это кто?

— Сань, это была девушка на нашем местном телеканале. — Ника задумчиво вертела в руках опустевшую стопку. — Станишевские — семья в городе известная, родители спортсмены, отец играл в футбол за одну из главных команд, мать — чемпионка нескольких Олимпиад по художественной гимнастике, и дети у них такие же известные спортсмены были. Ну, кроме Виктории – говорят, у нее с детства сердце слабое, в спорт никак, а младшие, двойняшки, пошли по стопам родителей, Дарина привозила медали со всех соревнований, Никита играл в футбол в той же команде, что и отец... В общем, династия. Если бы не Виктория, она в это семейство не вписывалась никак, и вообще я узнала, что она дочь тех самых Станишевских, только когда ее обвинили в убийстве Дарины.

— Ну да. — Валерия кивнула. — Она была известной телеведущей, и на радио работала в вечерней радиостанции — голос как шелк, и сама такая... очень яркая девушка. Помолвлена была с Игорем Осмеловским, актером нашего Театра молодежи, такая пара красивая, оба яркие, талантливые. А потом Викторию обвинили в убийстве Дарины и, хотя улики были только косвенные, осудили за непредумышленное убийство на семь лет. Оказалось, у Игоря и Дарины случилась интрижка, а Виктория узнала, ну и...

— Да тогда чего только не болтали! — Ника вздохнула. — Вы же знаете, как у нас любят переворошить чужое бельишко, да и наврать при этом с три короба. Тем более что Виктория себя среди этих сплетен и защитить-то не могла. Меня другое тогда поразило: родители публично потребовали самой страшной кары для убийцы *их дочери.* Так, словно Виктория их дочерью не была. Потом, конечно, и этот актеришка слился — дал интервью о том, какая прекрасная фея была Дарина и какая злобная фурия — Виктория, и что он ее даже боялся, и постельные подробности вывалил. Я с тех пор в этот театр ни ногой, смотреть на это ничтожество не могу, вот до того он мне тогда опротивел, верите? Ну а потом Никита вылетел из команды, тест на наркотики оказался положительным, а он на камеры слезно рассказывал, как сломала его смерть сестры, и его приняли обратно, хотя ходили слухи, что он принимал и раньше, просто вот совпало все так. И все эти люди получили от скандала нехилый пиар и порцию сочувствия, а в результате поднялись выше, а о Виктории все забыли. Но вот как хотите, а я считаю, что не убивала она сестру.

— Ты знала ее?

Ника задумчиво посмотрела на мужа.

— Нет, Лешка, я ее только видела. Она в кафе к нам приходила не раз — с этим своим актером. Ты знаешь, у меня есть определенная чуйка на людей, и она всегда вызывала симпатию, такая солнечная была девочка, без выпендрежа и дешевых понтов, совершенно простая в общении, очень вежливая. А он казался самовлюбленным нарциссом. А вот Дарину я терпеть не могла. Вот уж кто пыжился, цены себе сложить не сумев, так это она. Официанткам хамила, и этот голос ее вечно недовольный, капризный, и мина на лице презрительная... Поверьте, ребята, мне иной раз хотелось ей слабительного в кофе налить. И я подумать не могла, что они родные сестры — да мало ли однофамильцев! Но я не верю, что Виктория убила эту спесивую дрянь, хотя даже если и убила, я не осуждаю.

— Солидарна. — Валерия энергично встряхнула кудрями. — Такое же было впечатление. И вот теперь она там. Бог знает, как она живет теперь в том доме, что там в голове? Но она просто спряталась, тут совершенно ясно. И я не удивлюсь, если она что-то с собой сделает. Есть в ней какой-то надлом, понимаете? Я это почувствовала. И как помочь, чем помочь — я не знаю.

— Лерка, а давай, я с тобой в следующий раз за молоком поеду, и мы эту... Алену, расспросим. Они же подруги, я так понимаю? Вот и выясним, что можно сделать.

— Точно. Я не...

— Девочки, а с чего вы взяли, что ей нужна чья-то помощь? — Панфилов шутливо дернул жену за рыжий локон. — После тюрьмы дорога на телевидение этой даме закрыта навсегда, и она это отлично понимает. Насколько я могу судить из рассказа, она вполне может быть невиновной в убийстве, за которое ее осудили, а тюрьма за несколько лет вылепила из нее нечто совершенно иное. Но у нее есть где жить, она торгует вот этой наливкой, держит какой-то огород... Конечно, жизнь ее разрушена, но ведь бывает гораздо хуже!

— Нет, Сань, ты не прав. — Булатов налил себе еще стопку наливки. — Да, продукт прекрасный. Но ты подумай: девушка была известной ведущей, помолвлена с первым красавцем, на вершине славы, впереди перспективы самые радужные — а потом вдруг тюрьма. Причем я своей жене в этом вопросе доверяю, может статься, что обвинили Викторию огульно, и теперь она в глухой деревеньке, и перспектива такая: либо спиться, либо в петлю. Потому что у человека отняли не просто привычную жизнь и веру в справедливость, а отняли дело, которому она посвятила себя и, судя по отзывам, делала его хорошо, профессионально. Вот лично я представить себе не могу, что она может сейчас чувствовать. Я эту историю помню весьма смутно, как и саму девушку, но радиостанцию вечерами слушал, голос запомнил. Жаль, что так все с ней вышло.

— А что мы можем сделать? — Панфилов уже сердился. — Вот ты, Булатов, что собираешься делать?

— Я собираюсь попросить Пашку покопаться в том старом деле. Осторожно поинтересоваться. И если там что-то нечисто было... — Булатов ухмыльнулся. — У Пашки где только нет знакомых, вот пусть посмотрит, и уж если он скажет, что... В общем, Лерка меня заинтриговала, но я вас обеих прошу, девочки: не лезьте к Виктории, страшно человеку душу разбередить. Вот если Пашка скажет, что все напраслина, тогда уж. И то не думаю, что надо что-то предпринимать, все равно ведь исправить-то ничего уже нельзя...

Панфилов понимающе кивнул — да, их друг Паша Олешко очень тяжелая артиллерия, но Викторию трогать сейчас не надо. Потому что если она невиновна, то убийца до сих пор на свободе. И кто знает, что ему взбредет в голову?

5

Луна поднималась из-за кромки леса, розоватая и огромная. Сумерки полны сверчков и лягушачьего хора, слышного со стороны реки. И вечер был бы хорош, если бы не запах ладана из дома, если бы не горе, случившееся внезапно, и не важно, что Назаров знал, что оно случится, все равно он был к нему не готов.

И, конечно, он не смотрел на гостью, ему и незачем, даже если бы он был слепым, то голос ее все равно узнал бы. Вика пришла, не дожидаясь похорон, пришла огородами — но пришла, и он рад, что она не оставила его в одиночестве. Днем она не могла прийти, и он знал, что днем она никуда не выходит со двора, но сейчас поздний вечер, и Вика пробралась в их двор, прячась в сумерках и подсолнухах.

— Привет. — Назаров подвинулся, и Вика села рядом. — Вот так вот...

Из дома доносился голос священника — «Со святыми упокой», а Назаров думал о том, что святым в раю несладко придется, когда явится бабушка Варвара инспектировать райские кущи да обнаружит вдруг какой беспорядок или пыль по углам, например. Эта мысль кажется ему неуместной, но он ничего не может с ней поделать, а Вика молчит, и Назаров признателен ей за это. К чему слова, когда он и так знает, что Вика искренне скорбит по его бабушке Варваре, и может быть, только в ее искренности он и уверен сейчас.

— Завтра похороны, в двенадцать. — Назаров толкнул Вику плечом. — Ты придешь?

— Приду. — Вика вздохнула. — Она этого хотела. Я с Аленой приду. Жень, тебе помощь нужна?

— Ага. — Назаров поднялся. — Пойдем поедим, не хочу я один...

Вика молча встала и пошла за ним по дорожке в летнюю кухню. Там пахло выпечкой, какими-то травами и еще чем-то, чем пахло только здесь. Впрочем, у каждого дома есть свой запах, вот и здесь он был свой, но обоим знакомый.

— Она с утра наготовила всего, пирогов напекла... Я спал, а она управлялась спозаранку, словно знала и торопилась дела доделать.

— Она и знала. — Вика вздохнула. — Зимой мне говорила, что летом умрет — вот по ее и вышло.

Назаров поставил на стол тарелки, достал чугунок с картошкой и мясом, свежие помидоры.

— Там компот в холодильнике, тебе налить?

Он вспомнил Викину манеру запивать еду — всю без исключения, словно она ничего не могла проглотить, не запивая, а может, так оно и было.

Они молча ели картошку с мясом, приготовленную бабушкой Варварой, и оба понимали, что это уже последнее, что она оставила им — поздний ужин, перемытые ею чашки, румяные пирожки с малиной, и больше не будет она готовить на этой кухне, и ее загорелые сноровистые руки, натруженные за долгие годы забот и работы, нашли покой. Вечный покой, и осознать это они пока не могут.

Вика пила компот, отвернувшись к окну. Она уже привыкла терять: людей, которых любит, свою жизнь, ощущение счастья, но бабка Варвара оставалась — это была ее связь с прошлым, словно последнее прибежище, последний камень фундамента дома, который едва держался, и теперь ее не стало и дом рухнул.

— Она свой цветастый сундук тебе оставила. — Назаров опустил взгляд, чтоб не видеть Вику и не показать ей подступивших слез. — Давай сейчас погрузим на тележку и отвезем к тебе, пока темно. Потому что завтра, боюсь, не до этого будет, а потом...

— Ладно.

Вошли в дом, где плыл запах ладана и звучал монотонный голос священника, а от свечей шло душное тепло, и прикрыли дверь в гостиную. Назаров кивнул Вике, они прошли в бабушкину спальню, вместе взялись за ручки сундука и приподняли его.

— Тяжелый, черт...

— Жень, может, там есть что-то, нужное тебе?

В этом была вся Вика — прежняя Вика, щепетильная и честная даже в мелочах.

— Что бы там ни было, она приказала все отдать тебе, не глядя. Вот ключ, тоже тебе передать велела. Давай, помоги мне, чего стоишь?

Вика взялась за ручку, и они выволокли громоздкий сундук на улицу, погрузили на тележку, и Назаров покатил ее в сторону калитки, ведущей к огороду. Там всегда была протоптана дорожка, через которую можно было пройти из одного двора в другой, на соседней улице.

— Вика, придерживай его, что ли — ну как сверзится...

Вика и так придерживала, и они повезли тележку по узкой тропинке, цепляясь за стебли и листья кукурузы, подсолнухи, за ботву картошки... И над всем этим господствовала огромная луна, выкатившаяся из-за ряда тополей, стройными свечами вонзающихся в почти уже ночное небо.

Вика открыла дом, и они втащили сундук на веранду.

— Куда тебе его?

— В спальню, куда же...

Они внесли сундук в спальню Вики и поставили у стены. В свете небольшой люстры сундук матово заблестел расписными боками.

— Бабушка говорила, что этот сундук принадлежал еще матери ее прабабки — его за ней дали как приданое.

— Ага. — Вика кивнула. — И эта дама была так же матерью прабабки моей бабушки. Путаница какая-то с этим родством...

— Что?!

— Ты разве не знал? — Вика хмыкнула. — У нас с тобой общий предок, как оказалось. Надо потом нарисовать генеалогическое древо, но мы на нем вместе висим, Жека.

И это обращение — Жека, и Викина ироничная гримаска — все было от той, прежней Вики, и от той жизни, которая была утрачена навсегда. И неловкость, которая отступила, снова вернулась.

— Взмок весь... — Назаров подумал, что ни за что не хочет возвращаться в дом, где какие-то чужие люди отпевают его бабушку, хотя ее самой там и нет. — Вик, пошли на реку, искупаться бы...

И это тоже было из той, прежней жизни — ночные побеги на реку, и купание в теплой темной воде, пахнущей теми особенными речными запахами, которых нигде больше нет, только на берегу *их* реки.

— Погоди, возьму чистое — переодеться. — Вика открыла шкаф. — Кстати, вот шорты и рубашка, еще отцовы. Возьми, переоденешься, искупавшись. Мыло надо взять, мочалку и шампунь.

Она деловито сновала по комнате, собирая немудреные банные принадлежности, а Назаров застыл, глядя на нее — ночью это была прежняя Вика, как будто ночь сняла с нее груз той ужасной несправедливости, жертвой которой она стала, и бед, поломавших ее, казалось, непоправимо. Ночь и луна вернули ее прежнюю сущность — не было больше потухшего затравленного взгляда, не было голоса, звучащего как шелест мертвых листьев, она выпрямилась, ночь оживила ее, и ее лицо показалось Назарову самым красивым из всех, что он видел.

Как когда-то.

И нужно было бы проститься и уйти, но он не мог. Не хотел вспугнуть то, что проснулось в Вике сейчас. А сама она осознала ли перемену? Но он не хотел снова все испортить.

— Идем, что ли. Хворостину бери только подлиннее.

— Сам знаю.

Они заперли дверь, и Вика спрятала ключ от дома в водосток — на реке в темноте ключ можно было совершенно свободно посеять, и тогда хоть рамы выноси, чтоб пробраться обратно в дом. Вытащив из сложенных у сарая веток две длинные хворостины, они направились к реке. Не пошли по улице, чтобы не возбуждать умы неспящих в Привольном и не давать пищу сплетням, потому что луна светила так, что в фонаре не было необходимости, пошли по тропинке через Викин огород, прямо к лесу, а потом вдоль лесной кромки к высокому берегу, и крики лягушек стали совершенно неистовыми.

Они знали здесь каждую дорожку, и запах реки тоже был знаком им обоим, как и запах влажной травы в овраге.

— Не хватало только на гадюку наступить...

Вика сердито сопела, изо всех сил охаживая траву хворостиной, и Назаров тоже не отставал. Он радовался, что ему пришло в голову пойти на реку, радовался, что Вика сердится на невидимых в темноте и траве гадюк. Пусть сердится, пусть говорит колкости, лишь бы не молчала, безучастно глядя в никуда глазами, словно присыпанными пылью.

— Ага, дураки они — нам под ноги лезть. — Назаров тоже ударил по траве своей хворостиной и подал Вике руку, помогая сойти по склону, спуститься к берегу. — Луна какая, Вик...

Они молча разделись и вошли в воду.

Здесь никого не было, потому что в заводь эту можно было спуститься только через овраг, а там водились гадюки. Но они с Викой знали, как отпугнуть мерзких тварей, не впервые купались среди ночи, это было их общее приключение, еще Алена иногда бывала с ними, но чаще всего они приходили сюда вдвоем, и было в этом что-то волнующее. И Назаров знал, что Вика тоже помнит.

Вика нырнула и поплыла, и он поплыл за ней. Вода смывала пот и усталость, и ощущение было такое, как в детстве. Словно и не стояли между ними годы жизни, прожитой совершенно врозь.

— Теперь нужно пойти за мылом и шампунем.

— Так я пакет взял с собой, Вик. — Назаров поднял вымокший пакет и достал флакон простенького шампуня. — Держи.

— Тебе цены нет, Жека.

Вика вспенила шампунь, и запах речной воды смешался с искусственным запахом ромашки. Назаров забрал у нее флакон и тоже намылил волосы.

— Вода как парное молоко.

И эта фраза была из той, прежней жизни, и они оба это знали.

— Дай-ка мочалку. — Вика намылила мочалку, и мыло оказалось земляничным, как она всегда любила.

— Жень, тебе спину потереть?

— Да уж потри, будь добра.

Это у Вики руки доставали куда угодно, такая она гибкая, а Назаров даже в детстве не мог сомкнуть свои длинные руки в замок за спиной, что значительно сужало ему поле для маневра при купании. И теперь, когда Вика энергично терла ему спину, он ощущал небывалое блаженство.

— Тебе потереть?

— Не надо, я же достаю.

Они окунулись разом, смывая пену, и Назаров побрел к берегу, чтоб оставить пакет. Луна светила на весь мир, с берега в воду жирно плюхнулись лягушки, и Назаров, бросив пакет с банными принадлежностями на песок, вернулся в воду, где плавала Вика.

Ее лицо в свете луны, и голые плечи, и грудь, приподнятая купальником, теперь оказались существенным обстоятельством. И огромные в пол-лица глаза, и приоткрытые губы... И Назаров вдруг прижал Вику к себе, понимая, что сейчас не время, и вообще все это ошибка, и неправильно, и сопротивляться нужно обязательно, да только луна, будь она неладна, и вода, которая сейчас, похоже, закипела...

А потом они молча плыли в сторону небольшой песчаной отмели, их внутренние компасы безошибочно находили все, что они хотели найти, и годы не изменили этого, и хотя они поменялись — река была прежняя. И зря говорят, что нельзя дважды войти в одну и ту же реку, потому что это они были другими, а река осталась, какая и была, и влажный песок на отмели все тот же.

— Луна сегодня и вправду невероятная.

Вика вытянула ноги, зарывшись ступнями в мокрый песок, и Назаров смотрел на ее ноги и думал о том, что между ними случилось, и не знал, что теперь. Но точно знал: отпустить Вику он уже не сможет.

А в его доме горят свечи, и тело бабушки Варвары лежит в гробу, но то, что бабушки там нет, он знает совершенно точно. И если только правы граждане, утверждающие, что душа умершего какое-то время остается на земле, наблюдая за живущими, то бабушка сейчас рядом с ними, и это ужасно неудобно получается.

— Как ты думаешь, она сейчас видит нас?

Назаров пожал плечами. То, что Вика думает о том же, что и он, кажется ему чем-то обычным, но говорить об этом он не знает как.

— Если видит, то это же просто палево какое-то. — Назаров прислушался к лягушачьему хору. — Но в любом случае теперь все по-другому.

По-другому, потому что не стало бабушки, и потому, что они уже взрослые и могут заниматься тем, чем захотят, и потому, что их внезапно случившаяся близость оказалась для Назарова решающей в вопросе насчет дальнейшей жизни, и вообще все теперь по-другому. И для Вики тоже — для нее уже давно все по-другому.

— Завтра твои приедут на похороны.

— Ну да. — Назаров вздохнул. — Она мне дом оставила, так что без скандала не обойдется.

— Так это ты потому мне сегодня сундук отдал?

— Ага. — Назаров не удержался и провел пальцем по плечу Вики. — Чтоб лишних разговоров завтра не было. Не хватало еще тебя в наши семейные дрязги вмешивать.

— Тогда ясно. — Вика соскользнула с отмели в воду. — Поплыли обратно, что ли?

Он молча поплыл за ней, и на берегу они оделись в сухую чистую одежду.

— Шмотки бросай в пакет, я завтра буду стирать, и это постираю. — Вика подобрала с песка антизмеиную хворостину. — Потопали, чего зря стоять?

И Назаров покорно поплелся за ней, думая о том, как же ей сказать, что с этого момента он присвоил ее навсегда и больше не намерен отпускать. И как самому себе это объяснить.

— Ты, наверное, думаешь, что теперь обязан сделать из меня честную женщину? — Вика взобралась на склон оврага и повернулась к нему, и ее лицо в свете луны казалось совершенным. — Так вот не парься на этот счет, Жека, проехали.

Назаров вдруг рассердился. Не то чтоб он не ждал от Вики чего-то такого — это же была та, прежняя Вика, но сама постановка вопроса разозлила его. Словно он нашкодивший мальчишка, не способный ни совершать осмысленных поступков, ни осознавать их последствий, ни нести ответственность за них.

— Ну нет! — Назаров не намерен был уступать, и это странным образом оказался тот же разговор, что и пятнадцать лет назад, но теперь они уже не дети. Уж он — точно. — На этот раз у тебя этот трюк не выйдет, Виктория, даже не начинай. Тогда у тебя получилось оттолкнуть меня, но сейчас другое дело, и если ты решила, что можешь снова сделать это со мной, то ты сошла с ума.

— Что?!

— Ничего! — Назаров подтолкнул Вику к тропинке. — Топай, выяснять отношения здесь я не стану, вот как хочешь.

— А где станешь?

— Найду где.

На Назарова вмиг навалилась усталость, и он молча шел за Викой по тропе. За деревьями уже появился свет от фонаря, который Вика оставила гореть перед своим домом.

— Тебе домой надо, Жень. — Вика открыла дверь и вошла на веранду. — Там, наверное, уже народ расходится, а покойник один в доме быть не должен.

— Ты со мной?

— Жень, я... — Вика вдруг сникла, и лунное колдовство закончилось. — Тебе это не надо. Я не лучшая компания, и то, что мы переспали, дела не меняет. И я...

— А давай ты не будешь говорить мне, что мне нужно, а что нет? — Злость вернулась, и Назаров понял, что ссоры не избежать. — Если тебе это не нужно, то так и скажи, не надо на меня стрелки переводить, больше я на эту лажу не поведусь. Или я из природного человеколюбия вокруг тебя круги нарезаю всю жизнь? Вика, ты сама для себя реши сейчас, хочешь ты отношений или нет, а говорить мне о том, что нужно или не нужно мне — напрасный труд. Я взрослый мужик, разменявший четвертый десяток, и я сам давно уже точно знаю, что мне нужно, а что не нужно, и чего уж точно мне не нужно, так это чтоб за меня додумывали и решали.

— Чего ты орешь?

— Да потому что с тобой никакого терпения нет, Вика! — Назаров не знал больше никого, кто мог вот так быстро вывести его из себя. — Что ты с собой делаешь? А по итогу — пытаешься сделать со мной? Ты полгода прячешься здесь, самой не смешно? Ты всю жизнь собираешься прятаться?

— Не твое дело! — Вика тоже разозлилась. — Что ты хочешь от меня, Женя? Что такого случилось, что ты вдруг решил поиграть со мной в самцовые игры?

— А, так это так называется! — Назаров понимал, что пора уходить, пока они не рассорились окончательно, но уходить он не собирается. — Вика, у нас уже был такой разговор, ты помнишь?

— Был. — Вика упрямо смотрела на него. — С тех пор все изменилось, Женя. Но изменилось в худшую сторону.

— Оно всегда будет меняться то в одну, то в другую сторону, на то жизнь. Но дело в том, что пока мы ловим подходящий момент, жизнь проходит. Твоя, моя — проходит, и его может не случиться, этого подходящего момента, а по итогу мы оба окажемся в дураках. Все, Вика, больше я спорить не намерен. Я прошу тебя: идем сейчас со мной, ты мне нужна. Я не хочу оставаться там один.

Вика понимала, что Назаров манипулирует, но манипулирует лишь отчасти.

— Мне стирку надо замочить.

— У меня машинка-автомат, забираем стирку туда. — Назаров взял Вику за руку. — Захвати одежду, которую ты завтра собиралась надеть, и пойдем, я устал.

Луна встретила их как старых знакомых, подмигнув из-за дымаря летней кухни.

* * *

Алена изумленно уставилась на запертую дверь.

Но от ее удивленного сердитого взгляда дверь не открылась, во дворе Вики тоже не было видно.

— Да не могла она удрать.

— Что там, Аленка?

Это Юрий зашел во двор, уворачиваясь от цветочных стеблей, так и норовящих попасть ему под ноги. И он со своим двухметровым ростом и статью бывшего десантника довольно комично смотрелся среди Викиного цветочного царства, но он здесь, потому что здесь она, Алена. Так было с того самого момента, как они познакомились, и это было, пожалуй, единственное, в чем Алена была твердо уверена: где бы она ни была, что бы ни происходило, Юрка всегда будет рядом, чтобы помочь, поддержать, спасти ее и всех, кого она укажет как достойных кандидатов на спасение.

— Ее дома нет, прикинь! А мы же договорились!

— Так позвони ей.

Алена и сама уже смекнула, достав из кармана телефон с золотистым яблоком на панели.

— Ты где?

— Ален, я... Ты извини, что не предупредила, просто уже была ночь, а утром я тут... И забыла сказать...

— Вика, что ты городишь? Ты где?

— Я у Женьки. Ты приходи прямо сюда. Там в сарае Женькина тележка, захватите.

— Ладно.

Алена спрятала телефон в карман и озадаченно посмотрела на мужа, а тот нахмурился, услышав о Женьке. И было от чего — ведь это из-за него когда-то Алена пролила столько слез, из-за него и из-за Вики, хотя они оба об этом не знали ни сном ни духом.

Как-то раз Алена взглянула на Женьку совсем по-другому. Им было по тринадцать лет, и Женька Назаров приезжал на лето к бабке Варваре и гонял с пацанами. Загорелый дочерна, кудрявый, с карими глазами в длинных загнутых ресницах, и Алена смотрела на него, думая о том, что у их детей тоже будут такие ресницы. И ночами она рисовала себе целые истории их будущей счастливой жизни: и как они станут гулять вместе, и как Женька поцелует ее, и потом они поженятся, и даже фасон платья Алена себе придумала. И как купят дом, и какая мебель там будет... Алена даже знала, как они назовут своих троих детей, хотя не исключала, что их может быть и четверо.

И когда на следующее лето Женька вернулся в Привольное таким высоким, а его темные кудри красиво блестели на солнце, Аленино сердце замирало от предвкушения, и она тайком написала на одной из стен старой школы: Алена Назарова.

И он изменился в то лето — все время что-то записывал, стал словно совсем взрослым, углубленным в себя. Он вдруг стал часто ходить вместе с ними, и Алена с Викой даже показали ему свои заветные лазейки — все, кроме озерца на старой тракторной бригаде. И Алена смотрела на Женьку и знала, что он тоже влюблен, и улыбалась, ожидая, когда же он ей скажет. Но он говорил о книгах, которые читал, некоторые из них читала и Вика, они спорили, иногда ругались, но Женька все равно приходил к ним каждый день. Алена знала, что если бы Женька не был влюблен, он ни за что не стал бы терпеть Викины постоянные возражения, а она постоянно спорила с ним, они как-то совсем по-разному видели одни и те же вещи. И Алена, слушая их, соглашалась с ними обоими, а сама ждала, когда же она останется с Женькой наедине. Ведь когда человек влюблен, он должен сказать об этом, а уже и лето заканчивается.

И это было правдой, Женька был влюблен, вот только оказалось, что влюблен не в Алену.

Она помнит, как в конце августа, когда до отъезда в город оставалась какая-то жалкая неделя, несносный Назаров, краснея и запинаясь, объяснил, что ему надо с ней посоветоваться — как с лучшим другом. Насчет

Вики, да. И посоветовался, и Алена, собрав все силы в кулак, спокойно объясняла ему, что о Викиных чувствах она знать ничего не знает, потому что у них полно других разговоров. И это было правдой лишь отчасти, потому что Алена сама не хотела говорить о своих чувствах — ей казалось, что как только она скажет кому-то о Женьке, счастье — их будущее сияющее счастье, нарисованное и тысячу раз построенное в мечтах, куда-то исчезнет.

Но оно не исчезло, просто мечты умерли в тот день, когда Женька по большому секрету сообщил ей, что уже давно влюблен в Вику «как дурак». И Алена смотрела в Женькины глаза цвета шоколада и думала о том, что никогда не будет гладить его кудри и вкуса его губ не узнает. И хуже всего то, что ни его, ни Вику она даже не может сейчас возненавидеть — потому что они понятия не имеют о том, что она любит этого дурака Женьку и уже знает, как будут выглядеть их дети.

И с тех пор все изменилось — вдруг и непоправимо. И Алена стала видеть то, на что раньше внимания не обращала: как Женька смотрит на Вику, как рвет цветы, чтоб она плела венок — он и Алене их рвал, но для Вики приносил и материнку, и лесную мальву, а мальва в венок не годилась, потому что ее стебель был твердым, а цветы сразу увядали. Но Женька приносил их, а Вика не замечала, ее мир оставался прежним, светлым и понятным, и когда она видела, что Алена грустит, то обнимала ее за плечи и спрашивала — ну, что ты, Аленка?

И ответить было нечего, Алена представить себе не могла, что возьмет и расскажет Вике, разбив вдребезги еще и ее мир, ведь Вика-то вообще ничего не знает: ни о Женькином к ней отношении, ни о том, что ее лучшая подруга так втрескалась в Женьку, с которым знакомы всю сознательную жизнь. Но и видеть Женьку, который глаз не сводил с Вики, ей было тягостно. И когда наступила осень, и Вика с Женькой уехали в Александровск, Алена скучала по ним обоим, но это были какие-то взаимоисключающие чувства. И она иногда ездила в Александровск — туда, где жил Женька с родителями, и ждала его, спрятавшись во дворе за гаражами, и когда он выходил из дома, шла за ним, прячась за спинами прохожих, шла и не могла наглядеться.

И однажды он сел на троллейбус и вышел около городского парка, сел на скамейку и ждал почти час — а потом глаза его вспыхнули радостью, Алена это видела из своего укрытия. И поняла, почему он радуется: по аллее к нему шла Вика. И то, как они гуляли, держась за руки, и как Женька немного неуклюже поцеловал Вику — в первый раз поцеловал, Алена была уверена, и Вика вдруг смутилась, и чтобы скрыть неловкость, шутливо растрепала Женькины кудри. Алена знала их обоих слишком хорошо, чтобы понимать и неловкость, и вот этот первый шаг навстречу, и смущение Вики, которое она попыталась скрыть за смехом... И смех этот мог обмануть кого угодно, только не Алену, которая видела, уже знала, что Вика тоже влюблена в Женьку. И когда это случилось, неизвестно, еще два месяца назад он значил для нее не больше, чем любой другой парень, но вот теперь нет — и Алена знала, что Женька потерян для нее навсегда, и их кареглазые кудрявые дети с именами, которые она уже произнесла, не родятся никогда.

И Алена просто ушла, поспешила на последний автобус, который увез ее в Привольное.

Она плакала всю дорогу — отвернувшись к окну, за которым мелькали убранные поля, плакала молча, только слезы текли по щекам, и когда автобус подвез ее к кирпичной остановке с надписью «Привольное», Алена вышла в холодные осенние сумерки, и вместе с ней вышел высокий парень, который спросил:

— Ты чего плачешь, малышка?

И она рассказала ему. Просто потому, что это был первый встречный, которого она никогда уж больше не увидит, а ее горе было таким огромным, что его обязательно требовалось выплеснуть, и почему бы не в парня, который взялся невесть откуда и невесть куда отправится, как только она уйдет.

И он слушал, кивая головой, — что ж, бывает и так, чего только не бывает на свете. Алена все говорила, говорила — и как она любит Вику, потому что это самая лучшая в мире подружка, и какая она замечательная, и, конечно же, не только она так считает, и Женька не мог в нее не влюбиться, но просто она, Алена, ничуть не хуже Вики. И что Вика еще летом ничего не знала, а тут вдруг они в парке целуются...

— Значит, пришел он к ней. — Парень вздохнул. — Если мужчина любит женщину, он будет ее добиваться, он горы для нее свернет, но добьется, не отступит.

— Но он не мужчина, мы же...

— Если любит — значит, мужчина. — Парень подал Аленке чистый платок. — На-ка вот, утри слезы и высморкайся, и я тебя домой проведу, стемнело почти. Меня Юрием зовут, я в Научный городок ехал к приятелю, но вдруг смотрю — ты стоишь и плачешь.

— Так Научный городок позади остался! — Алена в ужасе смотрела на пустое темное шоссе. — Как же ты...

— Да я оврагом пойду и доберусь.

Конечно же, никаким оврагом он не пошел, а ночевал на веранде, потому что мать с отцом уже обыскались Алену, так что гостя, который привел домой их ненаглядную дочку, не отпустили в ночь. И парень им пришелся по душе, они по простоте душевной решили, что Алена обзавелась кавалером. Отец расспрашивал его о специальности, о родителях, и гость, не смущаясь, отвечал, что по специальности он автослесарь и что родители его живут далеко, а сам он живет в Александровске, полгода как из армии, работает в автосервисе и планирует открыть собственное дело — со временем, конечно.

Родители украдкой переглядывались, довольные: парень показался им положительным, дельным и в мужья дочери годился. Не сейчас, конечно — да только дураки живут сегодняшним днем, не думая о будущем, а в будущем новый дочкин кавалер вполне годился в зятья. Он старше, у него ремесло в руках, с которым не пропадешь в жизни, так что ругать дочь за выходку с исчезновением и поздним приходом домой не стоит.

Алена же радовалась, что к ней никто внимательно не присматривается, потому что ее душа сегодня выгорела дотла, и только вспоминалась тонкая Викина рука, коснувшаяся Женькиных кудрей... Женя-Женя-Женечка, это билось в голове, и слез уже не было плакать, и боль валила с ног.

Но поздний приход домой, чего никогда за ней не водилось, и тем более долгое отсутствие дома без спросу, что вообще было немыслимо, нужно как-то обосновать, и тут Юрий оказался очень кстати, и они оба приняли эту игру.

Юрий исправно приезжал к «невесте», как только мог часто, они гуляли у реки, и через какое-то время их разговоры перестали крутиться вокруг разбитого Аленино-го сердца. Неторопливо, обстоятельно, как Юрий делал любую работу по хозяйству или по ремеслу, точно так же неторопливо и основательно чинил он разбитое вдребезги сердце Алены, и в какой-то момент игра, затеянная ими ради успокоения родительских предрассудков, перестала быть игрой.

И когда в селе посреди зимы появился Женька Назаров, это уже не имело для Алены значения. Она смогла пережить свою первую несчастливую любовь. Не забыть, нет — а просто пережить и начать все сначала. И уже Вика приезжала в Привольное на каждые выходные, чтобы повидать Женьку, и они вчетвером гуляли по улицам или сидели в доме Викиной бабушки Любы, или в летней кухне бабки Варвары, где топилась печь. Но Алена ощущала счастливую уверенность и защищенность, потому что рядом был Юрий, а у Вики с Женькой то и дело коса на камень находила. Как сказал Юрий — творческие личности, что ж.

И вот, поди ж ты, старшему сыну уже тринадцатый год, и он совсем не похож на того мальчика, которого когда-то Алена рисовала в мечтах, представляя себе жизнь с Женькой, но это был ее сын, который мог родиться только у них с Юркой, а с Назаровым был бы какой-то другой мальчик. Но Алене-то нужен тот, что есть, ее родной синеглазый ребенок, высокий и ладно скроенный, как отец.

И Алена теперь отлично знает: все, что ни делается — все к лучшему.

И вот только Вика выбивается из этого правила, потому что все, что делается с Викой, лучше бы не делалось.

— Это что ж они, ночь вместе провели? — Алена озадаченно посмотрела на мужа. — И тележка Женькина здесь... Что они везли ночью на этой тележке?

— Что-то тяжелое везли, судя по колее. — Юрий присмотрелся к следам. — А обратно шли налегке, тоже ночью: утром-то ветер был, в следы лепестки подсолнухов нападали, гляди.

— Значит, Виктория у него ночевала.

— Ален, ну не мог же он один в доме ночевать, там гроб...

— Юрик, вот не поверишь, а ведь я и дышать боюсь в ту сторону, только бы у них что-то срослось снова. — Алена сжала руку мужа. — Расстались-то они тогда по глупости, по молодой глупости и гордыне, гонор у обоих такой, выше звезд: что один, что другая — ни миллиметра не уступят... Ну, и промаялись все эти годы врозь, но я же знала, что любит он ее, чувствовала. Хорошо бы им сейчас обратно сойтись, и хоть грех так говорить, но смерть бабки Варвары может стать поводом, чтобы снова попробовать что-то построить, Женьке-то сейчас поддержка очень нужна будет, а Вика... сам знаешь...

— Творческие личности, Аленка, вот и гонор, и прочие заморочки. А значит, надо им подсобить в этом деле. — Юрий хмыкнул. — Нехорошо, когда хорошие люди врозь маются по зряшной причине.

– Да теперь-то Виктория сама себя считает вроде как прокаженной.

— Ну, это пройдет, Аленка. — Юрий поправил воротничок на блузке жены. — Больно она упала и расшиблась почти что насмерть, да только «почти» — не считается, починим.

Они вошли во двор, где толпились соседи, Юрий потащил пустую тележку в сарай, а Алена ушла в дом, где среди свечей стоял гроб с телом бабки Варвары.

6

Павел Олешко впервые за много лет был в отпуске. Работал целыми днями, все время о чем-то думал, даже когда спал — и тут на тебе, отпуск, да какой! У него был отобран телефон, и строго-настрого велено поливать цветы, есть суп и мясо, и присматривать за детьми.

Конечно, Тимка уже взрослый, что за ним присматривать? И цветы поливать — дело тихое и привычное, цветы — граждане спокойные, а вот полуторагодовалый Мишка доставлял хлопот, несмотря на то что за ним неусыпно следила няня, уютная и неспешная Людмила Евгеньевна, тетка чуть за пятьдесят. И, несмотря на их общие с няней старания, Мишка то и дело умудрялся совершать разнообразные преступления.

Наконец, наевшись до отвала супа, он уснул, а Павел сидел у кроватки сына и смотрел на него. Он никогда не думал, что когда-нибудь ему будет доступно это обычное человеческое счастье — смотреть, как спит его ребенок. После полутора десятка лет, проведенных в различных секретных миссиях, он слишком хорошо знал, каким уязвимым становится человек, когда у него есть семья[1]. Но один раз вступив на этот путь, остановиться уже невозможно: у него есть друзья, есть жена и два сына, младший из которых совершенно беззащитный малолетний возмутитель спокойствия, так похожий на свою мать.

Но Павел никогда не думал, что можно настолько сильно кого-то любить, а оказалось, что — вот оно как, быть отцом.

— Спит, как ангел.

Невозможно было поверить, что еще полчаса назад этот ангел с гиканьем и хохотом носился по двору, засаженному цветами, совершая большие и маленькие умышленные деяния, направленные на разрушение движимого и недвижимого имущества, равно как и нервной системы няни и отца.

— Шива — бог разрухи. — Павел поправил одеяльце сына и снова устроился в кресле. — Умаялся...

---

[1] Подробнее о судьбе Павла Олешко в романе Аллы Полянской «Невозможность страсти».

Он и сам устал, бегая за Мишкой, и сейчас няня занята стиркой и приготовлением запеканки для полдника, а он сидит и смотрит, как спит его сын. И уйти никак, потому что у Мишки имеется странная привычка посреди послеобеденного сна вдруг открывать глаза и тревожно смотреть, есть ли кто рядом, и помоги боги всем вокруг, если он не обнаружит рядом кого-то знакомого! И потому, когда малыша укладывали спать после обеда, рядом с ним обязательно кто-то находился. Вот и сейчас Мишка вдруг открыл глаза и, обнаружив рядом отца, снова мирно засопел. Голубые, как у матери, глаза малыша и золотистые кудряшки делали его похожим на херувимов, которых любили изображать на своих картинах старые мастера, и хотя жена уверяла, что нос-то у Мишки точно от него, Павла, — тут он предпочитал просто поверить ей на слово, потому что ничего, похожего на свой нос, в крохотной кнопке сына не видел. А впрочем, Ровене виднее, Павлу было безразлично, есть ли во внешности его ребенка что-то от него самого. Главное, чтоб был здоров и счастлив. Главное, что он есть.

— Павел Иванович, я управилась с делами. — Людмила Евгеньевна вошла в детскую и заглянула в кроватку. — После обеденного сна с ним уже полегче будет. А к вам там гости пришли, на улице ждут.

Кивнув, Павел встал и, взглянув на мирно спящего сына, вышел — какие угодно гости были лучше, чем беготня за ребенком, который поставил себе цель сотворить все существующие в мире шкоды.

— Паш...

Павел вздохнул и скорчил гримасу. Эти двое никогда не приходили просто так.

— Ад пуст, все черти здесь. — Павел иронично окинул взглядом пришедших. — Что снова стряслось? Только имейте в виду, я в отпуске, и вам придется объясняться с моей женой. Ника, ты готова объясняться с Ровеной насчет увода меня от семейного очага?

— Ровена в курсе. — Ника хихикнула. — Лерка, скажи!

— Ага, мы Ровене позвонили. — Валерия кивнула, и ее рыжие кудри заблестели на солнце пуще прежнего. — Паш, нам только поговорить...

— Я даже знаю о чем. — Павел с удовольствием потянулся. Он незаметно для себя полюбил лето и теперь наслаждался каждой минутой. — Твой супруг, Ника, мне позавчера в бане присел на уши с этой вашей местной звездулькой, хотя лично я не понимаю, в чем сейчас-то проблема? Девушка отсидела три года из семи, вышла досрочно, жива-здорова, от меня-то что требуется? Конечно, карьеры она лишилась, да люди порой большего лишаются, что ж.

— Черствый ты человек, Павел. Не ожидала я этого от тебя. — Ника обиженно нахмурилась. — Ничего не нужно особенного — просто, если будет возможность, просмотреть дело. Вдруг...

— Даже если дама невиновна и отсидела зазря — ничего уже не исправить, Никуша. — Павел всегда удивлялся невероятной ясности души Ники, ее постоянному желанию исправить все несправедливости, о которых она узнавала. — Все сложилось как сложилось, что ж теперь толковать?

— Идем, Лерка. — Ника поднялась. — Нет, Паш, я понимаю, у тебя отпуск, и вообще. Конечно, это тоже неправильно — просить тебя лезть в дело, которое тебя вообще не касается, тем более в отпуск.

— Первый в моей жизни. — Павел засмеялся. — И меня в него вытолкали силком.

Павел отлично понимал, что сейчас будет: две эти дамочки уйдут и примутся совать нос во все щели, и вполне может статься, что настоящий убийца — если предположить, что телевизионная барышня пострадала невинно, — настоящий убийца поймет, что дело пахнет керосином, и тогда уж, как водится... Человек, один раз решившийся на убийство, особенно когда это убийство сошло ему с рук, и более того — виновным в этом убийстве признали кого-то другого, вполне может войти во вкус, чтобы сохранить статус-кво.

— Никто никуда не идет. — Павел подумал, как рассердится Ровена, когда он скажет, что нужно кое-чем заняться. — Я поинтересуюсь. Но вы обе должны мне пообещать... Нет, поклясться здоровьем своих котов, что не станете ничего предпринимать, пока я не выясню необходимые факты. Идет?

— Ладно. — Валерия переглянулась с Никой. — На это можно согласиться. Но клясться здоровьем Рича я не стану, мало ли, какая будет ситуация.

— Паш, послушай... — Ника умоляюще взглянула на Павла. — Чует мое сердце, что там все не так просто.

— А когда эта история происходила, твое сердце ничего не чувствовало?

— Тогда и в моей жизни кое-что происходило, помнишь? — Ника вздохнула. — И было много шума, все эти потоки грязи... Очень трудно было понять, что и как.

— А сейчас ты вдруг поняла?

— Я подумала, кое-что сопоставила. — Ника нахмурилась. — Нет, Паш, вся эта история шита белыми нитками, уж очень многие на ней пропиарились тогда.

— И что? Девки, а вы у самой виновницы торжества спросили, хочет ли она, чтоб вы совали носы в ее дела? Насколько я понимаю, дама спряталась от всех и не желает никого видеть.

— Паш... — Ника вздохнула. — Просто взгляни одним глазком, а уж потом мы к ней с этим... Если там дело нечисто. И если она решит, что нужно восстановить справедливость, уж тогда...

— Что — тогда? — Павел начал сердиться. — Ника, дело закрыто, а гражданка, признанная виновной, даже успела отсидеть свое. Открыть дело по каким-то новым фактам? А где они? И ты представляешь, какое противодействие мы встретим, в первую очередь в полицейской среде?

— Ну, Па-а-аш...

Павел задумался.

Допустим, Ника права, и в той старой истории все было не так, как представили официальные источники. Но все уже случилось, и стоит ли поднимать пыль из-за совершенно чужой, незнакомой девицы — пусть даже гипотетически душевно прекрасной? Ну, посидела в тюрьме, эка невидаль. Пусть даже ни за что — да там половина таких сидит.

Но Павел понимал, что сам себя уговаривает, потому что ему уже любопытно.

И отпуск скоротать как-то надо.

* * *

— Не хочешь мне рассказать?

Назаров обнимал Вику и думал, что не стоило бы ему спрашивать, но что поделать, если он хочет полнейшей ясности, и всегда хотел, потому что без этого нет отношений. И больше обходить молчанием этот вопрос он не намерен.

— Тебе Алена рассказывала.

— Вика... — Назаров вздохнул. — Когда все случилось, ты знаешь, меня не было в стране, я вернулся, когда ты уже... была там. И мне, конечно, Алена рассказала, но я хочу услышать от тебя. Потому что если сейчас начинать новое расследование, то...

— Какое новое расследование? — Вика испуганно на него уставилась. — Жень, ты о чем сейчас?

— О том, что поскольку ты невиновна, а я в этом уверен, нужно выяснить, кто виновен. — Назаров с удивлением смотрел на враз побледневшую Вику. — Это же очевидно.

— Кому очевидно? Тебе? — Вика села в кровати, завернувшись в простыню. — Женя, ты даже не представляешь, что происходит там, ты в страшном сне такого ужаса увидеть не можешь! И если сейчас начать ворошить все это... я боюсь, что меня снова вернут туда!

— Вика!

— Нет, ты послушай! — Вика сжалась в комок. — Когда я нашла Дарину, она умирала. И она просила, чтоб я вытащила этот чертов нож, я спрашивала, кто это сделал, а она только говорила: вытащи, вытащи! И я сама не понимала, что делаю, выдернула его, а кровь как хлынет. Я вся была в ее крови, и там больше никого, кроме меня, не было, и я не видела, чтобы кто-то выходил, и эти отпечатки на ноже... В общем, никто мне не поверил, и сейчас не поверит. Адвокат обещал, что, если я признаю вину, мне дадут немного и я выйду по амнистии, иначе сяду на пятнадцать лет, потому что все улики против меня. И я это сделала, и семь лет — это был подарок от присяжных, как мне объяснили, уверяли, что через два, максимум три года, я выйду. Но эти три года надо было прожить — в тюрьме прожить, за забором, вместе с убийцами, воровками, торговками наркотиками. Жить с ними в одном бараке, мыться в одном душе, есть рядом с ними и спать. И не стать ничьей подстилкой, не нажить славы стукачки, не... Там надо было выжить, и я выжила. И не спрашивай, что мне для этого пришлось сделать — беспомощность и безвыходность толкают людей на вещи, о которых они в нормальном состоянии и подумать не могли бы. А когда я вышла, то от меня уже ничего не осталось, ни в душе, ни в материальном плане, и перспективы не осталось, даже тени надежды на то, что когда-нибудь все наладится, потому что для меня это «наладится» означает вернуть то, что у меня отняли, а это невозможно. Я никогда уже не буду прежней, потому что видела и делала такое, что ты представить не можешь. Но дело в том, что если снова начать копаться в той истории, то я вполне могу опять оказаться там, где и была — в тюрьме. Просто потому, что кто-то за раскрытие убийства Дарины получил должности и звезды на погоны, и им плевать, что я не убивала ее. И если сейчас о том, что я здесь, не знает никто из моих прежних знакомых, то...

— Вика, вечно прятаться нельзя. — Назаров обнял ее за плечи. — Я не говорил тебе, но сейчас скажу. Во-первых, ко мне в пятницу приходил Ладыжников.

Вика вздохнула.

Когда-то Николай Ладыжников дал шанс и ей, и Назарову, именно с его легкой руки они стали теми, кем стали. Ладыжников делал ставку на талантливую молодежь, он спонсировал различные конкурсы, выявляющие способных ребят, и помогал им — направлял, продвигал, что-то советовал, посылал учиться. И как-то не вязалась с ним его кличка — Коля-Паук, хотя все о ней знали. И никак не стыковались все те жуткие истории, которые ходили о нем: кого-то убили, кого-то покалечили, кто-то исчез бесследно, потому что так было нужно Коле-Пауку.

Конечно, когда они повзрослели, то многое поняли о своем благодетеле, но по отношению к своим протеже Николай Ладыжников никогда не проявлял ту сторону своей натуры, что заставляла обывателей испуганно шептаться на кухнях.

И когда Вика сидела в тюрьме, именно Коля-Паук, незримо присутствующий за ее спиной, дал ей шанс выжить, и она выжила.

— Чего он хотел?

— Спрашивал о тебе, ну и сказал, что ты можешь обращаться к нему в любое время, он всегда тебе поможет. Вика, возможно, так и надо сделать?

— Нет. — Вика не собиралась говорить о прошлом с Назаровым, только не с ним, это слишком страшно и неприглядно. — Жень, я просто хочу, чтобы обо мне все забыли.

Назаров понял, что молчать дальше нельзя, ему придется сказать Вике. И это сейчас будто прыгнуть с большого камня в каменном карьере, откуда когда-то решились сигануть только Вика и Алена, а остальные продолжали топтаться наверху. И вот сейчас пришла его очередь прыгать, и отвертеться теперь уже совсем никак.

— Один из моих журналистов положил мне на стол статью под названием «Виктория Станишевская вышла из тюрьмы!», и я...

— Что?!

Вика дернулась и попыталась вскочить, Назаров почувствовал, как мгновенно напряглось ее тело.

— Успокойся, пожалуйста. — Он удержал Вику на месте. — Я сделал все, чтобы парень забыл, что писал эту статью, и не проболтался. Забрал карту памяти с фотографиями.

— С какими фотографиями?!

— Он узнал тебя на мойке, сфотографировал и проследил до дома. И следил несколько дней, фотографировал. — Назаров крепче обнял дрожащую Вику. — Послушай, нельзя всю оставшуюся жизнь прятаться. Этому я закрыл пасть, но будет другой, третий — рано или поздно это случится. Нужно быть к этому готовой. И потому нужно выяснить, кто же на самом деле убил Дарину.

— Как? Как ты это выяснишь, если я никого не видела?

— Ты не видела, а полиция не искала. Видишь, как отлично сошлись звезды — для всех, кроме тебя. Я все думаю, что будь я тогда рядом, то не позволил бы вот так просто навешать на тебя всех собак, но я...

— Но ты был в Париже. — Вика вдруг хихикнула. — Жень, как это — быть женатым на скандальной модельке, за которой бегают папарацци?

— Ужасно. — Назаров вздохнул. — Особенно когда понимаешь, что тебя просто используют в полный рост. Моя книга тогда только вышла и вдруг приобрела популярность, я стал модным писателем, эдаким калифом на час, да еще женат на самом Снежном Ангеле.

— Она красивая.

— Да. — Назаров согласно кивнул. — А еще она мерзкая дрянь, умелая манипуляторша, наркоманка с моралью дворовой кошки. Правда, когда я об этом узнал, было поздняк метаться. Но я быстро исправил это положение, когда понял, что никакой помощи ей не требуется, спасать ее не надо, ей удобно и забавно ломать эту комедию, кривляясь перед журналистами на потеху публике, трясти трусами на каждом углу, и не всегда своими. Я развелся и вернулся в Александровск. Тем более что как раз тогда бабушка заболела, а мне предложили возглавить газету... Ладыжников предложил, кстати. Не бог весть что, конечно — но у меня была возможность писать, и я хотел жить в этом доме. Боюсь, Париж мы исключим из списка мест, куда поедем в свадебное путешествие.

— Пфф. Смешно слушать. — Вика повернулась к Назарову спиной. — Все, давай спать.

— Нет, погоди. — Назаров не собирается сдаваться. — Я только что сделал тебе предложение.

— А, так это было оно? — Вика фыркнула. — Жека, ты сбрендил, не иначе. Ты не можешь жениться на женщине, которая сидела в тюрьме за убийство. Твоя карьера...

— Да мне плевать! — Назаров не намерен был отступать. — Так что скажешь?

— Поедем во Флоренцию. — Вика взъерошила его волосы. — Там обувь можно купить всякую... А у меня давно уже не было приличных туфель.

Назаров обнял Вику и прижал к себе.

Если бы не Вика, не ее поддержка, он не представляет, как пережил бы похороны. Он знал, что бабушка может умереть, но оказался не готов ни к смерти, ни к той мистерии, которая разворачивалась вокруг смерти. А вот к чему он был готов, так это к грандиозному скандалу, который закатила после поминок жена его дяди, тощая тетка Нина. Как это так — старуха все оставила одному внуку? А остальным что? Да быть того не может, и вообще нужно войти в дом и посмотреть, что там есть, и поделить на всех.

Очень помог председатель, друг детства Антон Лавров, который и заверял вместе с бабушкой завещание у нотариуса, привезенного из города. И да, граждане, имеется завещание, согласно которому вам здесь делать нечего, проводили мать в последний путь — и пожалуйте на выход, на этот счет есть отдельные распоряжения покойной, нарушать которые не с руки.

И Вика все время была рядом и крепко держала Назарова за руку, стоя под любопытными взглядами. Вика, которая избегала выходить на люди, заставила себя — ради него, Женьки. И он знает, как тяжело ей это далось, и благодарен безмерно.

А когда ей было плохо, его рядом не оказалось. Была только Алена, которая все три года исправно приезжала на свидания, возила передачи и поддерживала как могла. А он что, он к шапочному разбору поспел, и то его не рады были видеть... Но теперь он обязан восстановить справедливость. Жить с клеймом убийцы Вика не будет, еще чего! Он сам снова пройдется по уликам, он найдет того, кому смерть Дарины была выгодна.

Зазвонил телефон, и Назаров с удивлением уставился на номер — его секретарша никогда не звонила ему среди ночи.

— Что, Клара? Сгорела редакция? Взорвалась типография? Прилетели инопланетяне?

— Нет. — Клара всхлипнула. — Извините, что среди ночи разбудила... Я знаю, у вас похороны были, но тут такое дело, Евгений Александрович... Убили Диму Зайковского, вот полиция обзванивает всех, чьи номера нашлись в его телефоне — набрали меня, даром что ночь, потому что я, оказывается, последняя с ним говорила. Помните, в пятницу вы велели его позвать к вам в кабинет, и я ему позвонила. Думаю, вы должны знать.

— Да, спасибо, Клара. — Назаров озадаченно уставился в темноту. — Утром увидимся.

Он положил трубку на тумбочку и молча откинулся на подушку. Кому могло понадобиться убивать этого мелкого негодяя?

— Я слышала, если что. — Вика смотрела на Назарова сквозь темноту. — Это тот самый, что следил за мной?

— Да.

— Не могу сказать, что мне его жаль. — Викин голос звучал напряженно. — Просто совпадение странное, только он под меня принялся копать, тут же его кто-то убил.

— Никто не знает, что он под тебя, как ты выразилась, копал. — Назаров понимал, что дело выглядит скверно. — Я уничтожил его статью, почистил жесткий диск, забрал карту памяти его телефона. Никто не свяжет его с тобой.

— Я его не убивала.

— Господи, да я это знаю! — Назаров вскинулся. — Что ты такое говоришь, вы даже знакомы не были!

— Ты не можешь этого знать наверняка. Вот и у полиции могут быть совершенно другие мысли. Четыре года назад они не стали заморачиваться, у меня был очевидный, по их мнению, мотив, на орудии убийства были мои отпечатки, моя одежда была в крови — никого другого они и искать не стали даже. Сейчас могут поступить точно так же.

— Только нет твоих отпечатков на орудии убийства, твоя одежда чистая, а ты этого мерзавца даже не знала, не то чтобы убить его.

— Они могут подумать, что раз он за мной следил, то я заметила, и...

— Вика, ты говоришь глупости.

Но Вика думала о том, что, если ее снова посадят в камеру, Флоренция ее не дождется.

— Жень... Слушай, тут дело такое. Осенью, если что, георгины выкопаешь — и в погреб. А по весне, если сам не захочешь сажать, то Алене отдашь.

Назаров плюнул и поднялся. Он бросил курить много лет назад, но сейчас ему вдруг захотелось закурить.

* * *

В одном из своих оборудованных убежищ Павел провел первую половину дня. Уехал рано, стараясь никого не разбудить, и теперь сожалел, что не взял с собой каких-нибудь бутербродов. Конечно, здесь имелся запас еды, но он поймал себя на том, что отвык от консервированных и растворимых продуктов, потому что его Ровена готовила отлично.

Зато здесь был выход на все существующие базы данных, отсюда он мог проникнуть в любой архив, а потому дело Виктории Станишевской нашел довольно легко, и сейчас, рассматривая улики, представленные позже в суде, думал о том, что жизнь обошлась с Викторией не слишком ласково.

— Да, детка, ты этого не делала, но уж больно сладким кусочком ты была для следователя и его начальства. Ника права, на этом деле куча народу получила свой пиар и оказалась в выигрыше. — Павел откинулся в кресле, глядя на фотографию обвиняемой. — Думаю, за три года тюрьма тебя перемолола в лунную пыль, Лунная Девочка.

Он перенял у жены манеру давать людям клички. Виктория смотрела на него с монитора огромными горестными глазами. Фотография сделана кем-то в зале суда, и совершенно очевидно, что Виктория в этом зале одна: никто не пришел поддержать ее.

— Все тебя бросили, детка, все отреклись. — Павел понимал, что ввязываться в старое дело не нужно, но уже знал, что ввяжется. — И, боюсь, ты научилась коечему, если выжила в колонии. Но вот выживешь ли ты на свободе — тут вообще не факт.

Павел пустил документы на печать, и скоро в его руках была внушительная кипа бумаг. Уголовное дело не было многотомным, следователь изначально уже знал, кто виновен. А то, что он ошибался — интересно, знал ли?

А что на все это скажут Ника и Лерка, а уж тем более его Ровена, Павел и думать не хотел.

— Прийти к ней и сказать: знаешь, мы тут покопались в твоем деле и решили, что ты невиновна... Ничего глупее мир не видел, она и сама знает, что невиновна. Адвокатишка явно был в сговоре со следствием, где она его только выдрала, такого-то.

Павел бросил кипу бумаг в рюкзак и вышел, запустив автономный режим. Теперь информация будет копиться и сортироваться автоматически.

Летний город встретил его пыльной духотой, и он подумал о дожде. Впрочем, их с Ровеной дом находится в районе, куда не добрался смог, и дождь он там устраивает сам, когда захочет. Его жена фанатела от цветов, их двор напоминал цветочную выставку, и даже маленький Мишка относился к цветам с осторожной нежностью.

Зазвонил телефон, явно звонила Ровена.

Он все еще жил в состоянии восторженного удивления от того, что у него есть жена — прекраснейшая из женщин, его Цветочная Фея, есть двое детей, есть друзья, есть дом, где он живет со своей семьей... Было время, и длилось это время достаточно долго, когда у него не было ничего, даже его самого в принципе не было, а была просто штатная боевая единица, расходный материал. И ночи его — те ночи, которые ему удавалось прожить, ни за кем не гоняясь, никого не допрашивая и не совершая никаких иных действий во благо какой-то очередной секретной миссии — эти ночи были его адом. Он приходил в какие-то чужие безликие комнаты и спал вполглаза, сжимая в руке оружие. И думал о том, что в его жизни нет ничего для него самого, и это правильно.

И вот, извольте видеть: солидный отец семейства, верный муж и преданный отец двоих бравых парней, старший из которых уже взрослый и вряд ли знает, что Павел присвоил его в тот же день, когда присвоил его мать, а младший — просто ангел. Шкодливый ангел, но без него жизни нет вообще.

«Если бы родители любили меня хотя бы вполовину так, как я люблю Мишку — как бы сложилась моя жизнь? — Павел вел машину по загруженному проспекту. — Но тогда не было бы у меня Ровены и Тимки, а Мишки так и вообще на свет не появился бы».

Около двора была припаркована машина, и Павел тотчас узнал ее: Лерка снова утащила внедорожник Панфилова, а его самого оставила с детьми.

Георгины кивнули хозяину дома тяжелыми яркими головками, и Павел задумался о том, что пуще других цветов Ровена отчего-то любит именно георгины. Они у нее повсюду, самые разные. Они, конечно, красивые, но возни с ними! Осенью выкопай, устрой на зимовку, уговори спать сладко и посули раннюю весну, а весной вытащи из погреба, снова зарой, да не просто как попало, а с толком... Хотя, конечно, красивые они все равно.

— Паш!

Конечно, они ждали его. Ровена накрыла в беседке чай, но это так только, одно название — чай, а на самом деле на столе и салаты, и фирменная картошка, которую готовит только его жена, а больше никто на свете. И Павел в очередной раз осознал, что он счастливый человек, и к этому, наверное, никогда не привыкнуть.

— Паш, садись и поешь.

Он кивнул и, садясь за стол, прижал к себе жену, на миг вдохнув ее запах. За свою жизнь он знавал многих женщин — слишком многих, в разных точках мира. Но не было среди них никого, чей запах вот так в секунду сводил бы его с ума.

— Павел, глупости потом. Садись немедленно и рассказывай. — Ника смеялась. — Можешь при этом кушать, это не запрещено.

— Вот спасибо так спасибо, уважила. — Павел достал из рюкзака пачку страниц. — Вы хотели дело об убийстве? Их есть у меня. Читайте и оставьте меня в покое, пираньи.

Три головы заинтересованно склонились над распечатанными страницами уголовного дела, но Павел знал, что они запутаются в крючкотворстве самое малое через минуту. И надо успеть поесть восхитительной картошки с подливкой и салатик тоже.

— Нет, ну так я ничего не пойму. — Ровена нахмурилась, оторвавшись от чтения. — Паш, ты это специально устроил? Ты знал, что мы ничего здесь не разберем!

— Конечно, знал. Это я вам в воспитательных целях принес, чтоб вы знали: я-то как раз все там понял, так что цените меня и ублажайте всячески.

— Я тебя потом ублажу. — Ровена засмеялась. — А уж больше, чем мы тебя ценим...

— Наш великий, непобедимый, несравненный Пашка. — Ника налила ему компота. — Больше просто невозможно.

— Но мы постараемся, о величайший из воинов, коих мир не видел, сам Чингисхан в компании с Александром Македонским, Цезарем и Аттилой-гунном нервно курят под балконом, а Джеймс Бонд спился и стал импотентом, переживая, что он не номер один среди секретных агентов. — Валерия отодвинула страницы. — Так поведай же нам, величайший из смертных, какую весть ты нам принес сейчас, изучив эти богомерзкие страницы?

— Я так, пожалуй, привыкну к восхвалениям, вы потом ко мне и на кривой козе не подъедете, — фыркнул Павел. — Но если судить по тем уликам, что есть в деле, вы правы: Виктория Станишевская не убивала свою сестру.

Раздался тройной возглас удовлетворения, и женщины загалдели все разом, перебивая друг друга. И Павел в который раз за сегодняшний день подумал, что ни секунды не изменил бы в своем прошлом, если оно привело его сюда. В беседку, увитую розами, где спорят три такие разные женщины, лучше которых он не знал никогда.

— Дамы, тихо. — Павел решил возглавить безобразие. — Не нужно шуметь, это плохо сказывается на пищеварении. Я изложу факты, а вы...

— Мам!

Это Тимка идет в беседку, размахивая планшетом. Он почти мужчина, но еще видна грань, отделяющая его от подростка, — осторожно ступает длинными ногами по дорожке, привычно избегая задевать головки цветов, тут и там склонившиеся на дорожку. Скоро эта его двойственность пройдет, и Тимка окончательно превратится во взрослого парня, но пока он еще их с Ровеной ребенок, и пусть оно так бы и оставалось хотя бы еще пару лет, тогда Павел сможет натренировать его настолько, чтобы отпустить в свободное плавание, не боясь каждую минуту за его жизнь.

— Вы так галдите, что всех воробьев распугали. — Тимка подал Павлу планшет. — Я тут слыхал, о чем вы спорили, случайно. И вот смотрите, только что в новостной ленте проскочило.

— «Недавно вышедшая из тюрьмы Виктория Станишевская снова задержана в связи с убийством журналиста». — Павел нахмурился. — Чепуха какая-то.

— И как они так быстро информацию дали? — Ника недоумевает. — Если никто не знал, что она вышла.

— Ну, на самом деле знали многие. Но в данном случае все как раз просто. — Павел чувствовал, как гнев в нем все растет. — Менты сами слили — славы захотелось такой же, как у тех, кто расследовал убийство, в котором обвинили Викторию. На самом деле никакого расследования не было, только шумиха, вот и этим захотелось побыть героями дня. Хуже то, что они ее допрашивать будут уже не как популярную ведущую и светскую даму, а как недавно освободившуюся зэчку, а это две большие разницы. Нужно срочно вытаскивать Викторию оттуда.

— Я звоню адвокату! — Ника схватила телефон. — Помните Дмитрия Ершова? Я знакома с ним, дружу с его женой, и даже если он очень занят, мне он не откажет. Нужно немедленно нанять его для Вики. Да что же это такое, просто невезуха какая-то!

— Ты звони адвокату, а мы с Ровеной поедем в Привольное. — Валерия поднялась. — Нужно найти Викину подругу Алену и расспросить ее, она точно в курсе дела. Девчонку нужно спасать, потому что, если ее сейчас посадят в камеру, к утру там будет ее труп.

Павел кивнул, думая о том, на кого выйти, чтобы поговорить о старом деле, а по итогу разузнать о новом, и по всему выходит, что нужно обращаться к генералу Бережному.

— Паш, а ты?..

— Позвоню одному человеку, у него есть выход на генерала Бережного. Сейчас нужны максимальная быстрота, открытость и огласка, иначе Лунную Девочку мы сегодня потеряем.

Ровена хмыкнула — Павел ее уел, его кличка для Виктории оказалась очень меткой.

7

Она перестала считать удары. Просто превратилась в мешок с костями, и боль, которая существовала где-то позади ее сознания, и голос полицейского, который что-то спрашивал, — все это было там, в жизни, а она уже отрезала себя от всего живого, вычеркнула саму себя из списка живых. Сейчас они устанут, оттащат ее в камеру — а там уж она знает, как поступить. Хорошо, что порешала с домом и насчет георгин распорядилась.

Только Женьку жаль, он останется теперь совсем один.

— Упрямая дрянь!

Вика смотрела на своих мучителей сквозь красную пелену боли. Она понимала, что следов на ней не останется.

— Выведи ее отсюда, пусть идет. Если что, мы знаем, где ее искать.

Ее отрывают от пола и ставят на ноги. Болят почки, болит голова, но она рада хотя бы тому, что может идти. Теперь с ней церемониться никто не станет, она давно уже не популярная телеведущая с дорогим адвокатом, а просто бывшая зэчка, никто.

Дверь лязгнула за ней, и она оказалась на улице. Солнце ослепило, звуки города оглушили, и Вика пошла по тротуару, стараясь ступать по линии квадратных плиток — так она точно знает, что идет прямо и со стороны выглядит более-менее нормально.

— Вот она, ребята!

Какие-то люди, много людей окружили Вику, чьи-то руки грубо ухватили ее, потащили, бросили на тротуар, начали рвать на ней одежду, терзать ее саму — ей уже все равно, что с ней будут делать. Главное сейчас вырваться из тела и больше никогда в него не возвращаться. И желтые шары георгин склонились так близко к ее лицу, прохладные и знакомые.

— Ничего, ребята, Женька о вас позаботится. А потом будет весна.

Вот так любого высаживают в землю, и он растет, цветет до самых морозов, а потом старые стебли умирают, но корень жив, и снова прорастет. А весна всегда приходит, и не важно, все ли корневища посажены, весна просто приходит. Кто-то прорастет снова, кто-то нет, смотря как посадить, а кого-то просто забудут вытащить по весне из подвала, но это не важно. Тут сам принцип важен, возможности.

Боли нет. И смерти нет. Есть шмель на цветке ноготка, есть луч в кружевах листьев каштана, есть сверчки, звучащие во Вселенной: — а жизнь просто сон, и сейчас она проснется. Дурные сны — удел смертных, а она больше не верит в смерть, потому что раз нет жизни, то и смерти тоже быть не может. И где-то на грани миров есть клумба с георгинами и бабка Варвара с зеленой жестяной лейкой в руках. Она и здесь нашла себе занятие, да кто бы сомневался.

— Викушка, лейку-то бери.

Смерть — это просто сон, а стебли георгинов так пахнут, свежие и сильные, налитые эльфийским жизненным соком, и такие хрупкие. Лейка стоит под ногами, но она тяжелая, наполненная водой, не удержать, и вода расплескалась, и все льется, льется — ошеломляющая, прохладная. Вода была так нужна, и здесь есть все, что нужно.

Вода — это путь. Ведь может быть путь просто ради пути? Вода всегда одинаковая, хоть и меняется каждую секунду, но сама концепция воды не меняется никогда, вода — это всегда путь. И не обязательно иметь какую-то конечную цель, нужно просто идти.

Луна вынырнула из-за груши в огороде, огромная и желтая, как кусок хорошего сыра. Она всегда выныривала из-за круглой кроны старой груши, вот и сейчас висит над лугом как ни в чем не бывало.

— Какое банальное сравнение. Боже, как все это глупо и банально.

Это как сравнивать вертолет со стрекозой — да, похоже, но так же банально.

И смеяться тоже глупо — чем смеется тот, кого нет?

* * *

— Да, я согласен. — Бережной вздохнул, перебирая страницы старого дела. — Не все улики были должным образом изучены, тут основную роль сыграло признание обвиняемой. Видимо, адвокат насоветовал...

Бережной украдкой рассматривает своего посетителя. На визитке значится: Павел Иванович Олешко, безопасность предприятий. Конечно, сейчас этот парень занимается безопасностью предприятий, но его глаза — это глаза человека, много повидавшего и многое совершившего. Почему его заинтересовало дело Станишевской?

— Она не арестована. — Бережной пожал плечами. — Насколько мне известно, ее просто пригласили для беседы, ради выяснения некоторых обстоятельств, потому что убитый собирал о ней материал и писал статью. А тут уже и Назаров взвился, прибегал и угрожал вывести всех на чистую воду, и...

Зазвонил телефон, Бережной с удовольствием снял трубку — посетитель пришел по рекомендации его хорошего знакомого, и выставить его генералу было неудобно, и тем не менее обсуждать с ним текущее дело он тоже не собирался.

— Андрей Михалыч, у нас большая неприятность.

Это майор Лубенец, его заместитель по связям с общественностью, доставшийся Бережному от его предшественника. Толковый, очень спокойный человек, никогда не теряющийся в сложных обстоятельствах, но сейчас что-то сильно расстроило его.

— Там ребята в Вознесеновском отделе пригласили эту... Станишевскую, для беседы.

— Знаю. И что она показала?

— Ничего, будь она неладна! Пришлось отпустить, хоть вертели ее и так, и эдак, но закон есть закон, улик против нее нет, только возможный мотив, вот и пришлось отпустить. И все бы ничего, да тут откуда ни возьмись, прямо у отделения налетела на нее толпа — кто-то кинул клич в соцсети, и собрались посмотреть на нее, ну и... набросились, толпа же.

— Дальше. — Бережной уже понял, о чем говорит майор. — Набросились где?

— В этом все и дело, прямо у двери участка. — Лубенец ужасно нервничал. — А тут, как на грех, нарисовался Ершов — говорит, его наняли для защиты Станишевской. Кто мог его нанять, у девки ни гроша, и...

— Ближе к делу. — Бережной чувствовал, что стряслось нечто скверное. — Говори, что случилось.

— Я и говорю, Андрей Михалыч, ее избивали, а тут адвокат. Ну и... Вы поймите, Андрей Михалыч, формально мы за Станишевскую ответственности уже не несли!

— Майор, мне клещами все из тебя тянуть? Что случилось?

— Ершов выяснил, что это наши сотрудники кинули клич в соцсетях и собрали эту толпу.

— Откуда это стало известно?

— Ершов зашел на их страницы и в их профили, а там и правда... И это еще не все. Они оба выпивши были. А хуже всего, что объявился Назаров, тот самый, из «Субботы», и он говорит, что Станишевская — его невеста. В общем, вот так все сошлось неудачно, и я пока думаю, как нам это замять, хотя при таком раскладе это вообще вряд ли удастся.

— Замять?!

Бережной мгновенно взвился. То, что он ненавидел всеми фибрами души, то, с чем он беспощадно боролся — и Лубенец это отлично знал! — вот оно, во всем уродстве снова показало свою гнилость в порочной по сути системе.

— Владимир Сергеевич, тебя ли я слышу?

— Андрей Михалыч... — Лубенец даже заикаться начал. — Хуже всего, что эти... Назаров с Ершовым уже спелись, и мы им рты не заткнем, а дама к их приходу в таком виде, что... Мы ее положили на скамейку, но в сознание никак не приведем, уж и воду лили, и...

— Немедленно вызывайте «Скорую»! И я к вам сейчас еду. И если она умрет, под суд пойдут все, и ты тоже, это я тебе обещаю. Вы задержали нападавших?

— Нет.

— А пытались? Не лгать мне, майор!

— Нет.

Бережной бросил трубку и вышел из-за стола.

— Павел Иванович, беда стряслась с вашей протеже.

Олешко и сам уже понял, что стряслась беда, и то, что генерал не прогнал его, означало одно: Бережной и правда не собирался спускать дело на тормозах.

— Виктория сильно пострадала?

— Видимо, да. — Бережной на ходу достал телефон. — Денис Петрович, ты не занят? Приезжай в Вознесеновский, там у нас ЧП. А, уже едешь? Отлично, встретимся там.

* * *

— Приехали прямо на мойку, у нее смена только началась, заломили руки, затолкали в машину и увезли. — Алена всхлипнула. — Женька с утра на работу уехал, и пока я до него дозвонилась... Он же всегда телефон отключает, когда очень занят, а секретарша его — дура... А я теперь пришла цветы Викины полить, она ими очень дорожит, и малину собрать, чтоб не осыпалась, а у самой душа не на месте. Ведь вот как выходит — выпускают человека из тюрьмы, а на деле — не выпускают никогда. И чуть что стрясется, уже прав нет никаких.

Ровена кивнула, едва сдерживая ярость.

Двор, засаженный цветами, сказал ей больше, чем все свидетели и биографы. Женщина, живущая здесь и высадившая все эти цветы, была отчаянно одинока, она отгородилась от мира стеной цветов, спряталась за ними, чтобы люди, любуясь ими, не видели ее самой, потому что она больше не доверяла миру.

И меньшее, что Ровена могла сейчас сделать для этой пока незнакомой, но такой понятной ей женщины — это полить ее цветы. Тем более что Алена плачет, а цветам ничьи расшатанные нервы неинтересны, им вынь да положь порцию влаги в жаркий летний день.

— Она никак не могла убить того журналиста, она его даже не знала! — Алена плакала, роняя слезы на кофточку. — Даже если он собирал на нее материал, следил за ней, она и понятия об этом не имела! И убили-то его, как на грех, в пятницу вечером, а тогда как раз ни я не зашла сюда, ни Женька. Да еще как убили — зарезали точно так же, как когда-то Дарину. Но Вика этого не делала.

— А значит, и Дарину она не убивала. — Ника вздохнула. — Но тот, кто убил Дарину, точно знал, как он ее убил, — вот и журналиста этого пронырливого убил тот же человек, получается. Но полиция тогда разбираться не стала, и сейчас не будет.

— Им придется! — Валерия зло прищурилась. — Ершов уже поехал туда, ну и Павла нашего тоже в угол не задвинешь. Уж Павел-то разберется, кто там кого убил, даром что полиция не хочет, плевать на них. Нужно просто вытащить оттуда Викторию, а для этого есть Ершов.

— Спасибо вам, девчонки. — Алена высморкалась в платок, протянутый Никой. — Просто я боюсь, как бы она чего не сотворила с собой, у нее мысли эти были, я знаю. Когда ее посадили, я приезжала к ней в колонию. Оно, конечно, любая тюрьма не сахар, но та колония считалась неплохой среди заведений подобного типа. Только не для Вики, учитывая ее... особенности. Ее там просто сломали, она никогда не рассказывала, что там происходило, но когда я приехала на первое свидание, то вышла ко мне совсем незнакомая женщина — от прежней Вики ничего не осталось. Вот так сразу — и вдребезги. И тут только-только начала она немного оживать, у них с Женькой снова появился шанс что-то построить, и на тебе!

— Кстати, что за Женька? — Валерия заинтересованно вскинулась. — Ты все упоминаешь его, кто такой?

— Первая любовь. — Алена вздохнула. — По молодости расстались, он мыкался с какими-то девками, женился даже, она тоже... А по итогу оказалось, что ни для него нет никого, кроме Вики, ни для нее, окромя Женьки, нет другого. Да вы его знаете, он газетой вашей местной рулит.

— Назаров?! — Ника всплеснула руками. — Боже, я читала его «Философию интернет-толпы», очень умный парень, книга просто блестящая. Надо же!

— Да, Женька у нас всегда был башковитый, и Вика ему под стать, и когда у них сейчас вот начало что-то получаться, мы с мужем за них кулаки держали, и на тебе...

У Ровены зазвонил телефон, и она, бросив шланг под корни настурций, приняла звонок.

И по тому, как она менялась в лице, разговор на скамейке сам по себе прекратился, и Алена вдруг, бросив платок на дорожку, заголосила, повалившись на скамейку.

* * *

— В кабинете пол в крови. — Ершов едва сдерживался, чтобы не перейти на крик. — Простейшая экспертиза докажет, что это кровь моей клиентки. У нее что, обильные месячные начались прямо здесь?

— Выпили ребята. — Майор Лубенец неловко переминается с ноги на ногу. — Работали над делом несколько дней подряд, выходных не было, а утром решили немного расслабиться.

Конечно, все было не так. В квартире убитого обнаружилось несколько бутылок отменного коньяка, и оставлять его там показалось глупо. Убитый жил один, и никаких особых материальных ценностей у него не было, кроме этого коньяка, невесть откуда взявшегося в маленькой убогой квартире журналиста.

Компьютерщики мигом восстановили данные с жесткого диска, обнаружив статью, которую кто-то стер. Но рукописи, как известно, не только не горят, но и не исчезают с жесткого диска.

За Станишевской отправили патрульных, а сами опера слегка расслабились. Позвонили знакомой журналистке, дело уже вроде как и раскрыто, осталось признание получить — и все в ажуре.

Но спесивая дрянь уперлась, позабыв вдруг, что она больше не звезда экрана, а зэчка, и поступать с ней можно как угодно. Ей все равно никто не поверит, если что.

И это знал майор Лубенец, потому что одним из двоих оперативников был его племянник, Вова Одинцов. Которому сейчас Бережной оторвет голову, а его верный пес, подполковник Реутов, выскочка и наглец, с удовольствием забросит эту голову в колючки. И, по правде говоря, так племяшу и надо, дебилу. Подставили они с напарником и его самого, и все управление знатно. Да еще Назаров этот, не говоря уж о пронырливом и въедливом адвокатишке Ершове. Кто же мог знать, что бывшая зэчка — пассия самого Назарова? Вот умеет устраиваться девка!

— Выпили! — Бережной с трудом сдерживал ярость, бушующую внутри. — Майор, ты сбрендил или просто белены объелся? Эти отморозки избили девчонку, а чтобы скрыть следы своих деяний, кинули в соцсетях клич и собрали под зданием полицейского участка толпу таких же мерзавцев, как они сами, и фактически натравили эту толпу на беззащитную девушку, а сами стояли и смотрели. Стояли и смотрели!

— Мало того, они еще эту толпу подначивали. — Ершов помахал своим телефоном. — Есть запись камеры журналиста, которого привел Назаров. Хорошо, что там оказался этот... Пагутянский, которого накануне задержали за драку в баре, он вышел из здания практически вслед за Викторией и помог нам с Назаровым вырвать девушку из рук толпы. А ребята, значит, просто выпили? Это по-другому называется, майор. Это организация преступной группировки с целью покушения на убийство. И я не понимаю, что ты тут блеешь насчет «не наша ответственность», если на странице в соцсети оперуполномоченного Одинцова висят вся информация о задержании Виктории и призыв «преподать урок убийце». Это как раз наша ответственность, даже если не принимать в расчет пол в кабинете, залитый кровью пострадавшей.

— Когда Станишевская отсюда выходила, на ней не было ни одного синяка. — Майор Лубенец не намерен был легко сдаваться. — Камера на входе это зафиксировала, и ею был подписан документ, согласно которому у нее нет претензий к полиции. А кровь... Она могла споткнуться, упасть, кровь из носа побежала, и...

Бережной смотрел на заместителя и думал, что за год он так не узнал его, как за последние полчаса.

— Майор, тебе что, и правда наплевать на то, что наши сотрудники совершили преступление?

— А это оттого, Андрей Михалыч, что Одинцов — родной племяш майора. — Виктор Васильев криво ухмыльнулся, глядя на побледневшего Лубенца. — Вот он сразу дяде и позвонил, когда протрезвел и вкурил, что дело плохо. Время потеряли, а теперь выживет девчонка или нет — уже большой вопрос, только что звонил в больницу, правую почку ей, скорее всего, придется удалить совсем, сейчас решают, справится ли вторая. И по почкам били ее не отморозки из толпы, а здесь, в этом кабинете.

Бережной сжал кулаки.

Это было то, с чем он боролся беспощадно — пытки в полиции. С тех пор как он занял должность начальника городского управления, таких случаев стало намного меньше, и за каждый выявленный и доказанный факт применения физического воздействия к задержанным и подозреваемым Бережной безжалостно увольнял виновных и отдавал под суд. Но чтоб сотрудники, избив задержанного, собрали толпу, дабы та довершила дело и скрыла их преступление — такого генерал не помнил.

— Мне просто интересно, чем вы думали? — Реутов смотрел на двоих, только что сдавших документы и оружие оперов, и ему хотелось сделать с ними то же, что они сделали с Викторией. — Нет, я не спрашиваю, как у вас поднялась рука бить женщину, — тут как раз все ясно, гендерных предрассудков вы лишены напрочь. Но собрать толпу и отдать девушку на растерзание! И смотреть на это, снимать на телефоны! Не просто отвесить лещей — и то запрещено, но тут кровь на полу! Значит, били по голове, по лицу, и ведь знали, что улик у вас нет, кроме статьи в компьютере убитого. А когда она сидела здесь, подписывала отказ от претензий, вы уже собрали толпу и разогрели ее фразами о справедливом возмездии! И смотрели! Список телесных повреждений, как у жертвы столкновения с поездом. Переломы ребер, ушибы почек, закрытая черепно-мозговая травма... Вы что, совсем сдурели?

— Выпивши были... Да она целая была, это ее уже на улице отходили. А не докажете, что мы нанесли ей телесные повреждения!

— Зато докажу, что вы организовали покушение. — Реутов сжал кулаки. — Уже доказал, собственно.

Бережной поднялся и кивнул Лубенцу:

— Сегодня на стол заявление об отставке, остальное решит суд. Денис Петрович, проследи, чтоб эти двое хорошо устроились в камере, а я поговорю с прокурором, чтоб никаких подписок о невыезде. Но прежде мне нужно объясняться с прессой и, в частности, с Назаровым, а вы молитесь, кретины, чтобы потерпевшая выжила.

Бережной вышел из кабинета, оставив бывших сотрудников на Реутова и Васильева, а эти двое полностью разделяли мнение генерала насчет недопустимости физического воздействия на задержанных, так что ждать сочувствия или помощи двоим преступникам не приходится. Реутов сделает все, чтобы они прошли все круги ада, а изощренный ум майора Васильева сумеет найти наиболее неприятные варианты.

Это были его люди, на честность и профессионализм которых генерал полагался всецело.

А на что он не надеялся, так это на понимание со стороны Евгения Назарова. И ему сейчас надо сделать так, чтобы парень не слетел с катушек и не принялся расписывать в городской популярной газете ужасы полицейских застенков, и не ради чести мундира, а ради расследования. Шумиха сейчас ни к чему, убийца затаится, а им надо, чтобы он был уверен: его преступление снова повесят на кого-то другого.

— Я не прошу вас скрыть правду. — Бережной с сочувствием посмотрел на Назарова. — Но если сейчас поднять шум, убийца может залечь на дно, и тогда найти его будет сложнее. Я изучил улики по старому делу и считаю, что следствие было поверхностным и предвзятым, а многие улики, по моему мнению, вообще говорят как раз в пользу вашей подруги. И кто-то знал, что рано или поздно дело снова поднимут, как и то, что ваш журналист пишет статью о Виктории. Нужно найти этого человека, а потом можете размазать нас по стенке, мы заслужили это. Я прошу всего лишь об отсрочке — пока мы найдем преступника, на это я брошу наши лучшие силы, и на сей раз расследование будет таким, как положено.

Лицо Назарова, заострившееся и бледное, осталось бесстрастным, но глаза яростно блестели. Адвокат Ершов поодаль говорил по телефону, но генерал понимал, что и он слышит каждое слово.

— Евгений?

Его давешний посетитель, специалист по безопасности предприятий Павел Олешко, тронул Назарова за плечо, и тот оглянулся на него, словно ища совета. Черта с два этот Олешко просто преуспевший охранник, что-то есть в нем, от чего кровь стынет, когда встречаешься с ним взглядом, а вот на Назарова он так не действует, очевидно.

— Да. — Назаров поднялся, и к ним присоединился Ершов. — Мы поедем в больницу, и...

— Я тоже туда поеду. — Бережной вздохнул. — Если кто-то пешком, могу подвезти. Надо же было такой беде стрястись. Господи, помилуй...

И эта фраза генерала вдруг погасила гнев Назарова. Перед ним стоял человек, испытывающий вину и стыд за действия своих подчиненных и тревогу за жизнь Вики, и хотя никакой его личной вины в произошедшем нет, это теперь для него личное дело, настоящая беда. И его искренность стала первым шагом к доверию, которое возникло между ними.

Конечно, поднимать шум нельзя, потому что человек, совершивший второе убийство, вполне способен совершить и третье, и кто знает, кого он выберет на этот раз.

Дорога к больнице казалась бесконечной. А в вестибюле Назаров увидел Алену и Юрия, они сразу подошли к нему — двое самых близких друзей, и Назаров обнял их, потому что ему было нипочем не устоять, его силы иссякли.

— Ничего, Жека, она выживет. — Юрий похлопал приятеля по плечу. — Она же у нас сильная, выкарабкается.

— Безусловно. — Ровена вышла из отделения и направилась к молчаливой группе в холле. — Доктор Круглов мой кузен и медицинский гений. И он оперирует нашу девушку, а это значит, что шансы выжить у нее громадные. Валька ее вытащит, ребята, вот посмотрите. Предлагаю поехать к нам и посовещаться. Все равно здесь от нас сейчас пользы никакой.

Назаров с удивлением смотрел на совершенно незнакомых ему людей, которые, кажется, отлично знали и его самого, и Вику и каким-то образом были в курсе их проблем. Ему непонятно, откуда они взялись и с чего вдруг принимают такое горячее участие в судьбе Вики, но ощущение, что он не один, что вместе с этими людьми он сможет распутать те невероятно хитрые сплетения злосчастных обстоятельств и лжи, заставляет его согласиться.

— А вы, генерал? — Олешко повернулся к Бережному. — Вы с нами?

— С вами. — Бережной понимал, что его спрашивают не только о том, согласен ли он присоединиться к компании. — Можно у меня в кабинете поговорить, там большой стол и много стульев, заварим чайку и побеседуем, всем будет удобно.

— Тогда едем. — Олешко уже кивнул Назарову, как старому знакомому. — А потом снова сюда, Вика как раз к тому времени очнется от наркоза.

Павел ни минуты не сомневался, что Виктория выживет. Другое дело, захочет ли она остаться.

8

Четыре года назад дело шили не то что белыми, а зелеными в горошек нитками.

— Ты посмотри, Дэн. — Майор Васильев сердито толкнул бумаги по столу, они поехали по гладкой поверхности, а Реутов их поймал. — Ты видишь, что они сделали? Опрос свидетелей минимальный, другую версию даже не рассматривали. На месте преступления не были назначены экспертизы, кроме трасологии, вообще ничего нет.

— Вижу. — Реутов хмуро смотрел на папки с делом. — Вить, поехали к Бережному, там у него сборище штатских, и он хочет, чтоб мы присутствовали.

— Так езжай, а я с делом поработаю.

— Пива по дороге выпьешь. Генерал сейчас пытается погасить пожар, и если для этого нужно поговорить с кучей штатских, значит, так тому и быть. По сути, это не просто скандал, а должностное преступление: в результате безграмотного и предвзятого следствия обвинили и осудили невиновного человека, сломали девушке жизнь фактически, а теперь в придачу искалечили — это если она вообще выживет. Ты понимаешь, как это выглядит? А отдуваться за косяки прежнего руководства придется сейчас Бережному, и карта может лечь очень паршиво, учитывая сегодняшний случай.

— На него и так уже зуб у многих. — Виктор откупорил банку пива. — Поувольнял кучу народу за небрежность или за насилие над задержанными. Кое-кто и реальный срок за это получил, когда такое было? Ну и перед начальством не прогибается.

— Это все может стать формальным поводом, чтобы его снять. А тогда и мы с тобой, Витек, проработаем недолго. При Бережном совестью торговать не приходится, а при новом начальстве все вернется на круги своя, и будет как было. Так что давай, поехали. Тем более что нам сейчас нужна поддержка Назарова, в его руках главный городской новостной ресурс, и убитый Зайковский тоже на него работал. И если мы станем с ним врагами, следствие проводить будет намного сложнее, он нас в своей газете просто размажет, и будет прав, конечно. Но убийца поймет, что прежний номер не прокатил, а нам нужно в считаные дни найти этого гада.

Здание управления встретило знакомой суетой. Дежурный кивнул им и вернулся к телефонному разговору, а в коридоре Реутов поймал на себе заинтересованные взгляды коллег. Видимо, все уже были в курсе.

— Ты заметил, что многие теперь сторонятся нас? — Виктор презрительно сжал губы. — Думают, мы Бережному стучим.

— Идиотов пока хватает, мы на это повлиять не можем. — Реутов пожал плечами. — Но многие остались прежними — значит, понимают, что делает Бережной и зачем это нужно, и одобряют. Тот же Семенов за любого из нас в глотку вцепится.

— Так Семенов тоже «опричник». — Виктор засмеялся. — Мы теперь «опричники», прикинь?

— Да плевать.

Переговариваясь и здороваясь по пути с коллегами, они дошли до кабинета Бережного. Секретарша встретила их взглядом раненой лани — при прежнем генерале в его кабинет не шастали все кому не лень. И теперь в ее должности исчез главный смак: раньше она могла решать, пустить или не пустить посетителя, а теперь могут заходить все, Бережной запретил ей мариновать визитеров в приемной.

В кабинете генерала яблоку негде упасть. Но, кроме Назарова и Ершова, Реутов никого не знает, особенно непонятно, что тут делают три тетки самого что ни на есть гламурного вида, хотя двум из них уже за сорок, выглядят они отлично.

— Знакомьтесь, ребята, мои лучшие сотрудники — подполковник Реутов Денис Петрович и майор Васильев Виктор Сергеевич, отличные сыщики. Если уж они не разберутся в деле, то я и не знаю, кто разберется. Присаживайтесь, господа офицеры.

— Может, чаю?

Полноватая блондинка в голубых джинсах, обтягивающих вполне себе осязаемые прелести, и в синей майке со стразами и цветами, приветливо улыбнулась, пока остальная компания настороженно приглядывается к «лучшим сыщикам». Но блондинка, похоже, уже составила свое мнение, а потому наполнила стаканы чаем и пододвинула корзинку с конфетами.

— А то неизвестно, сколько мы тут прозаседаем.

Голос у нее был девчоночий и звонкий, а плотный немного седой мужик влюбленными глазами следил за ней — у обоих на безымянном пальце одинаковые обручальные кольца, и Реутову ясно, что это супружеская пара. Вторая пара — очень рыжая и кудрявая худая дама в элегантных серых брюках и таком же сером топе и солидный дорого одетый мужчина. Мужчина окинул новых знакомцев внимательным цепким взглядом. Тоже уже все понял о них и одобрил.

Пара у стены, расположившаяся на генеральском диване, — типичные жители пригорода: приглядная синеглазая девица с бесконечными ногами, обтянутыми светлыми джинсами, и высокий подтянутый мужик, коротко стриженный, — скорее всего, бывший военный. Они удивительно подходят друг другу, даже немного похожи между собой. Одежда неброская, но хорошего качества, и дорогая обувь — видимо, вместе рулят небольшим семейным бизнесом и вполне довольны своей незамысловатой жизнью. И как они затесались в эту компанию, непонятно вообще.

Но самой занимательной оказалась пара, сидящая у окна. Сногсшибательная блондинка в длинных локонах, ярком платье и сандалиях на тонких ремешках, ее лицо вполне можно предлагать на обложки модных журналов — что эта цыпа делает здесь? Но взгляд у нее отскучающий, а за ним проглядывает что-то холодное, отстраненное и опасное, когда маска на миг сползает.

И муж ее такого же примерно свойства, только его маска на месте, но то, как развита его мускулатура, говорит о том, что парень годами тренировался совершенно особым способом. И спокойный взгляд небольших карих глаз не обманывает Реутова: это человек, которого обучали вещам, о которых он, Реутов, только слышал.

Евгения Назарова Реутов видел и раньше — он иногда выступал по местному телевидению, мелькал и на центральных телеканалах, его приглашали и как эксперта-политолога, и как журналиста, и он всегда говорил коротко и по делу, а его оценки и формулировки всегда были точны — ни добавить, ни отнять.

Реутов встретился глазами с Ершовым, и адвокат подмигнул ему — держись, брат.

— Денис Петрович, ты ознакомился с делом об убийстве журналиста Зайковского?

— Дело в пути, пока не успел. Зато майор озаботился принести из архива старое дело об убийстве Дарины Станишевской, и мы просмотрели его.

— Ваше мнение? — Назаров враждебно глянул на Реутова темными глазами. — Или вы не успели его составить?

— У нас и правда было мало времени, но даже та небольшая часть дела, которую мы с майором успели изучить, свидетельствует о том, что следствие велось небрежно. Не опрошены все возможные свидетели, не собраны должным образом улики с места преступления: из всех улик вообще только нож с отпечатками обвиняемой и ее окровавленная одежда.

— Которые свидетельствуют о том, что не Станишевская наносила удар ножом. — Парень у окна рассматривал Реутова в упор, и Дэн поймал себя на том, что предпочел бы никогда не оказываться объектом интереса этого гражданина. — Отпечатки на ноже свидетельствуют о том, что Виктория держала нож за рукоять так, словно ударила сестру сверху вниз, при этом Дарина должна была лежать на полу, в то время как угол вхождения лезвия говорит о том, что удар был нанесен снизу вверх, причем убийца стоял напротив жертвы, а в этом случае расположение отпечатков было бы другое. И брызги крови, а именно то, как они расположены на одежде Станишевской, свидетельствуют о том, что она не наносила удар, а вынимала нож из раны — как раз это она изначально и говорила, пока адвокат не уговорил ее признать вину. Адвоката привел тогдашний сожитель Станишевской, актер Игорь Осмеловский, из-за которого якобы Станишевская и убила сестру в припадке ревности. Мне сейчас интересно другое: зачем она оформила дарственную на квартиру и машину на имя Осмеловского? Не то чтоб это на что-то влияло, но просто я хотел бы прояснить для себя этот вопрос.

— Когда убили Дарину, Вику не сразу арестовали, просто таскали на допросы. — Синеглазка на диване оказалась обладательницей хрипловатого сексуального голоса. — И уже было понятно, к чему дело идет, они же и не искали никого другого, да еще и пресса масла в огонь подливала, родители выступали перед камерами и требовали немедленного ареста убийцы. И этот гад возьми ей и скажи: родители могут подать на тебя иск и отсудить в виде компенсации морального вреда имущество, а так оно будет в сохранности. Вот Вика и оформила на него и квартиру, и машину, а как ее арестовали, то он ни разу не пришел, поминай как звали. А дом в Привольном она оформила на меня, я ей его обратно передарила весной, хоть она и не хотела. Вот так вышло с имуществом-то, никакого секрета.

— И что, родители стали бы судиться с родной дочерью за компенсацию морального ущерба? — Блондинка, угощавшая чаем, удивленно округлила глаза. — Алена, это же уму непостижимо...

— Еще как стали бы! — Синеглазка, оказавшаяся Аленой, зло прищурилась. — Да они плевать на Вику хотели, постоянно попрекали, что она «неудачный проект» — так они ее называли. Правда, когда у нее начала складываться карьера, вроде бы притихли, а потом что-то случилось, и она ушла от них, уехала жить в Привольное, к бабушке.

— А что случилось?

— Не знаю. Да, Жень, мы не знаем, правда?

— Правда. — Назаров понимал, что должен поддерживать разговор, но ему это было трудно. — Вика имеет очень редкое для женщины свойство: она никогда не говорит о том, что ей причиняет боль или по-настоящему тревожит. Хоть спрашивай, хоть нет, не скажет все равно.

— Но она всегда была в их семье отрезанный ломоть. — Алена раздраженно фыркнула. — Так что когда убили эту мерзкую дрянь Дарину, а Вика оказалась в этом замешана, родители первые начали голосить, что это она убийца, потому что не могла пережить, что Осмеловский выбрал не ее, а Дарину.

— А у них и правда был роман?

Виктор, молча слушавший показания свидетелей, что-то прикидывает в уме, его стакан опустел, а рядом лежала горка конфетных фантиков. Реутов знал, что напарник лучше думает, когда его мозг получает дозаправку углеводами.

— Дело в том, что Дарина была на три года младше Вики, и тощая, как подросток. А этот урод любит молоденьких и тощих. — Алена яростно блеснула глазами. — Недавно приезжал к нам на мойку, так вы не поверите, его пассии лет восемнадцать, кассирша говорила. Заметьте — кассирша сказала, а не Вика! Потому что Вике если плохо, она прячется, отмалчивается, и вообще вот это «на миру и смерть красна» — не о ней. Так что, я думаю, Игорь вполне мог тогда и трахать Дарину, тем более что та всегда пыталась перебегать Вике дорогу — с ее стороны реальны были и зависть, и ревность. Жень, она ведь и к тебе как-то раз пыталась подкатить?

— Пыталась. — Назаров поморщился. — У нас тогда с Викой отношения испортились, и тут эта тощая дрянь: то позвонит, то будто случайно встретит меня на улице, я и не понял сначала, а потом она прямо заявила: зачем тебе Виктория, ей интересна только ее карьера, а мне интересен ты сам. Я даже опешил от такой наглости, но объяснил ей, что даже если она окажется последней женщиной на планете, я скорее самку бабуина впущу к себе в постель, чем ее.

— То-то она взвилась! — Алена засмеялась. — Вике мы об этом не сказали, но сами повеселились изрядно. Так что она могла, конечно, и к Осмеловскому подъехать, хотя вряд ли успешно.

— В смысле?

— Вы ее фотографии видели? — Алена фыркнула. — Плюнуть не на что, ни сисек, ни рожи, и задница, как две пачки махорки. Еще и характер паршивый, так что особым успехом у парней Дарина не пользовалась. Вот Вика — другое дело, у Вики всегда были кавалеры, еще со школы начиная. И когда она стала встречаться с этим паршивым актеришкой, Дарина люто завидовала. Ведь мало того, что Вике мешками пишут письма поклонники, так сам Осмеловский ее бойфренд! Ухаживал он красиво, конечно, а оказался первостатейной гнидой.

— То есть между сестрами было соперничество.

— Андрей Михайлович, я бы не назвала это соперничеством. — Алена спокойно посмотрела на генерала синими глазами. — Вика... она такая, знаете, беззлобная — всегда старается видеть в людях хорошее, всегда на позитиве... Ну, была такая когда-то. Она об этом соперничестве и понятия не имела. А Дарина — эта да, завидовала и всегда старалась заполучить то, что есть у Вики. Так что вполне возможно, что она с этим козлом и трахалась, он-то потом говорил, что это было, да только он и соврет — недорого возьмет, но я допускаю, что это могло быть. Вот только Вика об этом точно не знала, иначе получил бы он от нее не квартиру и машину, а пинок под зад. И не Дарину бы Вика убила, если бы узнала, а это ничтожество кастрировала бы ржавым ножом — прежде чем вышвырнуть из своей жизни. А то, что потом газеты писали, — все ложь, не верьте.

— Да вот мы и пытаемся разобраться, потому что не верим. — Виктор с удовольствием смотрел на синеглазую Алену — ему всегда нравились такие женщины, без фанаберий. — Мы обязательно во всем разберемся, граждане.

— Мы разберемся все вместе. — Блондинка в локонах насмешливо прищурилась, и Виктор поежился под ее взглядом. — Так оно будет и скорее, и правильнее. Не то чтоб мы вам не доверяли, лично вам двоим, — но вы ограничены некими служебными рамками, как и отношениями внутри вашего коллектива, а у нас таких ограничений нет.

— Но препятствовать следствию...

— Майор, никто не собирается препятствовать вашему следствию. — Муж блондинки, мускулистый парень, широко улыбнулся, и опасность, исходящая от него, словно выключилась. Теперь перед ними был веселый, очень свойский парень. — Но моя жена права: там, где не пройдете вы — в силу того, что вы действуете строго в рамках, которые предписывает закон, пройдем мы, вот даже и я, а все добытое будем приносить в общий котел. Я тут набросал некоторые соображения — четыре года назад не были опрошены люди, имеющие непосредственное отношение к участникам этой драмы, не опросили их просто потому, что следователь был уверен в виновности Виктории. В деле есть показания некой Натальи Балицкой, она работает костюмером в театре, где служит Осмеловский — согласно ее показаниям, Виктория знала о романе сестры с ее женихом и видела, как накануне сестры ссорились, утверждает, что Виктория угрожала Дарине и даже ударила ее. Откуда факт связи Дарины и Осмеловского был известен Балицкой, следователь не поинтересовался, принял на веру. Сам Осмеловский в суде это отрицал, но отрицал как-то неубедительно, и я думаю, что он играл при этом, он же актер, сыграл так, что у суда сложилось впечатление, что он просто вот такой джентльмен — а ведь вполне может быть, что Осмеловский, получивший немалую выгоду от ареста и осуждения Виктории, мог повлиять на показания свидетельницы, и она солгала вместо него. И в деле много такого, извольте.

Реутов взял из рук нового знакомого несколько отпечатанных страниц, такие же получили все присутствующие.

— Меня зовут Павел Олешко. — Парень пожал руки полицейским. — Нас не представили, а между тем эта красотка — моя жена Ровена, плотоядно смотреть на нее майору Васильеву можно, конечно, но все же я бы не советовал. Это вот чета Булатовых — Ника всегда хлопочет, угощая всех, до кого дотянется, а ее муж Леха ей это позволяет. А это Панфиловы — Валерия и Александр, именно Валерия заинтересовала нас делом Виктории. На диване — лучшая подруга Виктории, Алена Дмитриева, и ее муж Юрий. Евгения Назарова вы знаете, я думаю, как и господина адвоката — он отзывался о вашей команде отлично.

— Да, будем знакомы. — Виктор смотрел на Павла несколько смущенно. — Да я не пялился, а так, оценил красоту. Если человек сыт, это же не значит, что он не имеет права рассматривать меню.

Все засмеялись, кроме Назарова и Алены. Атмосфера немного разрядилась. Реутов читал на удивление толково и подробно составленный отчет, повествующий о просчетах и упущениях следствия, закончившегося более трех лет назад, и вынужден был признать, что эти данные значительно упростят их с Виктором работу.

«Интересно, где он взял дело? — Реутов покосился на Бережного, но генерал оставался спокоен. — Хотя у этого парня, я думаю, хватает возможностей достать что угодно».

Олешко ему понравился — как и вся компания в целом, беспокоил только Назаров, сидящий темнее тучи. Когда человек находится в таком расположении духа, он вполне может наделать глупостей, и часто непоправимых.

* * *

— И что ты думаешь об этом?

Виктор пил пиво и читал протокол вскрытия убитого журналиста.

— О чем конкретно? — Реутов оторвался от бумаг и взглянул на напарника. — Я о многом думаю.

— Ну, например, о наших новых знакомых. — Виктор отхлебнул пива и потянулся. — Олешко этот... Не хотел бы я как-то ненароком перейти ему дорожку. Так-то вроде бы свойский парень, очень толковый, а приглядись попристальней — да ну его вовсе. И жена его тоже штучка, все эти локоны и сиськи — сплошное очковтирательство, там мозги очень своеобразные.

— Два социопата нашли друг друга, очень трогательно. — Реутов пожал плечами. — Бывает. А Олешко не так прост, как показывает, и дело Станишевской он перешерстил вдоль и поперек и ничего не упустил. Учитывая, что времени у него для этого и не было особо. Все нестыковки, провисания, все подтасовки — ничего не проглядел.

— Стыдобища. — Виктор вздохнул. — Назаров теперь нас распнет, и будет прав, конечно. Бережной уже вызвал к себе тогдашнего следователя по делу, и я этому кретину не завидую, а Ершов обещал разобраться с тогдашним адвокатом Станишевской. Нужно выяснить, почему он закрыл глаза на все нестыковки и заставил клиентку признать вину, хотя можно было уцепиться за многое, а уж улики... Короче, жаль девчонку, от души жаль.

— Ей с нашей жалости... — Реутов вспомнил, какой стыд испытал, когда штатские изучали отчет, составленный несносным Олешко. Да, не он допустил беззаконие, но стыдно ему. — Смотри, что интересно: и в случае убийства журналиста точно так же — удар был нанесен снизу вверх, убийца стоял напротив убитого, а это значит, что убитый его знал. И нож остался в ране, на этот раз его никто не вытащил.

— Хитрый, гад — знал, что вся кровища на нем будет, если вытащит нож. — Виктор бросил пустую бутылку в урну. — Грамотные все стали...

— Из квартиры ничего не пропало, а Назаров признался, что это он в тот день удалил статью из компьютера убитого Зайковского.

— Да, он эту Станишевскую любит до самого нутра, это видно. — Виктор открыл следующую бутылку. — Ради любви люди и не то делали. Теперь шило проткнуло мешок и впилось в задницы обывателям, так что жди волны шизоидных комментариев в Интернете и шквал звонков в дежурную часть. Согласно отчету патологоанатома, убит Зайковский около полуночи, нашла его утром в субботу хозяйка квартиры, которая пришла за арендной платой, и наши межеумки, получив отчет компьютерщиков о содержании удаленного файла, решили, что дело в шляпе и о них напишут в газетах.

— Дебилы. О них теперь и правда напишут все газеты, когда эта история всплывет. — Реутов поморщился, как от зубной боли. — Пьяны были оба — видимо, пили с ночи. Что там со Станишевской слышно?

— Час назад была жива.

— Ну, будем надеяться, что выживет. Наш компьютерный отдел занимается рассылкой приглашения на «урок справедливости», мы вычислим, кто там был, записи с телефонов нам помогут. — Реутов собрал бумаги. — Вить, нам нужно съездить на место убийства Зайковского и осмотреться. Уверен, эти Биба и Боба, два остолопа, что-то да прозевали.

— Завтра. — Виктор зевнул. — Вот давай прямо с утра и поедем, все равно до завтра там ничего не изменится, дверь-то опечатана. А сейчас у меня в башке кавардак, нужно с этим всем переночевать, чтоб оно у меня в мозгах улеглось как положено. Да и Раиса ждет...

Виктор подумал о жене, как она вечером расчесывает свои волосы, что волной закрывают ей спину...

— Все, Дэн, по домам. — Виктор подтолкнул напарника. — Подвези меня, скорей будет. И тебе тоже домой надо.

— У меня там кот некормленый. — Реутов запер сейф и направился к выходу. — Девчонок тесть забрал к себе, а этого паршивца рыжего мне оставили — его к ветеринару возить надо, поймал какую-то инфекцию, едва не помер.

— И ты возишь?

— Ясен пень, каждое утро. — Реутов засмеялся. — Прячется, не хочет ехать, а как приедем — все терпит, понимает, стервец, что его лечат, спасают. Умный, гад. Вот говорят — собаки умные, я и сам раньше думал, что собаки умнее котов, да только черта с два. Умнее кота нет на земле твари, такую карьеру никто в мире не делал, даже индийские коровы не так преуспели, даром что священные.

— Это как?

— Вить, ты сам посуди, коты по сути довольно опасные хищники, и, несмотря на их домашнее житье, они остаются хищниками. Причем домашний кот — единственный в мире хищник, убивающий ради удовольствия. Социопат среди зверей, я бы сказал, Джек-потрошитель. Но ты посмотри на то, как он живет: его обожествляли, человек слагал и слагает о нем легенды, сказки, песни и прочий фольклор, о котах пишут книги, снимают мультфильмы и кино, песни сочиняют, а еще есть целая индустрия, которая их обслуживает — все эти мисочки, мячики, когтеточки и прочий хлам. А он, паразит, лежит себе на подушках, и вообще где хочет — а ему брюхо чешут, лишь бы он урчал. А суть-то его не меняется, он все равно социопат. А мы даже не сочувствуем его жертвам, кот нас ассимилировал, заставил забыть о своей опасной саблезубости. Ты помнишь эти фотографии с мест, где произошли разные наводнения и прочие катаклизмы? Всех этих граждан, которые вместо имущества тащат на руках котов, спасая их от смерти. Чувак лишился всего, и мог бы что-то спасти, чтоб хоть на первое время срам чем-то прикрыть, а он кота в охапку схватил, и ходу! Кто еще так устроился, скажи мне?

— Нет, ну если так посмотреть...

— А как тут посмотреть еще, когда я сам встаю на час раньше, чтоб отвезти эту рыжую наглую морду на уколы? А он еще потом ко мне хвостом поворачивается — обижается! Мне что, делать нечего — не досыпать уже неделю, таская его в ветеринарку? Ну, видимо, нечего, потому что помереть я ему не дам. А спроси ты у меня почему?

Зачем мне этот дармоед, от презрения ко мне нассавший недавно на лоджии? А ни за чем, но таскаюсь с ним, как Мартын с балалайкой, и все. Не хочу, чтоб помер — не потому, что Соня расстроится, а сам не хочу.

— Так он у вас красивый, холера.

— То-то и оно, что красивое много что на свете — а на подушках только кот.

Они вышли из здания отделения, и Реутов задумчиво посмотрел на машину. Конечно, уже поздно...

— Вить, а давай все-таки сейчас на место съездим? — Реутов понимал, что напарник хочет домой, но дело не терпит. — Просто оглядимся. У меня тогда как-то мысли, возможно, систематизируются.

— И то верно. — Виктор сел в машину и устало откинулся на сиденье. — Дэн, мне сегодня перед этими, в кабинете Бережного, стыдно было — жуть просто. Это же наши накосячили, причем накосячили откровенно, явно.

— Аналогично. — Реутов вспомнил всех по очереди новых знакомых. — Но в целом граждане позитивные, а Ника эта — вообще милейшая тетка, похоже. Вот Олешко и его жена — совершенно другие. Что их всех вместе может связывать?

— Назаров и Дмитриевы дружат с детства. — Виктор начал загибать пальцы. — Валерия и Ника — компаньонки в кафе «Маленький Париж». Это их кафе, прикинь? Олешко работает вместе с Панфиловым, ну и Ровена тоже с ними. А вот как эти граждане объединились — это вопрос, они совершенно не совпадают, эти две группы.

— Объединились вокруг дела. — Реутов свернул в темный двор. — Тут он и жил, приехали.

Они прошли в арку, пересекли двор и вошли в подъезд.

Но дверь на втором этаже, отмеченная полицейской печатью, была открыта, в квартире горел свет.

Реутов переглянулся с напарником, и они, как по команде, вытащили оружие. Кто-то находился в квартире убитого, и этот кто-то испортил им место преступления.

9

Назаров остался в больнице. Уехала Алена, пообещав приглядывать за курами и поливать цветы и огород, уехал Ершов, заметно злой и настроенный очень воинственно. Попрощались Булатовы. Ника на прощание даже обняла Назарова — неожиданный жест, очень трогательный.

— Мы все на связи. — Панфилов пожал Назарову руку. — Если что-то изменится или что-нибудь понадобится — звони даже среди ночи, любому из нас.

Олешко только молча взглянул на Назарова и кивнул ему. Увел свою красавицу-жену, но на выходе оглянулся, и Назаров понял, что кого-кого, а Пашу Олешко он увидит еще не раз. Но пока он один в гулком больничном вестибюле сидит и думает о том, что не может остаться без Вики, никак не может. И что не уберег ее, а ведь бабушка приказывала.

И та их ночь в лунной реке, и то, что потом Вика стояла с ним плечом к плечу перед родней, затевающей скандал, — стояла под любопытными взглядами соседей, сжав его ладонь, и не убежала, не отступила, не оставила его... А он оставил ее когда-то. Пусть по незнанию, но оставил.

Но Вика никогда не отступает, и сейчас не отступит.

— Я решила привезти тебе поесть.

Назаров поднял голову — перед ним стояла Ника Булатова.

— Ты целый день впроголодь, все разъехались, а ты остался. Я зарулила в наше кафе, ребята тут загрузили в судочки того-сего, ты поешь, пожалуйста.

Она вытащила из объемистой сумки пластиковый судок и вилку, завернутую в белую льняную салфетку, и Назаров вдруг почувствовал, что голоден.

— Тут овощи с мясом и еще салат... Вот, здесь столик, идем. — Ника потащила Назарова к старому обшарпанному столику и принялась выгружать из сумки судки. — Вот еще сок в термосе, я не знала, какой ты пьешь, сделали мультивитаминный — апельсин, яблоки, морковь, киви и ежевика. Он густой, но натуральный. Я специально стеклянный стакан взяла, такой сок невозможно пить из пластика, вкус теряется, и стакан даже не разбился... Ну, чего застыл, ешь немедленно, тут вот еще пирожные, ты такой худой, смотреть страшно, тебя обязательно нужно откормить, потому что это никуда не годится — быть таким худым, мужчина должен быть в теле, и...

Назаров был просто раздавлен потоком слов и, когда Ника неожиданно замолчала, вопросительно поднял на нее взгляд.

— Я вечно болтаю, особенно когда волнуюсь. — Ника вдруг улыбнулась, и улыбка ее была до того искренняя и настоящая, что Назаров мгновенно оттаял. — Жень, ты кушай, а я просто посижу с тобой.

Назаров принялся за еду, а Ника пододвигала к нему судочки, налила сок, но ее хлопоты странным образом не тяготили и не смущали. И невозможно было представить, что они знакомы всего несколько часов.

— Ты, наверное, думаешь, откуда мы все взялись на твою голову? — Ника забрала опустевший судок, спрятала в сумку. — Ешь салат, его немного, и нужно съесть, он вкусный. Это Лерка узнала твою Вику... Мы просто хотим помочь!

— Почему?

— Потому что я не верю, что Вика убила свою сестру. Кого она может убить? Это немыслимо!

— Это не аргумент. — Назаров покачал головой. — Я могу сказать, что она не убивала Дарину, но я знаю Вику много лет, а ты ее не знаешь совсем.

— Неправда! — Ника нахмурилась. — Мы все видели ее, слушали ее вечерний канал, она в кафе к нам приходила — можно мнение составить. Просто именно тогда, когда с Викой произошло несчастье, в нашей с Леркой жизни, как и в жизни всех, кого ты сегодня видел, тоже кое-что происходило, и я тогда не вникала, просто слышала. Невозможно было не слышать, все каналы трубили об этом, все интернет-новости и прочие новостные ресурсы смаковали подробности, и эти ее... родителями их сложно назвать, но пусть — родственники, и актеришка ее поганый, что только не лили на нее. И тут Лерка говорит: я видела Викторию Станишевскую, она в Привольном живет, и ей, похоже, паршиво.

— А кому после тюрьмы хорошо? — Назаров допил сок и ощутил, что словно сил набрался. — Спасибо за ужин, Ника, мне это и правда требовалось. А насчет родни и актеришки... Да плевать, что они там говорили! Они вряд ли повлияли хоть на что-то, просто поимели свой гешефт из ситуации, другого и ждать не приходилось, там по-другому и не было никогда.

— Как это?

— А вот так. — Назаров встал и зашагал по вестибюлю, и голос его под высоким потолком звучал очень гулко. — Папаша ее в Привольном родился, в семье учителей. Бабушка Вики, Любовь Петровна, всю жизнь учительницей младших классов работала, дедушка читал язык и литературу. Моя бабушка говорила, что он смолоду очень хотел заниматься спортом, но был вынужден остаться в селе — мать после войны овдовела, отец умер от ран, едва вернулся, ему пришлось остаться помогать матери, смог только заочно пединститут окончить, а мечту о большом спорте воплотил в сыне. Ну и отец Виктории смог достичь определенных высот, играл за известную команду. Женился на гимнастке, и принялись они ковать спортивные кадры. Да с Викой загвоздка вышла, врожденный порок сердца. И они старшую дочь просто списали в брак.

— Жень, это же...

— Нет, ты не понимаешь! — Назаров зло смотрел в темное окно. — Списали в брак — это значит, что она стала для них чужой. Она, конечно, жила в их квартире, ее кормили, одевали, следили за ее здоровьем, когда уезжали на сборы, к ней приходила нанятая женщина — готовить, стирать, убирать, но с ней не разговаривали, словно Вика была пустым местом. Все разговоры в их семье были о спорте и вокруг спорта, и Дарина с Никитой получали все родительское внимание. Вику они вообще как сестру не воспринимали: она была просто какой-то девочкой, что жила в их квартире.

— Я понимаю.

— Это вряд ли. Нормальный человек такого не понимает в принципе, а для них это было в порядке вещей. — Назаров фыркнул. — По сравнению с ними даже моя родня казалась мне более нормальной, мои-то фордыбачили от отсутствия образования да по злобе, а эти нет, в этих и злобы особой не было, а просто равнодушие полнейшее. Вика не оправдала ожиданий — ну, в древней Спарте они бы ее со скалы сбросили, а так просто вычеркнули из жизни и забыли. А Вика тем временем выиграла городской конкурс как лучшая ведущая. Был такой конкурс, подростки снимали что-то вроде собственной программы. Вика сняла программу о городском цирке, каким-то невероятным способом сумела пробиться к артистам и за кулисы, где животных содержали, и сняла много чего интересного, и интервью с артистами тоже, и зверей сняла. Эту программу потом даже по телевизору показывали, а Вику взяли на телевидение — на стажировку. И после школы она получила небольшую работу там же, училась в университете и одновременно работала. Дальше больше, и уже скоро у нее была собственная программа, а потом она сделала музыкальный канал для дальнобойщиков и просто полуночников. И все это время родня игнорировала ее успехи, бабушка к тому времени умерла, так что оставались мы с Аленой. А потом я получил грант на написание книги и должен был ехать во Францию, звал Вику с собой, а у нее здесь все так здорово складывалось... Но я тогда думал: если она меня любит, то бросит все и поедет, ведь разве можно сравнить мою книгу, Париж — и какую-то передачу на заштатном телеканале! Эгоист тот еще был! С чего думал, что она бросит все, чего годами достигала, к чему шла столько времени, мечтала, стремилась? И бросит лишь потому, что я так хочу! Потом уже понял, да поздно было, наговорили тогда много чего друг другу, и я был неправ, конечно. Сейчас вот так и пнул бы себя за себя же тогдашнего, но мне, видимо, нужно было пройти через брак с Анной, чтобы понять, что я потерял здесь.

— Супермодель? — Ника понимающе кивнула. — Она красивая...

— Красивая. — Назаров поморщился. — Это единственная ее характеристика, больше в ней нет ничего хорошего. Лгунья и манипуляторша. Причем сидит на кокаине и таблетках, регулярно подогревает интерес публики к своей персоне разными нелепыми выходками и скандалами. Когда я это понял, то развелся с ней — но к тому времени с Викой стряслось несчастье. Я ездил к ней... ну, **туда.** Один раз, вместе с Аленой, как вернулся, так и поехал. И то, что к нам вышло, уже не было Викой.

— Да брось!

— Нет, ты не понимаешь. — Назаров горестно вздохнул. — Когда знаешь кого-то всю жизнь, когда много лет этого человека любишь, а к тебе выходит некто, кого ты вообще впервые видишь...

— А что ты хотел? Тюрьма никого не красит.

— Дело не в красоте, хотя изменения во внешности были, но не столь необратимые, как Вика посчитала. — Назаров снова налил себе сока. — Она сама изменилась — внутренне это был уже совсем другой человек. И эта женщина, что вышла тогда ко мне, — да, она могла убить Дарину, и не только за связь с ее приятелем, но и за гораздо меньшую провинность. То, во что там превратили Вику... Нет, я знаю, иначе она бы там не выжила, но это все равно было страшно.

— Я понимаю. — Ника кивнула. — Но сейчас-то...

— Когда она вернулась, стояла зима. — Назаров устало прикрыл глаза. — Я приехал домой — в последний год бабушка болела, и я перебрался в Привольное, и в тот день приехал, — а бабушка сует мне в руки пакет с едой и говорит: отнеси Вике и скажи, что жду ее к ужину. А мне велела во времянке посидеть. И когда я зашел в дом Вики... Она не ожидала, конечно, вышла навстречу. В доме не топлено, разве только стены инеем не покрылись, а дров нет у нее, свечка на тумбочке горит, свет она не зажигала — не хотела, чтоб соседи знали, что она в доме, даже Алена не знала. А Вика так и сидела одна в нетопленном доме, старенькая электропечка на столе только теплится, чайник греется, и Вика молча смотрит на меня — закуталась в плед, ноги босые, обуть-то нечего, а в сапогах по дому ходить не приучена. Я только и видел, что эти ее босые ноги да глаза пустые, будто душу из нее вынули, ты понимаешь? И я ушел тогда, просто ушел. На следующий день купил ей машину дров и тонну угля, заплатил грузчикам, чтоб снесли все в сарай. Но Вику не видел, и не хотел — просто боялся, не мог видеть ее такой. Ну а бабушка, конечно, все время зазывала ее к нам, очень ее любила. Но бабушки позавчера не стало, и она перед смертью просила меня защитить Вику, а я не смог, не уберег, и стряслась такая беда!

— Она выкарабкается. — Ника обняла Назарова. — Послушай, не надо себя винить, что было, то прошло, и мы все тебе поможем и Вике тоже. У нас Пашка — знал бы ты, какой у нас Пашка! Он может все, и если он сказал, что Вика не убивала и он это докажет, то так оно и будет, вот поверь!

— Почему вы помогаете нам?

— Потому что это нормально — помогать людям, попавшим в беду. — Ника собрала опустевшую посуду в сумку. — Допей сок-то, а я сейчас позвоню Семенычу, была не была.

* * *

— Чего вы там топчетесь? И оружие спрячьте, пока мы друг друга не перестреляли.

Реутов вошел в квартиру Зайковского, следом за ним Виктор.

Квартира оказалась ничем не примечательной тесной конурой, заставленной старой мебелью. Грязноватые занавески были опущены, как и плотные шторы, на полу полно какого-то мусора, вещи разбросаны. Осмотр полиции не слишком много добавил к привычному здесь беспорядку: грязные чашки и тарелки были расставлены тут и там, что свидетельствовало о том, что убитый пренебрегал такими буржуазными условностями, как уборка и мытье посуды.

— Ты что здесь делаешь?

— Не пыли, Денис Петрович. — Олешко смотрел на полицейских с веселым интересом. — Я имею право здесь находиться, просто не ждал от вас такого рвения, думал, что утром заявитесь, а вы вон как. Все по-взрослому.

— Или ты сейчас объясняешь, на каком основании тут находишься, или я тебя арестую, и ночь ты проведешь не со своей красоткой-женой, а в обезьяннике с бомжами.

— Ну, зачем нагнетать? — Олешко фыркнул и достал из кармана какое-то удостоверение. — Я имею право проводить любое расследование, если сочту, что оно имеет отношение к национальной безопасности страны.

Реутов с Виктором уставились на незнакомое удостоверение.

— Интерпол? — Реутов презрительно фыркнул. — Я тебе таких ксив на принтере вагон за час нарисую.

— Позвони генералу Бережному. — Олешко достал из кармана пакетик соленых орешков и предложил полицейским: — Будете?

Виктор протянул руку, и Олешко высыпал ему на ладонь горку орехов.

— Ну, чего ты, Дэн? — Виктор заметил настороженный взгляд приятеля. — А то ты сразу не понял, что наш новый друг собирается совать нос в следствие? Вот только что тут интересного для Интерпола, непонятно. Убийство провинциального журналиста. Какая тут национальная безопасность может быть, а уж тем более юрисдикция Интерпола?

— У меня широкие полномочия. — Олешко протянул пакетик Реутову. — Угощайся, не отравлено.

Реутов машинально протянул руку и тоже получил порцию орешков. Про себя он решил, что ссориться с Олешко им сейчас не надо — и ввиду того, что на его столе сейчас лежит блестящий анализ всех просчетов прежнего следователя, и потому, что Бережной не отказался от предложенной помощи, да и оттого, что следствие по делу должно быть произведено в кратчайшие сроки, а ухватиться в нем не за что. Помощь им не помешает. Тем более помощь такого человека, как Павел Олешко.

Реутова совершенно не обманула его доброжелательная улыбка и коммуникабельность. Мускулатура нового знакомого сказала ему больше, чем любые рекомендации, потому что рельефные мускулы там, где их у обычного человека, даже хорошо тренированного, не видно вообще, и мускулы эти не от бездумного таскания железа, а от длительных тренировок и такого же длительного рабочего режима — это означало, что много лет Павел Олешко провел в трудах, далеких от мирной охраны безопасности предприятий.

— Я тут посмотрел на место преступления. — Олешко деловито прошелся по комнате. — Судя по всему, ничего отсюда взято не было, кроме нескольких бутылок из шкафа. Думаю, это именно то спиртное, которое подогрело ваших коллег до нужной кондиции, и они наломали таких дров. Насколько я знаю, в квартире был обнаружен ноутбук, который забрали ваши компьютерщики, и мобильное устройство, то бишь телефон убитого. А больше тут брать было нечего. Жил парень по средствам — я не обнаружил никаких счетов, банковских ячеек, следов крупных покупок. В холодильнике стандартный набор сухомятки из дешевого магазина, и только бутылки, которые были присвоены вашими коллегами, выбиваются из общей картины, потому что коньяк был реально дорогой, если это такие же бутылки, что в кабинете.

— То есть ни у кого, кроме Виктории, не было причины убивать этого парня? — Виктор с тоской подумал о доме и горячем ужине. — А если она не убивала...

— То убил кто-то другой. Это очевидно. — Олешко улыбнулся. — Ребята, здесь ничего нет, правда. Можете сами посмотреть, но я хорошо осмотрелся. Завтра я бы не прочь получить доступ к электронным устройствам, изъятым из этой квартиры — может, там обнаружится что-то, чего не заметили ваши сотрудники, но здесь пусто. Думаю, девайсы наш злодей не забрал только потому, что там была эта по-дилетантски удаленная статья и фотографии.

— То есть кто-то хотел указать на Викторию. — Реутов задумчиво осмотрелся. — Ты думаешь, это тот же убийца?

— Думаю, да. — Олешко захрустел орехами. — Зачем-то ему понадобилось вернуть Викторию туда, где она была. Нужно выяснить, как ей там сиделось, потому что в первый раз, возможно, расчет был на то, что она никогда не выйдет на свободу. Или тамошние убьют, или сама с собой что-то сделает. Нужно узнать, кому и почему она мешает настолько, что человек не постеснялся совершить два убийства, чтобы ее подставить. Ведь если кто-то так мешает, его просто убивают, какой смысл в этой сложной схеме?

— Тоже верно. — Реутов еще раз обошел квартиру, открывая дверцы шкафов и шкафчиков. — Да, негусто пожитков было у потерпевшего. Вить, едем домой, ничего тут нет.

— Ага. — Виктор хмыкнул. — А самое интересное, что нет никаких личных фотографий и безделушек, вообще ничего, что бы указывало на личность убитого. Что он был за человек, чем жил, с кем общался? Из отчета, присланного из лаборатории, тоже не следует, что в компьютере или в памяти сотового были такие фотографии. Это странно, вы не находите? Нужно покопаться в этом Зайковском поглубже, как бы двусмысленно это ни звучало в контексте сегодняшнего его плачевного положения.

Олешко кивнул, соглашаясь.

Поначалу он Виктора и в расчет не принял — от него пахло пивом, а Павел не признавал спиртного на работе. Но сейчас, наблюдая за неторопливым майором Васильевым, он начал понимать, почему Реутов и Бережной приняли его в команду: за простоватой внешностью и откровенно доброжелательной манерой общения прячется цепкий ум следователя, все замечающий и умеющий сопоставить разрозненные, казалось бы, никак не связанные между собой факты и найти несоответствия в общей картине.

— Тоже верно, — усмехнулся Павел. — Я покопаюсь, завтра пришлю досье. И если там есть что-то подозрительное, я это найду.

— Так едем, что ли? — Реутов не хотел оставлять Олешко на месте преступления. — Тебя подвезти?

— Я на машине. — Олешко направился к выходу и переступил через кучу обуви. — До завтра, ребята. Кстати, Викторию уже перевели в палату интенсивной терапии, Ника звонила из больницы, она там сейчас вместе с Назаровым.

— А вы все что, были с ними знакомы? — Реутов закрыл квартиру и восстановил печать. — Ну, с Назаровым и Викторией?

— Нет, сегодня впервые встретились.

— Так почему тогда...

— Почему ввязались? — Олешко нахмурился. — Ну, лично я изначально ввязался потому, что на меня насели Ника с Леркой, при полнейшей поддержке моей жены. Я был вынужден поднять старое дело и основательно покопаться в нем. И вот когда я это сделал, то понял: я обязательно разберусь, что же произошло на самом деле и кто убил эту злосчастную гимнастку. Это, конечно, ничего не исправит, но Виктория Станишевская заслуживает справедливости, она слишком дорогую цену заплатила за то, что кто-то прикрыл ею свое преступление.

— То есть ты решил сделать это, чтобы восстановить справедливость?

— Отчасти, Денис Петрович, лишь отчасти. — Олешко ухмыльнулся. — Дело в том, что у меня сейчас отпуск, будь он неладен, и если я не буду занят чем-то подобным, Ровена своей заботой доведет меня до нервного срыва, а учитывая, что у нас полуторагодовалый очень активный сын, а я вдруг в отпуске, то сами понимаете... А так я занят важным расследованием, и когда я заявлюсь домой, с меня будут сдувать пылинки и всячески ублажать.

Денис и Виктор невольно рассмеялись и расстались с Олешко совсем уж на дружеской ноге.

Павел сел в машину и, выехав со двора, задумался. Замечание Виктора попало точно в цель, он и сам видел, что в квартире убитого что-то не то, но Виктор это «не то» сформулировал. И Павел думал о том, что нужно ехать туда, где он сможет войти в архивы и выяснить об убитом Зайковском всю подноготную, а это значит, что домой он попадет в лучшем случае завтра.

Зазвонил телефон, и Павел узнал номер Ершова.

— Паш, я поговорил с Багдасаровым, адвокатом Виктории в том деле. — В голосе Ершова звучала неприкрытая злость. — Когда я стал задавать вопросы, он моментально закрылся, понимаешь? Но что-то там есть, что-то было, чего он не хочет мне рассказать, а я не могу его заставить, потому что я ему не начальник.

— Адрес его давай.

Они оба знали, что как раз Павел может заставить поделиться тайнами кого угодно. И Ершов, конечно же, именно это сейчас имел в виду, а уж если Ершов сейчас отдает на растерзание своего коллегу, значит, там и правда есть нечто очень скверное.

Павел прикинул, сколько у него есть времени, и по всему вышло, что господина Багдасарова нужно брать за барки прямо сейчас, если в планах еще поиск по Зайковскому. Но адвокат — это не деклассированный элемент, его так просто не вытащишь из квартиры.

— Паш, он сейчас в «Вилла Олива» сидит. Правда, с дамой.

— Я понял.

Олешко спрятал телефон и направил машину на улицу Победы, к ресторану. Его бортовой компьютер уже выдал фотографию Багдасарова, марку, модель и номер его машины, первичные сведения о его профессиональной деятельности. До процесса над Викторией Станишевской он занимался не слишком крупными делами, но после приобрел известность, и его карьера заметно улучшилась.

— Вы все что-то поимели с нее. — Павел задумчиво смотрел, как невысокий худой мужчина садится в свою машину, один. — Но это не помогло тебе сейчас уболтать тетку на секс, ты впустую потратился на ужин в дорогом ресторане.

Павел подождал, когда машина адвоката отъедет от обочины, и пристроился поодаль.

Тридцать восемь лет, разведен, детей нет. Одно время работал в адвокатской конторе Малышева, потом открыл собственную практику.

Павел обогнал машину адвоката и на въезде в арку, отделяющую двор дома, где тот живет, от шумного проспекта, подрезал ее, взвизгнули тормоза, и машина адвоката вылетела на газон.

— Вы что, с ума сошли?!

Багдасаров выскочил из машины и подбежал к внедорожнику Павла. В тусклом свете фонаря его костюм казался измятым и неопрятным, а глаза на тощем лице — абсолютно черными.

— Вы что себе позволяете? Вы...

Точным ударом в подбородок Павел послал адвоката в нокаут, открыл заднюю дверцу и погрузил обмякшее тело на заднее сиденье, связав и заклеив рот скотчем. Потом отогнал его машину на стоянку перед домом и вернулся. Багдасаров уже пришел в себя и мычал, извиваясь и пытаясь избавиться от сковавших его руки и ноги пластиковых наручников.

— Тихо, не то снова придется тебя ударить. — Павел хмыкнул, глядя на вытаращенные глаза пленника. — И сразу тебе говорю: когда я сниму скотч, я не хочу слышать крики насчет того, кто я такой, как я смею и что мне нужно, как и нытья, что я ошибся и взял не того. Ты Руслан Багдасаров, адвокат, живешь в доме, куда вела арка, под которой мы с тобой познакомились. И я — никто, но спрашивать у тебя имею полное право, так что лежи спокойно и не зли меня, от этого будет зависеть то, станет ли твое пребывание у меня в гостях просто неприятным или ужасным, если ты понимаешь, о чем я говорю.

Пленник затих, и Павел подозрительно принюхался.

— Если ты обоссал мне сиденье, я тебя грохну, клянусь.

10

Назаров не умел оставаться в стороне от событий. Его деятельная натура требовала находиться в гуще происходящего, он все видел и все замечал, сортируя и систематизируя впечатления, чтобы потом, обобщив, написать новую книгу, которая объяснит гражданам, почему они поступают тем или иным образом и почему по отдельности почти каждый из них вполне сносная личность, а в толпе они превращаются в коллективное бессознательное, и это касается интернет-толпы в том числе, и толпы, сидящей перед телевизором и потребляющей ложь.

А сейчас ему нужно выяснить, почему после убийства Дарины поднялся такой шквал негодования против Виктории, учитывая, что убитая популярностью не пользовалась, мягко говоря. Интернет-пользователи перемывали косточки Дарине, но в какой-то момент их гнев обратился против Виктории, и с того момента началась травля.

Назаров собирался выяснить, кто организовал эту травлю, а то, что это было кем-то организовано, ему ясно как день. Кто-то обратил толпу против Виктории, и нужно найти источник, а по прошествии стольких лет сделать это будет непросто.

— В какой-то момент появились особо хлесткие комментарии относительно Вики. — Назаров фильтровал сайты и понимал, что для такой работы его оборудование не годится, а вручную он будет искать до китайской Пасхи. — Но кто-то был первым, и этот кто-то светился постоянно, поддерживал настроение. Возможно, создал несколько десятков клонов и бродил по всем сайтам и группам, разбрасывая дерьмо, но делал это забавно, создавая интернет-мэмы. Исподволь, но достаточно быстро повернул настроения юзеров против Вики.

Когда количество едких комментариев о Вике перевалило за тысячу, Назаров был на грани ядерного взрыва. А думать, что когда все это происходило, он был в Париже, потом презентовал свою книгу по странам Европы — невыносимо. К тому же в его личной жизни воцарилась Анна — Снежный Ангел, как ее называли модные журналы. Утонченная, идеальная внешне, словно созданная талантливым скульптором, с лицом, которое оставалось прекрасным, даже когда она с размазанной косметикой, обдолбавшись наркотой, вытанцовывала голая посреди людного места, а потом блевала на пол посреди какого-нибудь пафосного приема. В его жизни тогда не было места прошлому, и он понятия не имел, в какую страшную беду попала Вика. И теперь, читая лавину грязи, которую услужливо сохранил кэш «Гугла», только теперь Назаров понял, через что пришлось тогда пройти Виктории Станишевской.

Это же очень серьезно — Интернет.

Это лишь кажется — ну, что там, нажал на кнопку «выйти», и все. Мир превратился в огромную деревню, где все обо всех если не знали все, то догадывались. А относительная анонимность позволяла не отвечать за свои слова. И оказалось, что это очень просто — начать травить кого-то в Интернете. В социальных сетях, в различных «Инстаграмах» и «Твиттерах» очень просто манипулировать массой людей. Для написания одной из своих книг Назаров несколько раз проводил такой эксперимент: брал фото известного человека, но обязательно уже умершего, и рядом писал якобы сказанные им слова, нелицеприятные для определенной группы людей. И юзеры яростно набрасывались на покойника, с проклятиями и пожеланиями гореть в аду, и ни один из них не усомнился в правдивости написанного, ни один не сказал: ребята, это лажа какая-то, не может быть, нужно проверить.

Никто не усомнился и в том, что некая группа людей писала о Вике. И ей пришлось пройти сквозь слои грязи, откровенной клеветы и всеобщей ненависти. На момент заседания суда общественное мнение бурлило, как вулкан, и у судьи, собственно, не было выбора, как и у присяжных. Некто запустил беспроигрышный вариант интернет-убийства, и Вика не смогла этому противостоять. Да и кто бы смог? Клевета в Интернете тем и страшна, что люди отчего-то безоговорочно в нее верят. Собственно, здесь та же примерно история, как и с телевизором — он изрыгает потоки чудовищной лжи, но никому и в голову не приходит усомниться. Ведь не может же некто безликий, стоящий за всеми этими новостями, так лгать, это просто немыслимо. И гораздо проще поверить, чем начать выяснять действительное положение дел.

С Викой произошло то же самое. В чем только ее ни обвиняли, дошло уже до связей с масонами. Особенно старался юзер с ником Морган. У него было несколько клонов, Назаров вычислил их по характерной стилистике и постоянному набору одних и тех же ошибок. Грамотный человек не оставляет такого следа, как тот, кто ленился в школе. Какую бы личину ни нацепил на себя человек, который преследовал Вику, его выдал набор одних и тех же ошибок, и Назаров задумался, сможет ли, например, Павел Олешко вычислить ай-пи этого урода.

Морган, надо же.

Похоже, именно он бросил первый камень, что начал лавину, похоронившую под собой Вику. Назаров уже некогда видел такие ошибки, но эту неожиданную догадку требовалось проверить, хотя он уже внутренне уверен, что прав. Нужно просто позвонить Павлу и попросить его помочь.

Когда-то Назаров считал, что Вика занимается делом пустячным. Ну что это за развлекательная передача с песнями и плясками каких-то неизвестных людей? С исповедями и неожиданными поворотами сюжетов, где вдруг проглядывало двойное дно у всех участников. К чему это — на потеху толпе вываливать внутренности граждан и смотреть, как тают маски. Другое дело — книга, она останется навсегда и, может, через сто лет вдруг ответит на вопросы читателей, если сегодня эту книгу не поняли. Есть книги, которые остались в прошлом, потому что они были написаны для современников. Есть книги, которые сегодня — но завтра будет ли в них нужда? А есть книги, которые завтра. К таким Назаров причислял «1984» Оруэлла. Он впервые прочитал этот роман в тринадцать лет, и книга его напугала. Но потом, позже, вновь обратившись к ней, он вдруг понял: Оруэлл написал ее не для тех, кто жил рядом с ним, а для него, Назарова, живущего сегодня.

Но есть книги, не теряющие актуальность никогда. К таким Назаров причислял детективы и сборники рецептов. Потому что фантастика устаревает, то, что сто лет назад казалось фантастикой, сегодня уже возможно, и нужно изощряться все больше, чтобы фантастика захватывала, а вот Шерлок Холмс, например, вечен, как вечно убийство. И если Каин сейчас горит в аду, то там ему самое место.

И, конечно же, когда Вика утонула в новой работе, Назаров злился. Он смотрел ее программу и понимал, что сделано талантливо — но, боже мой, какая глупость и по сути пошлятина, просто на потеху толпе. Растрачивать себя таким образом, и все еще пялятся, а Вика... Она была на экране сказочно красивой, а ее голос в радиоэфире заставлял сильнее биться сердца слишком многих, чтобы Назаров мог спать спокойно.

А она не понимала, что с ним происходит и почему он злится.

Он ревновал, не веря в то, что она может его любить — она такая, а он длинный, тощий, в нелепых ярких рубашках и майках...

— Я не доверял ей, потому что был не уверен в себе. — Назаров смотрел на фотографии Вики, отфотошопленные неведомым Морганом самым скотским образом. — Мне оказалось легче уехать, чтобы рядом с Анной понять, что же я потерял. Я на Анне женился, чтобы доказать самому себе, что стою Вики, и ей доказать, а она тем временем проходила через все ужасы — одна.

Это очень тяжело — говорить самому себе в лицо неприятную правду, но деваться некуда, рано или поздно нужно было признать, что все так и было. И что он поступил как козел, потребовав от Вики бросить работу и ехать с ним, потребовал в ультимативном порядке, заранее зная, что она откажется. Теперь-то он понимает, каким набитым дураком был тогда, потому что его неверие в себя сломало жизнь Вике. Родители отвергли его, родственники высмеивали с детства, бабушкина любовь излечила эти раны лишь отчасти, но даже по прошествии лет, прожитых в бабушкином доме, он до конца не верил, что его можно вот так любить, и хотел доказательств, поэтому предъявил Вике дурацкий ультиматум: либо ты едешь со мной, либо все кончено.

И все закончилось, потому что Вика ненавидела ультиматумы.

И Анна, которую он встретил на модной парижской тусовке, казалась таким невероятно ценным призом, и уж она-то его любила.

— Никогда себе этого не прощу!

Назаров выключил компьютер и откинулся в кресле. Вся эта история похожа на какую-то грандиозную шахматную партию, и кто-то уже просчитал ходы.

— Евгений Александрович, к вам пришли.

В кабинет вошла высокая стройная девушка. Всего в ней было как будто слишком — рост, худоба, короткий нос, небольшие темные раскосые глаза, лицо сердечком и небольшой рот, яркий макияж, и шея длинная тоже чересчур, и даже прическа этого не скрывает.

— Жень, что происходит?

Ира Ладыжникова никогда не была ему другом, который может приходить без предупреждения, но она дочь босса, и Назаров терпел ее некоторую бесцеремонность. Ира же считала, что люди, которых продвигает ее отец, автоматически становятся ее друзьями.

Но правда была в том, что из-за отца друзей у Иры не было. Но она об этом либо не догадывалась, либо ей было наплевать. Она входила, куда хотела, и разговаривала с теми, с кем хотела, и что по этому поводу думают окружающие, Ира особо не заморачивалась.

— Привет. — Назаров порадовался, что закрыл поисковик. — Что ты имеешь в виду?

— Я Викторию имею в виду. — Ира плюхнулась в кресло для посетителей и достала сигареты. — Жень, почему я последней узнаю о том, что Вика вышла из тюрьмы?

— А сейчас кто тебе сказал, отец?

— Как же, дождешься от него! Сейчас весь Интернет бурлит. — Ира закурила и поискала глазами пепельницу. — Что стряслось?

— Ира, я не знаю, почему она не позвонила тебе. — Назаров тщательно подбирал слова. — Она вообще никому не позвонила, я знаю о том, что она освободилась, потому что живу с ней по соседству. Но я думал, что Вика сама должна решать, кому звонить.

— И она не позвонила никому.

— Ира, тут претензии не ко мне. Так хотела сама Вика. К тому же куда ей было звонить, в рельсу, что ли? Телефон ее пропал, все номера остались там, так что ты напрасно обижаешься.

— Понимаю. — Ира стряхнула пепел в коробок, предварительно высыпав скрепки. — Это все из-за отца, да? Вы все его боитесь, и я среди вас как прокаженная. Думаешь, я дура и не понимаю этого?

— Ира...

— Что — Ира? — Она вскочила и швырнула сигарету на пол. — Жень, мы взрослые люди. И с Викой мы были подругами — по крайней мере, я так думала. И когда она вышла, то даже не позвонила. И то, что она никому не позвонила, меня не утешает, потому что я — не «кто-то», мы с ней... Ладно, проехали. Может, и правда у нее не было моего номера, но если бы она хотела позвонить, то нашла бы способ. Значит, не хотела, не нужно ей это.

— Ира, теперь это не та Вика, которую ты знала, это вообще другой человек.

Назаров наконец произнес это. Не для Ирины, а скорее сам для себя, сказал то, что ощущал давно. И еще он точно знал, что и эту незнакомую Вику все равно любит и не собирается отпускать.

— Я знаю, что случилось, и это ужасно. Нужна какая-то помощь? — Ирина хмуро смотрела на него сквозь амбразуры густо накрашенных глаз. — Хоть ты-то не шарахайся от меня.

— Я не шарахаюсь, просто о ваших с Викой отношениях я не знаю толком ничего. А насчет помощи — насколько мне известно, у нее есть все необходимое. Ее прооперировал Круглов, перспективы неплохие. — Назаров отчаянно хотел, чтобы Ирина ушла. — Ира, ну вот правда, я не понимаю, с чего ты кипятишься? Хочешь ее увидеть — ступай в больницу, я-то здесь при чем?

Перед самым его отъездом в Париж Ира пришла пожелать ему удачи и счастливого пути. Назаров был взвинчен из-за ссоры с Викой, они сидели в его съемной комнате, пили коньяк, он рассказывал Ире о том, что задумал свою книгу очень давно и что это благодатная тема — интернет-сообщество... А потом они оказались в постели, и Назаров сам не знал как.

Утром он сделал вид, что ничего не помнит, Ира приняла это, за что Назаров был ей благодарен. Но та их ночь все равно стояла между ними, и он помнил и знал, что Ира тоже помнит. И сейчас она пришла к нему вот так запросто именно потому, что та ночь была.

— Вопрос в том, хочет ли она меня видеть. — Ирина покачала головой. — Жень, тут такое дело... Я дружила и с Дариной, и с Никитой, и я кое-что видела и слышала. Но промолчала, потому что дело было очень щекотливым, оно и меня отчасти касалось, а я не думала, что это важно. Да и не знала, как об этом говорить, и даже не хотела, чтобы кто-то знал, что я в курсе. Когда Вику обвинили, думала — ничем это не поможет, а грязи лилось уже достаточно. А сейчас думаю: а если бы я не промолчала?

— Ира, ты о чем?

— Я о том, что у Дарины была связь. Только не с Осмеловским, как все говорили и как он намекал, загадочно ухмыляясь. — Ирина вздохнула. — У Дарины была связь с Никитой.

— Ты что-то путаешь! — Назаров пораженно уставился на гостью. — Они брат и сестра, близнецы!

— И они были любовниками лет с двенадцати, если я все правильно поняла. — Ирина смотрела прямо в глаза Назарову. — И Виктория об этом знала.

Мир покачнулся и перевернулся вместе с письменным столом и рассыпанными скрепками.

* * *

Бережной закончил подписывать многочисленные бумаги только к обеду. Два раза в неделю он занимался документами, и это занятие всегда раздражало его, потому что отбирало много времени: у него не было привычки подписывать документы, не вникая в содержание, он внимательно читал каждую бумажку. И некоторые были отложены в сторону, подписывать их он не стал.

Его мысли занимало дело, которое грозило стать последним в его карьере. То, что произошло с Викторией Станишевской в полицейском участке, уже само по себе было скверно, а если учесть контекст и предыдущие события, то и вовсе выглядело катастрофой.

И по-человечески генерал очень сожалел о произошедшем.

Хотя ничего изменить было уже нельзя, Бережной сконцентрировал свое внимание на убийстве журналиста. Что-то не сходилось в этом деле, концы не увязывались. По словам Назарова, журналист клялся, что никто не знает о статье, которую он писал о Виктории, никто не видел его материалов, и Назаров был уверен, что парень не лгал.

— Значит, кто-то все-таки видел.

Бережной прошелся по кабинету, приводя мысли в порядок.

Почему он думает, что Виктория не могла убить Зайковского? Просто потому, что она не убивала Дарину? Но одно другому не мешает. Впрочем, никаких улик, указывающих на причастность Виктории к убийству, нет. То есть совершенно никаких, кроме очевидного мотива, но нужно доказать, что она знала о статье, которую готовил убитый, а по словам Назарова, она не знала.

Бережной снова перечитал отчет патологоанатома. Колотая рана, ставшая причиной смерти Зайковского, была нанесена тем же способом, что и рана, от которой четыре года назад скончалась Дарина Станишевская. Удар ножом в область печени, смерть наступила очень быстро. Орудием убийства в обоих случаях послужил обычный кухонный нож производства Китая, отследить происхождение которого не представлялось возможным — таких ножей сотни тысяч продаются по всей стране.

И в обоих случаях убийца, скорее всего, принес нож с собой — но это предположение. Дарина была убита в помещении театра, а именно — в гримуборной актера Игоря Осмеловского. И хотя нож никто не опознал, это ничего не значит, тамошняя публика весьма своеобразная, соврут — недорого возьмут. А в захламленной грязной конуре журналиста сложно определить, что из вещей было взято или, наоборот, принесено туда. Нож вполне мог иметься и в квартире убитого, просто валялся под ногами, и убийца использовал его.

Но дело в том, что происхождение ножа существенно меняет картину преступления: если убийца принес нож с собой, то он шел на встречу с жертвой с намерением убить, если схватил первый попавшийся предмет, то убийство было спонтанным.

Но не два убийства, вот в чем проблема. Два убийства не бывают случайными, и, скорее всего, убийца Зайковского также является убийцей и Дарины Станишевской. Но зачем?!

— Чертовщина какая-то. — Бережной присел за стол и снова пролистал дело. — Нет, чего-то не хватает. Не сходится.

Ему нужно было поговорить с Викторией, но вряд ли она способна сейчас поддерживать продуктивную беседу. Тем не менее нужен человек, который расскажет историю и которому можно задавать вопросы, а вопросов много.

Кому понадобилась смерть Дарины?

Кому мешала и продолжает мешать Виктория?

— Можно, Андрей Михайлович?

Генерал еще никогда не был так рад видеть Дениса Реутова, как в этот момент смятения и сомнений.

— Заходи, Денис Петрович.

Генерал никогда не позволял себе панибратства с коллегами и даже стажеров называл по имени-отчеству, но обращения на «ты» у него удостоились очень немногие. Реутов это знал и ценил дружбу, которая сложилась у них с Бережным.

— Докладывай.

Конечно же, Бережной понимал, что Дэн пришел к нему не чаи гонять, уж больно горячее было у них сейчас дело, и очень надеялся, что всплыли какие-то новые факты, которые помогут им в следствии.

— Официально нет ничего нового. — Реутов откашлялся, пытаясь скрыть неловкость — ведь они с Виктором ничего не раздобыли. — Но есть сведения неофициальные, а именно: адвокат Багдасаров поведал нашему новому знакомому Павлу Олешко, что адвокатом Виктории Станишевской он стал по просьбе своего друга Игоря Осмеловского. Дескать, Виктория не могла позволить себе дорогого адвоката, потому что за пару месяцев до убийства купила машину, а до этого только-только выплатила ипотеку. То есть девушка жила очень впритык по деньгам, и, когда случилась беда, у нее не было накоплений нанять кого-то толкового. А Игорь убедил ее, что с ее делом отлично справится даже обычный адвокат, потому что она никого не убивала. И Багдасаров, по его словам, вполне мог выиграть это дело, но поменялась ситуация. И закрыть глаза на просчеты следствия его просил Вадим Труханов, помощник прокурора Скользневой, которая была обвинителем по делу. Сама Скользнева, естественно, ни о чем адвоката не просила, как это обычно и делается.

— Зачем это понадобилось Скользневой? И как Багдасаров мог знать, что просят от ее имени?

— Видимо, никак. Ему задавали этот вопрос, на что последовал ответ: помощник ни за что не посмел бы заварить такую кашу сам. И, я думаю, он прав, ведь Скользнева тоже отлично видела просчеты следствия, но она мало того, что не расследовала этого, но предложила адвокату тоже игнорировать нарушения. Тут что-то не так.

Бережной был согласен — многое не так. И сейчас человек, к которому обратился Бережной, копается в финансах и связях прокурора очень всерьез, информация будет со дня на день, и нужно пока работать с тем, что есть, пока не придет время ударить по участникам дела со всех сторон.

— Что еще?

— Всегда есть что-то еще. — Реутов покачал головой. — Я представить себе не могу, чтобы Скользнева пошла на такое просто ради спасения чести мундира неумелого следователя. И Багдасаров сказал, что якобы Скользневу об этом попросил некто, чьего имени он назвать не может. Попросил убедительно.

— Ну, он только так и просит.

И это повисло между ними в воздухе — имя, которое многие в Александровске произносили шепотом, если вообще произносили. Николай Ладыжников, Коля-Паук.

11

Павел отдыхал, размышляя о том, что дела в Александровске идут очень неважно. А он не вникал, считая этот город очаровательной провинцией, расположенной столь удачно, что здесь отлично жить и растить детей.

У него появилась масса вопросов, и все они адресовались милейшей Виктории Станишевской. Похоже, дама полна сюрпризов, и это интриговало. Павел любил неоднозначных людей с двойным дном и скелетами в шкафу, а у Виктории есть и то, и другое.

Но дело в том, что с Викторией сейчас поговорить невозможно... Или можно?

— Привет, Семеныч.

Павел знал, что поступает скверно — возможно, его друг доктор Круглов спит после тяжелой смены, но дело в том, что ему очень нужно поговорить с Викторией.

— Паш, я занят.

— Ты всегда занят, а я груши околачиваю. — Павел засмеялся. — Как там твоя пациентка?

— Заметь, я даже не спрашиваю, которой из моих пациенток ты интересуешься. — Семеныч вздохнул. — Жива и стабильна. Но я сделал для этого невозможное. Правда, желание выжить у нее нулевое, но пока за нее все делают препараты.

— Она в сознании?

— Будет в сознании, но ненадолго. Минут пять, от силы семь — не больше.

Павел молча спрятал телефон в карман и вышел, тщательно заперев за собой дверь.

Пройдя через двор, он сел во внедорожник и поехал в сторону больницы — Семеныч позволил ему поговорить с Викторией, и пяти минут ему вполне достаточно.

— Она выглядит страшновато. — Круглов уже ждал его у входа в отделение. — Халат, маску и бахилы надень, кстати.

Павел молча повиновался, спорить было не о чем. В отделении реанимации он и раньше бывал, но всякий раз пребывание здесь вызывало тревогу: это словно своеобразное Чистилище, откуда граждан распределяли кого куда, кто-то уезжал в палату, а кто-то вниз, в морг, иного исхода здесь не существовало.

— Я отключу ненадолго систему, и она придет в себя. — Семеныч с сомнением посмотрел на пациентку. — Но не волнуй ее, Паша, ей досталось очень сильно.

— Насколько сильно?

— Трещины и переломы ребер, ушибы почек — одну я удалю, если динамика не улучшится. Закрытая черепно-мозговая травма, многочисленные тяжелые ушибы мягких тканей, выбиты зубы, сломан нос. — Семеныч вздохнул. — Завтра приедет пластический хирург, Панфилов привезет — посмотрит ее и будет решать, что и как. Она слишком много перенесла, чтобы лишиться еще и внешности.

— Я понял. — Павел вздохнул. — Лучше бы не спрашивал.

Он был специалистом по допросам и при необходимости причинял своим подопечным и более тяжкие повреждения, но на кону всегда стояло нечто настолько серьезное, как жизни тысяч людей. Или жизни троих детей, например. А тут девчонку покалечили просто так, спьяну и по злобе, и этого он не мог ни понять, ни оправдать.

— Паш, ее категорически нельзя волновать.

— Я постараюсь. — Павел наклонился к больной. — Вика!

Она попыталась открыть глаза, но получилось плохо — глаза слишком заплыли от гематом.

— Вика, меня зовут Павел. — Он взял ее горячую ладошку и осторожно сжал. — Вика, вы меня понимаете?

— Да.

Голос, как шелест сухой травы, неживой и далекий.

— Вика, я должен вас спросить об одной вещи. — Павел чувствовал себя негодяем. — Скажите, кого вы видели в тот день, когда случилось убийство Дарины? Не на месте преступления... А вот вы пришли в театр, шли в гримерку к вашему приятелю... Кого вы встретили на лестнице или, может, в коридоре?

— Никого.

Ее спрашивали об этом много раз, и других ответов у нее нет. Она никого не видела, в том-то и дело!

— Хорошо. — Павел погладил ее руку. — И еще вопрос: у вашей сестры не было романа с вашим приятелем, правда?

— Не было.

— Отлично, я так и думал. — Павел понимал, что ступает на тонкий лед. — Но с кем-то у нее был роман... с кем?

Запищал какой-то прибор, и доктор Круглов, тут же объявившийся в боксе, вытолкал Павла вон и снова подключил Викторию к системе.

— Я предупреждал: не волновать.

— Я и не волновал. — Павел пожал плечами. — Ну кое-что прояснилось. Спасибо, Семеныч. Пусть все твои пациенты выживут.

Павел шагал по коридору, обдумывая сказанное. Что ж, во всем этом деле есть некая странная подоплека, пока он не выяснил, в чем загвоздка, но у него есть у кого спросить.

Павел развернул машину и вырулил на дамбу — ему надо было попасть в театр. Завибрировал телефон в кармане, и Павел неохотно ответил на звонок. Звонил Назаров, а у Павла не было ничего, что могло бы его утешить.

Но Назаров не нуждался в утешении, скорее он сам явился с вестью, но информация оказалась настолько своеобразной, что поверить в нее вот так с ходу просто невозможно.

— Никита? — Павел хмыкнул. — Жень, он же ее брат.

— Возможно, что натянутые отношения Вики с семьей, ее уход из дома связаны именно с их... своеобразными личными отношениями. — Назаров был взволнован. — И тогда рассказ Натальи Балицкой о ссоре, которую она якобы видела накануне, может быть правдой.

— Если Виктория давно знала об инцесте, вряд ли именно та ссора была из-за него, как и убийство. Жень, тут надо разобраться. Кто тебе сказал об этом?

— Приходила Ира Ладыжникова.

— Я не ослышался? — Павел засмеялся. — Дочь Коли-Паука пришла к тебе в офис и рассказала невероятную историю о связи Дарины и Никиты, и мы ей просто верим на слово?

— А зачем ей лгать?

— Я сейчас с ходу найду сто причин лгать, и десяток из них подойдет дочери Ладыжникова. — Павел остановил машину недалеко от подвала, в котором оборудовал себе рабочее место. — Ладно, я понял. И насчет Моргана тоже. Ты молодец, Назаров. Я поработаю над этим, может, что-то выстрелит.

Павел уже начал читать книгу Назарова о психологии интернет-толпы и теперь понимал, о чем он говорит, как и то, что он, скорее всего, прав.

* * *

— Я тут копнул с другой стороны.

Виктор достал свой потрепанный блокнот. Отчего-то он покупал дешевые блокноты на пружинах, которые после каждого нового дела просто выбрасывал, но он привык записывать все, что узнавал, привык записывать даже мимолетные мысли, когда попадалось сложное дело. Он гораздо лучше воспринимал написанный текст, нежели информацию на слух, и записывал не потому, что не полагался на память, а просто для удобства.

Правда, разобраться в его записях мог только сам Виктор, в его ужасных блокнотах существовала собственная система, понятная лишь ему одному. И вот теперь он достал такой же блокнот на пружинах и полистал его, систематизируя то, что собирался сказать.

— Я поинтересовался у разных людей о личности Виктории Станишевской. — Виктор скорчил гримасу. — Уж больно светлый образ получался, а я не верю в светлые образы. Нет, после всей той грязи, что на нее вылилась, я понимаю, что люди пристрастны, но я нашел нескольких ее знакомых, которые вполне объективно могли судить о ней, и тут такая картина получилась интересная.

— Давай, Витек, не томи. — Реутов заинтересованно смотрел на напарника. — Что раскопал?

— Прежде всего наша Вика — дама очень настырная. — Виктор полистал блокнот. — Попала на телевидение очень рано, еще будучи школьницей, выиграла стажировку, сняв самый интересный сюжет. Конкурс организовывал сам Коля-Паук, тогда восходящая звезда меценатства. Не знаю, какие были остальные сюжеты в том конкурсе, но сюжет, снятый Викторией, я нашел и посмотрел. Я, конечно, не эксперт, но мне как зрителю было очень интересно. И возникает вопрос: каким образом пятнадцатилетняя школьница смогла проникнуть в самое, так сказать, сердце цирка и не только снять зверей, которые принимают участие в программе, но и снять репетиции, получить интервью у директора и нескольких ведущих артистов и смонтировать все это вполне профессионально. Я нашел тогдашнего директора, который сначала попытался прикинуться старым маразматиком, но потом все-таки вспомнил, что Виктория пришла к нему в кабинет и очень его просила и выглядела при этом как его младшая сестренка. В матроске, блин, и бантах. Фото этой сестренки висело у него в соцсети, девочка умерла полвека назад в подростковом возрасте от какой-то инфекции, и это стало для него большим горем. И Вика выглядела совсем как его умершая сестренка.

— Вот же ж...

— Отлично придумано, да? Очень умный ход для пятнадцатилетней девочки. — Виктор ухмыльнулся. — Не поленилась, зашла на страницу этого старого дурака, а там трогательный иконостас фотографий из детства и слезливые надписи о «никогда не забуду». И Вика просто одевается в матроску — где-то сумела раздобыть, делает прическу, как у девочки на фото, и вуаля! — старый дурень растаял и повел милую девочку в святая святых, позволяя ей снимать все, что она пожелает.

Молчание затянулось — Реутов обдумывал услышанное.

— И выиграла конкурс, на котором были представлены работы не хуже, я думаю. Это один из первых конкурсов по поиску юных дарований, который организовал Ладыжников. И девочка, умеющая воплотить твои самые потаенные фантазии. Сколько ему тогда было, около сороковника?

— Тридцать девять. — Виктор покачал головой. — Я уже думал об этом. Нет, Виктория не могла быть его любовницей, он всегда любил грудастых красоток ближе к тридцати, на малолеток Колю-Паука никогда не тянуло, тем более что у него самого дочь. И — нет, девочки тогда не дружили, Ира Ладыжникова моложе Виктории на четыре года, в таком возрасте это разница существенная: пятнадцатилетняя — уже барышня, а одиннадцатилетняя — девчонка, ребенок. И я копнул дальше, и что всплыло? Папаша-Станишевский и Ладыжников учились в одной спортшколе и — мало того — крепко дружили, но Коля-Паук всегда тяготел к несколько иным материям, чем гоняться за мячом, рискуя сломать ногу. А потому со временем их пути разошлись, но тем не менее дочь старого приятеля одержала победу в конкурсе талантов. И я бы так думал, если бы не работа, представленная Викторией, потому что работу все-таки сделала она сама, и работа была хорошей.

— Но образ белой и пушистой блондиночки несколько поплыл. — Реутов покачал головой. — Не вяжется с образом расчетливой маленькой стервы, сыгравшей на горе пожилого человека. Нет, никакого вреда она ему не причинила, но просто подумай: в пятнадцать лет смогла все просчитать и осуществить! Вот это поворот, да.

— Это еще не поворот. — Виктор снова полистал блокнот. — Виктория Станишевская и дочь Ладыжникова, Ирина — приятельствовали. Стали старше, появились какие-то общие темы. То есть они до этого были знакомы, если дружили отцы, то девчонки явно знали друг друга хотя бы шапочно, а когда Ирина окончила школу и поступила в университет, там же училась и Виктория. С тех пор они, можно сказать, подружились. Не так чтоб неразлейвода, у каждой была своя студенческая компания, но после занятий иногда проводили время вместе.

— Так, может, уже тогда Коля-Паук спал с Викторией? Кстати, а кто там мать?

— Мать Ирины — отдельная история, весьма печальная. — Виктор вздохнул. — Регина Ладыжникова была наркоманкой — вернее, стала, когда вышла за Колю-Паука. Ну, муж вечно занят, она дурью маялась — дочка на руках у нянь, а она все одна и одна, вот и нашла себе развлечение. Когда Ладыжников хватился, было уже поздно что-то предпринимать, барышня сидела на системе и один раз от передоза сожгла себе мозги. Девчонке тогда было лет десять. Ладыжников поместил Регину в клинику, где она и находилась, пока через четыре года все-таки не умерла.

— Печально. — Реутов состроил недоверчивую гримасу. — Ну, так он вполне мог все это время развлекаться с юной Викой.

— Дэн, я уверен, что он не спал с ней. — Виктор нахмурился. — Ладыжников — человек принципов, хотя и принципы эти весьма своеобразны, и правила, по которым он живет — его собственные, но он не стал бы спать с дочерью старого приятеля, с девчонкой возраста его дочери. Вика в его понимании была ребенком, а он, повторюсь, к детям никогда не проявлял интереса, все его любовницы примерно двадцати семи — тридцати пяти лет, и других женщин около него никогда не наблюдалось.

— Ну, где-то я его понимаю.

— Так вот и я о том же. — Виктор кивнул. — Вот возьми ты мою Светку: ей сейчас восемнадцатый год. Ходят подружки — такие же, как она или года на два-три старше. В моих глазах это дети, я представить себе не могу, чтоб меня кто-то из них мог заинтересовать в плане секса.

— А вот бывший приятель Виктории, актер Осмеловский — большой любитель девочек помоложе. — Реутов презрительно хмыкнул. — Я тут тоже покопался, в театр сходил, поговорил с людьми. Нынешней его пассии едва исполнилось восемнадцать, но говорят, что ему нравятся и совсем молоденькие. Ничего конкретного, но слухи ходят.

— Ладно, это выяснили. — Виктор отложил блокнот и заглянул в холодильник. — Три бутылки портера... Да ну! А светлого нет, что ли?

— Банка баварского в дверце.

— Нашел. — Виктор откупорил банку и с наслаждением отпил глоток. — Я поговорил с одним из операторов, которые снимали программу Виктории. Он говорит, что в последний год Виктория много времени проводила с дочерью Ладыжникова, причем Ирина сама приходила к ней, а Виктория вроде как даже тяготилась этим общением. Ну, он так сказал. Хотя Виктория была всегда любезна с Ириной, но был момент, когда Ирина пришла на студию, а Виктория от нее улизнула через другой выход. И тем не менее Викторию иногда видели в ресторане в компании Ладыжникова и его дочери. Он вроде как опекал свою протеже, и многие трепались, что неспроста, — но людям лишь бы поболтать, а на самом деле ничто не указывает на их связь, а домыслы мы в расчет не принимаем.

— Тогда почему он ей помогал?

— А почему он устраивает эти конкурсы? — Виктор пожал плечами. — Как-то раз слышал, как он разглагольствовал по телевизору насчет того, что нужно, дескать, делать ставку на молодежь, помогать молодым, они —

будущее страны. А теперь представь, скольких он уже продвинул — и на должности в том числе? Да у него все в кулаке именно из-за того, что он помогает подняться способным ребятам, часто из самых низов. А потом просто расставляет их на ключевые посты, глядь — лет через десять сплетет такую паутину, что куда там нынешней мафии! У него будет собственная.

— Похоже на дело.

Они замолчали, понимая, что никаким образом не смогут задать вопросы Коле-Пауку, человеку с огромным влиянием. Ничто в их городе не происходило без одобрения Ладыжникова, у него на содержании были депутаты и журналисты и даже кое-кто из полицейского начальства.

— Хотел бы я знать, подъезжал ли он к Бережному? — Реутов ухмыльнулся. — Посмотрел бы я на это.

— Думаю, не подъезжал. — Виктор допил пиво и бросил банку в корзину. — Коля-Паук совсем не дурак, иначе не был бы тем, кто он есть.

— Тогда я не понимаю. Вить, если они общались, если он годами помогал ей, составляя протекцию там, где было нужно, — как он мог допустить, чтоб Станишевскую защищал никчемный адвокат? Как он мог допустить, чтобы она села в тюрьму?

— Ну, зона-то, где она сидела, самая что ни на есть мягкая — в плане режима и отношения к заключенным. — Виктор покачал головой. — Но при умелом адвокате дело против нее и до суда бы не дошло, не то что срок получить да отсидеть. Нет, что-то тут не то, я к тому и веду. И на тебе: не успела она выйти, как новая напасть, и по всему получается, что ни у кого на свете не было причин убивать этого дурака Зайковского, кроме как у Виктории. И хотя нет ни одной улики, указывающей на ее причастность, журналист убит точно так же, как была убита Дарина. А поскольку Виктория была признана виновной в убийстве Дарины, много не надо, чтоб обвинить ее в убийстве Зайковского.

— Которого она даже не знала. — Реутов покачал головой. — Вить, это идиотизм какой-то. Вот реально: ничего не вяжется, хотя и все вроде бы на поверхности, а копни — не вяжется. Ты с этим перцем Осмеловским разговаривал?

— Не застал, но обязательно выловлю его. — Виктор полистал блокнот. — Кстати, свидетельница по тому давнему делу Наталья Балицкая больше не работает в театре. И никто не знает, куда она подевалась, я дал задание отыскать ее, хотелось бы поговорить. Есть что-то новое у экспертов?

— Ничего. — Реутов поморщился. — Повторный осмотр квартиры убитого ничего не дал. Изъяли бутылки, которые наши бравые сотрудники прикарманили во время осмотра места преступления, но на них отпечатки только убитого и этих двоих. В самой квартире отпечатки отсутствуют — от слова «вообще», кто-то протер поверхности тряпкой, смоченной в хлорсодержащем веществе. Причем протерты все, вплоть до изнаночной стороны столешниц, подоконников и раковин.

— А на бутылках остались отпечатки...

— Остались. — Реутову тоже захотелось пива. — В общем, тупик. Олешко взял электронику Зайковского, надеется что-то найти, Бережной разрешил.

— Странный тип, — Виктор спрятал блокнот в карман и поднялся. — Вот так вроде бы глянешь — обычный мужик, простоватый даже, а приглядишься — нет, ничего простого там и рядом не стояло.

— Не знаю, чем он там занимался в своем Интерполе, но явно не бумажки перебирал. Но то, что он расколол Багдасарова... Это ж тот еще тип, на кривой козе не подъедешь, как Олешко добился от него откровенности?

— Дэн, ты и правда хочешь это знать?

— Нет. — Реутов внутренне содрогнулся. — Не хочу. Некоторые вещи лучше не знать.

12

Вика прорвалась из тьмы под вечер. Но там, где она лежала, просто горел светильник, а окна не было, и насчет вечера она не знала.

Она лежала, ощущала себя пульсирующим куском мяса и не понимала, как могла застрять внутри, ведь она все сделала правильно: смогла оторваться от ставшего ненужным тела и смотрела на себя сверху. И было это точно так же, как рассказывали люди, побывавшие по ту сторону. И она в толк взять не могла, как вернулась в эту полуразрушенную тюрьму, где каждый толчок сердца отдается болью.

А еще очень хотелось пить.

Она помнила рассказы людей, которых приглашала к себе в студию — и все ей было знакомо, и боль, и жажда, и ощущение одиночества в замкнутом пространстве.

Вика закрыла глаза и попыталась сосредоточиться. Если постараться, если сделать все правильно, то можно оторваться от тела и взлететь, и уже ничто не заставит ее вернуться назад. Глупо было и на этот раз возвращаться.

— Ты проснулась.

Вика открыла глаза — на нее смотрела незнакомая женщина. Полноватая блондинка в облегающих джинсах и яркой майке, которая видна из-под застиранного больничного халата. Светлые волосы собраны на макушке, но пряди выбиваются, синие глаза в коротких ресницах доверчивые и доброжелательные.

— Ты меня не знаешь, но я знакома с Евгением и Аленой. Меня Ника зовут, и я обещала Евгению тебя навестить, а его мы с Семенычем пинками отсюда днем выгнали, он больше суток не спал, торчал под дверью палаты и голову пеплом посыпал. Ты пить хочешь? Я сока притащила. Семеныч говорит, тебе можно разбавленный. Так мы надавили яблочного сока и развели водой, сейчас я тебя напою.

Вика молча смотрела на незнакомку. Какая-то Ника, торопливая болтовня громким шепотом, возня и шелест пакета, блестящий термос. Все это мешает, и женщина эта не к месту, потому что нужно сосредоточиться на том, чтобы перестать быть, а бульканье сока не дает.

— Если я приподниму немного кровать, ничего? — Ника прикидывает, как напоить больную. — Тебе не будет больно?

«Вся моя жизнь — боль. — Вика смотрит на стакан в руках посетительницы. — Какая странная вещь — на весах вечность и стакан сока, и я отодвигаю вечность ради того, чтобы напиться крови несчастных яблок. Глупость какая-то».

— Погоди, я немного подниму...

Кровать пришла в движение, плавно приподнимая Вику, она оказалась в полусидячем положении. Как ни странно, душный жар немного схлынул, и, когда Ника поднесла к ее губам соломинку, торчащую из стакана, Вика смогла попить. Прохладный кисловатый сок освежил ее и погасил жажду.

— Спасибо.

— На здоровье. — Ника уселась на стул и уходить, судя по всему, не собиралась. — Семеныч меня, конечно, скоро выгонит, но пока посижу с тобой. Ты здесь уже третий день, знаешь?

Третий день.

Вика попыталась вспомнить, что было вчера, но вчера для нее — это поездка в Александровск в полицейской машине, это кабинет, где двое пьяных парней, для проформы что-то спросив, принялись деловито избивать ее, словно выполняли какую-то нужную работу. А потом солнце ударило в лицо, и остались только квадратные горячие плитки тротуара, по которому она старалась идти ровно, превозмогая ужасную боль в боку.

Никакого другого «вчера» Вика не помнит, какой там третий день.

— Семеныч говорит, что ты в порядке. Ну, будешь в порядке. — Ника с жалостью смотрит на забинтованное тело Вики. — Завтра приедет пластический хирург, обещает привести в порядок то, что повредили, когда... Ты не переживай, будешь как новая. Этот дядька как-то и мне делал операцию, ни следа не осталось. А мне тогда досталось — ну, пусть не так, как тебе, но тоже сильно, моя сестра наняла бандитов, чтобы те меня избили.

— Сестры часто бывают проблемой.

Ника даже вздрогнула, она не ожидала, что Виктория станет что-то говорить, но та, видимо, решила поддержать разговор, и Ника боялась сделать неверный шаг, чтобы девушка снова не закрылась.

— Проблема с сестрой всегда означает проблемы с родителями. — Ника покачала головой. — Мой отец так в семье поставил, что я была меньше, чем никто. В четырнадцать лет я уехала жить к бабушке, и это было огромное счастье. Многим ехать оказывается некуда, вот они и маются с родней.

Вика кивнула — бабушка Люба умерла, когда она, Вика, перешла на четвертый курс университета. Она в последние годы сдала и очень болела, присутствие внучки рядом было весьма кстати, но когда бабушки не стало, для Вики наступили тяжелые времена. Бабушка была тем человеком, с которым можно было поделиться всем и в чьей любви Вика всегда была уверена. А родители... С отцом еще хоть как-то можно было разговаривать, а для матери существовала только Дарина. Младшая дочь продолжила ее спортивные устремления, достигла того, чего не достигла мать, и на нее были направлены все надежды, все мысли и душевные силы матери.

А потом вообще все рухнуло, и даже бабушке ничего нельзя было рассказать, это убило бы ее.

— Когда меня отсюда отпустят?

— Вика, ты что! — Ника округлила глаза. — Какое там отпустят, ты в реанимации!

— Цветы...

Ника фыркнула — ну, конечно, все эти любители цветов одинаковые, помирать будут, а о своих цветах не могут не переживать.

— Моя подруга Ровена приезжает каждый день в твой сад. — Ника снова налила сока в стакан. — Она такая же сумасшедшая цветочница, как и ты, и цветам твоим с ней не жизнь, а малина. Кстати, о малине. Ты не сердись, но мы ее снимаем и варим варенье. И варенья этого уже очень много, но малины тоже много, и осыпаться мы ей не можем позволить. Мы заплатим за нее, конечно же.

— Глупости...

— Ничего не глупости. Вот, попей еще. Там скандал до небес стоит. — Ника злорадно ухмыльнулась. — Этих двоих, которые тебя допрашивали, посадили в тюрьму. Нашли также тех, кто напал на тебя возле полицейского участка, тоже все сидят. Пашка говорит, их будут судить за организацию убийства. А мы наняли для тебя отличного адвоката и сейчас подняли старое дело, по которому тебя осудили. Там нашли кучу подтасовок и всякого. Ты же не знаешь нашего Пашку! Уж если он взялся, то выяснит, что случилось. Ой, идет Семеныч. Допивай, и я кровать опущу обратно, а то он ругаться будет. Ты выздоравливай и ни о чем не думай, мы все тебе поможем, и я...

— Нет! — Вика заметно занервничала, и кривая на мониторе зачастила. — Послушай, не надо ничего, пусть оставят все как есть. Ты не понимаешь...

— Что, Вика? Просто скажи мне.

Но запищал какой-то прибор, и в бокс прибежала медсестра.

— Иди, Ника, увидит Круглов — не сносить мне головы.

Погладив руку больной, Ника покинула бокс.

Ей нужно было срочно поговорить с Павлом, и она набрала его номер.

* * *

— Значит, Ладыжников участвовал в этом деле с самого начала. — Бережной листал отчет Реутова. — Но чем ему помешала Виктория, к которой он относился всегда очень тепло и даже по-родственному? Если он поспособствовал ее осуждению, влиял на следствие, а Вика до сих пор не хочет нового расследования, это означает одно: она знает, кто убил ее сестру, и знает, что за ее приговором стоит Ладыжников. И она его боится.

— Но вряд ли она боится за себя. — Реутов нахмурился. — Но за кого? Чем таким пригрозил ей Ладыжников? И вместо кого Виктория получила срок?

— Нам это обязательно нужно выяснить, Денис Петрович. — Бережной устало потер переносицу. — Я хочу, чтоб вы работали вместе с Олешко... Я знаю, что он тебе не нравится, но я навел о нем справки, и все в один голос твердят, что человек он надежный и в высшей степени полезный для следствия.

— Могу себе представить...

— То-то, что не можешь. — Бережной вздохнул. — А главное, что мы не можем привлечь к этому делу много людей — все та же проблема с доверием. И если к делу каким-то образом причастен Ладыжников, то он не из тех, кто будет стоять и смотреть, как мы разваливаем то, что он строил.

— И сотворить при этом он может что угодно, и мы ничего не докажем. — Реутов заметно сердился. — Посадить этого мерзавца никак. Все, что мы о нем знаем, — на уровне слухов. И он в любом случае сам ничего не сделает, даже если возьмем исполнителя, тот будет молчать, и у него тут же появится ушлый дорогой адвокат. Нет, если мы хотим раскрутить это дело, нужно действовать тихо, в режиме строгой секретности.

— А потому я тебе говорю: работайте с Олешко. Он на секретности упряжку собак съел. — Бережной закрыл папку с отчетами и включил чайник. — Что-то еще удалось выяснить?

— Виктор ищет бывшую костюмершу театра, в котором работает Осмеловский. Она уволилась примерно тогда же, когда состоялся суд над Викторией, и с тех пор о ней ни слуху ни духу. Но люди просто так не исчезают. Если она ударилась в бега, нужно найти ее и узнать, в честь чего это она так резко изменила свою жизнь.

— Тоже верно. — Бережной налил себе чаю. — Ты чай-то будешь? Нет? Ну, как знаешь. Так вот о чем я толкую: нужно поговорить с Осмеловским. Нужно выяснить, что это за скверная история с имуществом Виктории и что его связывает с Багдасаровым.

— А что говорит Скользнева?

— Пока рано с ней беседовать, как и с судьей. — Бережной удрученно покачал головой. — Если мы хотим сохранить в тайне наше расследование, нужно соблюдать осторожность. Я выясню о Скользневой что смогу. Уже дал задание человеку, он ее жизнь на атомы разберет, и вот тогда у меня будет с чем идти беседовать, а пока она от всего отопрется. А если в деле замешан Ладыжников, то я боюсь, он нам всю малину испортит. Следователь по делу, конечно, мною допрошен, но у меня стойкое ощущение, что он дурак. Либо так сошлись звезды, что именно ему поручили дело Станишевской, либо кто-то это устроил, зная его таланты абсолютного кретина, но он просто воспользовался тем, что дело вроде как простое, а дырки в следствии закрыл откровенными подтасовками. Впрочем, показания Натальи Балицкой очень упростили ему работу, хотя перепроверять ничего из сказанного он не стал. Вопрос в другом: это дело можно было развалить в суде, но ни адвокат, ни прокурор, ни судья не обратили внимание на просчеты следствия. А обвиняемая признала свою вину.

— Сляпано грубо и наспех, а теперь еще Наталья Балицкая, оказывается, пропала, ищи-свищи.

— Денис Петрович, как хочешь, но очень нужно ее найти, и найти по-тихому. Кстати, ты с родителями Станишевской не встречался?

– Их нет в городе. — Реутов развел руками. — Но побеседовал с коллегами Станишевских, и все говорят, что они скрытные, никогда не поддерживали начинаний в плане провести время с коллегами. На сборах держатся особняком, особенно Раиса. Впрочем, как только они вернутся, а это уже завтра, я побеседую с ними. Тут другое, Андрей Михайлович. Ходят слухи, что их сын Никита в клинике для наркоманов. Официально он лег в клинику, чтобы подлечить травмированное колено, да только идут разговоры о том, что нового контракта с клубом у него уже не будет. И эта проблема у него не вчера началась. Когда была убита Дарина, он прикрылся ее смертью — типа потерял сестру, то да се, не выдержал бездны горя... Но теперь ему не на что ссылаться.

— А в теле Дарины наркотики не были обнаружены, насколько я помню протокол.

— Не были. — Реутов кивнул. — Следы стероидных препаратов — да, но наркотиков не было. Что-то в их семье странное происходило, и я хочу выяснить, что именно. Дело в том, что Виктория перестала общаться с родителями, когда ей было восемнадцать лет. Ушла из дома, жила у бабки, матери отца, в Привольном, и с тех пор не общалась ни с родителями, ни с братом и сестрой. Конечно, судя по тому, какая у них семья в целом, возможно, она не хотела быть частью их, но я думаю, что-то произошло, потому что старшие Станишевские неспроста говорили о ней с такой ненавистью, когда была убита Дарина. Они, кажется, ни минуты не сомневались в ее виновности.

— Тоже верно. — Бережной потрогал пальцами стакан и, убедившись, что чай остыл, сделал глоток. — Поговори с подругой Станишевской Аленой Дмитриевой, она должна все об этом знать. А я получил неожиданную информацию. Поговорил с начальником колонии, где отбывала наказание Виктория — просто поинтересовался, как ей пришлось. И странные вещи она мне рассказала.

— Я весь внимание, Андрей Михайлович.

— Дело в том, что мы изначально неправильно подошли к оценке личности Виктории. — Бережной допил чай и встал, ему лучше думалось, когда он шагал по кабинету. — Мы решили, что это рафинированная светская дама, беспомощная и требующая тепличных условий. И она выглядит именно такой. Но вот смотри: она выросла в семье, которая ее отторгала, — но каким-то образом она сумела сделать неплохую карьеру. Работая на телевидении, за короткое время очень многого достигла, иные годами киснут в простых журналистах, а у нее появилась своя программа, и на радио тоже. И при этом она умудрилась не нажить себе врагов, бывшие коллеги отзываются о ней вполне доброжелательно. Мало того, все в один голос говорят, что Вика была милой, отзывчивой, если к ней обращались за помощью, всегда помогала, и — вот еще один немаловажный момент — на дни рождения всегда дарила подарок, который оказывался именно тем, что хотел получить именинник. Это мог быть не самый дорогой подарок, но она всегда попадала в цель, и никто не знал, как ей это удается. Понимаешь?

— Да. — Реутов кивнул. — Виктория чрезвычайно наблюдательна, но при этом сумела сделать так, что никто этого не понял. А она знала все и обо всех.

— Именно. И если бы у ее сестры случился роман с ее же приятелем, Виктория бы это узнала еще на стадии обоюдного интереса этих двоих друг к другу. Так что убийство на почве ревности я отметаю окончательно. Тут, Денис Петрович, есть еще один момент. Начальник колонии майор Пашенкова... — Бережной долил себе чаю и поморщился — чай остыл. — Она рассказала мне, что Виктория за три года сумела не примкнуть ни к каким группировкам внутри колонии, каким-то непостижимым образом даже не обзавелась кличкой, не то чтобы стать чьей-то любовницей.

— Способность к выживанию колоссальная.

— Да. — Бережной отпил остывшего чаю и снова зашагал по кабинету. — Умелая манипуляторша, наблюдательный, изворотливый ум, и я не верю, что она не знает, кто убил ее сестру. И ни за что не поверю, что она не поняла, к чему все идет, когда Осмеловский посоветовал ей

Багдасарова как адвоката и когда предложил переписать на него имущество. Все ее шаги, предпринятые тогда, кажутся очень необдуманными, иногда откровенно глупыми — это если не учитывать ее личность, такая женщина не могла не понимать, что происходит, но приняла правила игры. Почему-то приняла. И, фактически не успев выйти из мест заключения, снова оказалась в центре внимания полиции, и мало того — мы пересматриваем дело, и пришли к этому решению самостоятельно. Как так вышло? Совпадение?

— Вы, Андрей Михайлович, совсем уж из нее монстра сделали, — Реутов удивленно смотрел на Бережного. — Будь она таким человеком, как вы говорите, она бы не попала в тюрьму.

— Возможно, ей не дали выбора. — Бережной сел за стол и снова перелистал свои записи. — Что, если ее просто поставили перед таким выбором, в котором она не выбрала себя?

— Кто?

— Вот это нам с тобой, Денис Петрович, и надо выяснить. Я не делаю из Виктории монстра, лично мне она по-человечески симпатична. И то, что с ней сотворили при помощи наших сотрудников — и тогда, и сейчас — чудовищно, и этому нет никаких оправданий. Но я глубоко убежден, что она знает, кто за этим стоит и почему все это с ней произошло. Знает, но выхода не видит. Ее, по сути, загнали в угол и добивают. Но она точно знает, кто и почему это делает.

* * *

Назаров впервые в жизни писал статью без всякого удовольствия, просто потому, что нужна передовица, а он главный редактор. И он попросил секретаршу не впускать никого — статья шла тяжело, хотя тема была благодатная, отлично им проработанная, и статью эту он планировал давно. Просто сейчас все отошло на задний план, и только Вика имела значение, и он проводил с ней рядом все свое время.

Но сейчас ему нужно было заниматься работой, и Назарова это тяготило.

— Евгений Александрович, к вам посетитель.

Назаров недовольно поморщился: он несколько раз просил секретаршу не беспокоить его, и секретарша отлично знала, что он торопится и нервничает.

— К вам пришел Валерий Андреевич Станишевский, впустить?

Назаров вздрогнул. Викиного отца он знал, но не видел много лет — с тех пор, как Вика ушла от родителей, чтобы жить с бабушкой, у него не было причин видеться с ее отцом, да и слишком разными дорогами они ходили, чтобы даже просто пересекаться. И вот теперь Станишевский здесь.

Назаров никогда не питал к нему теплых чувств, как и ко всей Викиной семейке, а Дарину и вовсе терпеть не мог, до того она была неприятной и высокомерной. Мать Виктории, Раиса Станишевская, всегда казалась ему застывшей ледяной глыбой, внутри которой замурован злобный Чужой, а Никита при всех его футбольных талантах казался вечно на взводе, всегда готовый вступить в драку, и главным аргументом для него было дать оппоненту в морду.

Старший Станишевский на фоне своих домочадцев выглядел почти человекообразным. Когда он приезжал в Привольное, то с видимым удовольствием проводил время с местными ребятами, но к Вике относился равнодушно — бегает там какая-то, для спорта непригодна, ну и пусть себе живет, как знает, тем более что она никому не мешает.

Изучив практически все интервью и статьи, которые появились в прессе после убийства Дарины, Назаров только удивлялся, с какой злостью говорили о Вике незнакомые люди, которые ее даже не знали. Что это было, злобная радость от того, что у женщины, добившейся успеха, неприятности? Назаров склонялся к этому варианту, публичная личность всегда вызывает интерес, зависть, и злобную зависть в том числе, и полить грязью человека, который несоизмеримо выше простого обывателя и который добился того, чего большинство этих интернет-писак никогда не добьются, — это ли не радость для посредственности. Об этом Назаров писал в своих книгах, и вакханалия вокруг Виктории была подтверждением его правоты.

К тому же в тех статьях не было ни слова правды, просто дело оказалось очень горячее: как же, звезда и чемпионка, и убита собственной сестрой, звездой местного телевидения, да еще на почве ревности! Но Назаров-то знал, что Вика и ревность несовместимы. Он читал пасквили, один грязнее другого, и среди этой вакханалии обнаружил несколько статей с интервью, которые давали разным изданиям родители убитой.

То, что они родители и предполагаемой убийцы, както не звучало, хотя для журналистов это была благодатная тема. Но каким-то образом везде писалось: родители жестоко убитой девушки. И, конечно, обычно интервью раздавала Раиса, но за ее спиной всегда присутствовал Валерий — бывший футболист, отличный тренер и вообще хороший парень. Если не учитывать, что он плевал на собственную дочь и демонстрировал это постоянно.

И журналистское любопытство Назарова взяло верх над желанием послать куда подальше «дядю Валеру», как он называл Станишевского когда-то.

— Пусть войдет.

С тех пор, как они виделись в последний раз, прошла вечность. За это время Назаров из угловатого тощего подростка превратился в известного журналиста и признанного писателя, и хотя книги его получили признание преимущественно за границей, он все равно был в городе личностью известной.

А Станишевский почти не изменился. Все та же поджарая подтянутая фигура, все те же серо-зеленые, как у Вики, глаза. И свои идеальные губы Вика тоже унаследовала от отца, как и светлые волосы. Только у Валерия Станишевского волосы стали седые, и Назаров отметил, что он стал выглядеть очень внушительно, ни дать ни взять уважаемый ветеран спорта и тренер, который не просто введет в мир спорта, но и всегда поможет и подскажет, с чем бы к нему ни обратились.

И так оно, собственно, и было — если бы не Вика. Ее присутствие в идеальном уравнении Станишевских делало ответ неправильным.

— Здравствуй, Женя.

Он всегда так здоровался с Назаровым, с детства. И Назаров понял, что сейчас Станишевский примется разыгрывать именно эту карту: ты вырос на моих глазах, и бла-бла-бла.

— Здравствуйте, тренер.

Так когда-то они с мальчишками из Привольного называли Валерия Станишевского, и ему это нравилось. Назаров решил поддержать игру и посмотреть, что из этого выйдет.

— Присаживайтесь. — Назаров предложил гостю стул и сам, выйдя из-за стола, сел напротив. — Рад вас видеть.

— И я рад. — Станишевский обвел взглядом редакторский кабинет. — Неплохо ты здесь устроился.

И поди знай, что он имеет в виду — сам кабинет, с книжными полками и дипломами на стенах, или редакторскую должность Назарова.

— Ты же понимаешь, что я пришел к тебе не просто так. — Станишевский говорил, рассматривая картину над головой Назарова. — Женя, я слышал... Я пытался звонить Алене, но она настроена почему-то очень враждебно, уж не знаю, что там ей Виктория наговорила, но диалог у нас не получился. И я пришел к тебе, ведь ты точно знаешь, что происходит. Я так понял, Викторию снова обвиняют в каком-то убийстве?

— Ее допрашивали в связи с убийством журналиста моей газеты, да. — Назарову хотелось бы дать оплеуху «дяде Валере». — Но Вику ни в чем не обвиняют.

— ***Пока*** не обвиняют. — Станишевский вздохнул. — Боже, какой позор!

— Валерий Андреевич, Вика никого не убивала. — Назаров посмотрел на гостя в упор. — Или вы уже вынесли вердикт, даже не зная фактов?

— А что тут знать? — Станишевский наконец посмотрел на Назарова. — Она и Дарину вроде как не убивала, а оказалось, что убила. В тюрьму просто так не сажают, разве нет? Но я думал... Женя, этого пока нет в газетах, но неужели моей семье снова придется пройти через весь этот ужас? Снова будут копаться в нашем грязном белье, придумывать небылицы, преследовать? Мы не в ответе за преступления Виктории, и, будь моя воля, я бы ее расстрелял. Такие не исправляются, это как бешеная собака, которую остается только пристрелить. А ведь, по сути, наказывают не преступника, ему-то тюрьма — дом родной, а наказывают семью. Мы всех детей воспитывали одинаково, и почему из Виктории получилась убийца? Может, у нее с головой что-то? Женя, мы места себе не находим, Раиса уже валидол пьет, а я... Женя, у меня к тебе большая просьба.

— Слушаю вас.

— Я понимаю, что все газеты живут за счет разных жареных фактов. Это когда-то мы читали о спорте, надоях молока и вести с полей, а теперь мир перевернулся, и для газет чем хуже, тем лучше. И твоя газета самая крупная и влиятельная в нашем регионе. И если есть хоть малейшая возможность не начинать травлю нашей семьи... Ты пойми, что бы ни совершила Виктория, мы понятия об этом не имеем, а у Никиты сейчас неприятности, и если снова примутся трепать нашу семью, копаться, для его карьеры это будет губительно. Никита очень переживает, что...

— Валерий Андреевич, а откуда вам стало известно, что Вику допрашивали в связи с убийством?

— А это важно?

— Для меня — да. Официальных сообщений не было, в Интернете проскочила единственная строчка, и...

— Женя, я не последний в городе человек, и у меня есть друзья, которые... О господи, это уже было в Интернете?! — Станишевский осекся под пристальным взглядом Назарова. — Мне позвонил Николай. Мы с ним старые друзья.

Конечно же, быть старым другом Коли-Паука — это гораздо престижнее, чем дочь-убийца. Желание стукнуть гостя чем-то тяжелым по голове стало почти нестерпимым.

— Вам позвонил Николай Ладыжников и сообщил, что...

— Ну да. — Станишевский взмахнул рукой. — Мы даже не знали, что она вышла из тюрьмы! Мы надеялись... Вернее, мы ожидали, что раз уж присяжные были к ней так снисходительны, то она, по крайней мере, отсидит полный срок. Но ее выпустили через три года — подумать только! Она убила мою дочь, моя девочка в могиле, а убийца через три года вышла на свободу. И как она распорядилась этой свободой? Оборвала еще чью-то жизнь, принесла горе еще в одну семью, уму непостижимо! Женя, я... Мы знакомы очень давно, ты рос на моих глазах, и, если для тебя это хоть что-то значит — нельзя ли каким-то образом обуздать журналистский пыл твоих сотрудников? Есть убийца, она заслуживает наказания, но не наказывайте нас. Никита... У него скоро подписание нового контракта, он...

Назаров смотрел на немолодого уже человека и думал о том, что человек этот абсолютный мерзавец. И как такое могло получиться, он не понимает. Он отлично помнит деда Андрея, человека во всех отношениях достойного, а уж бабушку Любу уважали и любили все — но вот сидит их сын, и нет в нем ничего от родителей, словно подобрали они его под забором, а не родили и воспитывали, стараясь дать самое лучшее. На выходе получился мерзавец, и хуже всего то, что вот начни сейчас ему кто-то объяснять всю бездну мерзости его поведения, он даже не поймет, о чем ему говорят.

— Я обещаю, что если уж придется писать об этом деле, я буду строго придерживаться фактов. — Назаров поднялся, показывая, что времени на гостя у него больше нет. — Никто ничего не станет искажать или придумывать.

— Спасибо и на этом. — Станишевский вздохнул. — Женя, а дом в Привольном до сих пор юридически принадлежит Алене?

— Да, Вика так захотела.

— Ну вот видишь. — Станишевский горестно поморщился. — Чужие люди ей ближе, чем родня. Квартира ушла этому актеру, машина тоже, а дом моей матери — совершенно чужой женщине. А у нас... Никите очень нужна сейчас поддержка, и было бы не лишним... Впрочем, тебе наши проблемы ни к чему. Был рад повидаться. Книгу твою последнюю читал, но не все в ней понял — ты вырос, брат, такие вещи заумные начал сочинять, где уж за тобой угнаться.

— Всего доброго.

Назаров всегда считал себя человеком сдержанным, но когда за Станишевским закрылась дверь, он вдруг понял, что изо всех сил сжимает кулаки.

13

Ровена бросила шланг под кусты георгинов и огляделась — большой двор утопал в цветах. Они были совсем не такими, как во дворе ее собственного дома, и посажены не в строгом порядке, было ощущение, что Вика сажала любые семена просто на свободное место, и вот теперь все это расцвело и требовало любви и понимания.

Но клумба с георгинами под окном веранды привлекала внимание Ровены больше всего — она и сама любила эти цветы, такие высокие, сильные с виду — и такие хрупкие и прихотливые на самом деле.

— Надо будет осенью попросить у нее клубней вот этих розовых... И лиловых тоже. А я ей желтых дам, желтых у нее нет.

Из-за летней кухни вышла Ника с миской, полной черешни. Ровене вдруг захотелось ощутить вкус спелых черешен, и она поспешила вымыть руки, чтобы добыть себе горсть этих восхитительных ягод, совсем не таких на вкус, как рыночные, они были темными, тугими и сладкими, и остановиться на одной горсти оказалось невозможно.

— Вот живу в собственном доме, а в селе все равно земля по-другому пахнет. — Ника поставила миску на стол и села на скамейку. — Цветов прорва какая, надо же... Рона, Паша не звонил?

— Нет, и когда он работает, я ему не названиваю. Но он знает, где мы.

Они договорились, что будут помогать Алене ухаживать за огородами Вики и Назарова, и приезжали каждый день. Ровена, едва увидев двор, заросший цветами, всплеснула руками и схватила шланг — все это великолепие нужно было поливать, убирать сорняки и рассаживать. Работы у нее хватало, учитывая цветник во дворе Назарова, который Ровена тоже взялась обихаживать. Она как-то очень быстро и накоротке сошлась с местными, особенно же подружилась с бабкой Ткачевой, сухонькой пронырливой старушонкой — о чем они говорили, один бог знает, но бабка, завидев Ровену во дворе Назарова, бежала к ней со всех ног. С огородами и курами справлялись Ника и Валерия, и для Валерии это был целиком новый опыт, но тем не менее она уже решила, что разведет кур у себя дома. И петуха такого же серого, в крапинку, с гребнем набекрень. Она решила никому не говорить, а просто завести кур, то-то удивятся все, когда петух примется петь!

Но сегодня была очередь Ники ковыряться в огороде, и она очень старалась, потому что после всех несчастий, которые выпали на долю Вики, погибшие цветы и засохший огород оказались бы, возможно, последней каплей.

— Она за своим огородом очень ухаживала. — Ника тоже взяла из миски ягоду. — Видимо, это было что-то типа психологического якоря — все эти растения, огород в идеальном порядке, ожесточенная чистота в доме и в постройках. Рона, я просто поверить не могу, что на одного человека может выпасть столько горя. Это так несправедливо, понимаешь? И она просто пыталась жить здесь, среди всех этих цветов, в доме ее детства. У нее все отобрали, а она посадила цветы и жила здесь, зная, что ее жизнь сломана кем-то. Несправедливо...

Ровена пожала плечами — ну да, несправедливо, и что? В мире много чего несправедливого, да такого, чего и изменить нельзя, а тут вполне еще можно помочь беде, хотя прошлого уже не вернуть.

— Зато у нее нет никакой живности. — Ровена тщательно мыла под шлангом маленькую тяпку. — Живет в сельском доме, но нет ни кур — ну, это полбеды, возможно, не было денег купить цыплят и корм, или не умеет ухаживать, или просто не нравятся ей куры, но кота тоже нет и собаки нет. А ведь обзавестись этим добром можно бесплатно, местные дворовые кошки постоянно приводят котят, ей бы уже десяток этих самых котят принесли, если бы она захотела, — но она, видимо, не хотела. Понимаешь? Она не собиралась здесь оставаться, растения не требуют такой ответственности, как кот или собака, они не привяжутся к тебе, не будут по тебе тосковать... Ты понимаешь? А эта яростная чистота в доме? Она не решила, будет ли жить, вот что я тебе скажу. Она просто дала себе время на размышления, но окончательно не решила. И каждый день думала: вот меня не станет, придут люди, станут разбирать вещи, а все в строгом порядке, как должно. Ты холодильник видела? Хоть рекламу снимай, и в шкафах тоже.

— Думаю, ты права. Это страшно на самом деле, просто представить — изо дня в день она взвешивала свои шансы на жизнь и решала, останется или нет. И этот дом, в котором она искала прошлое, где она была счастлива. Здесь жили люди, которые ее любили. Знаешь, вот что странно. — Ника подставила лицо заходящему солнцу. — Меня воспитывала бабушка. Назарова тоже воспитывала бабушка, я знаю, он стал жить в Привольном лет в шестнадцать, не смог жить с родителями. Ты же слышала Алену, Вика с восемнадцати лет тоже жила в этом доме, ушла из семьи. Она и бабушку хоронила, и для Вики этот дом — единственное убежище, ее бабушка тоже была для нее самым важным человеком. Что происходит в наших семьях? Почему родители не способны заниматься собственными детьми? Почему некоторые родители своих детей не любят? Как это вообще возможно?

Ровена хмыкнула, сплюнув косточку в траву.

— Я видела мало семей, в которых родители занимаются своими детьми. — Ровена придвинула к себе миску с черешней и достала новую ягоду. — У меня есть на этот счет некая теория, но я знаю, что она несовершенна.

— У меня даже теории нет. — Ника потянулась за черешней. — Я просто не понимаю, почему люди, родив детей, не занимаются ими и не любят их.

— Это разрыв между поколениями. — Ровена улыбнулась уголками губ. — Ты же знаешь, что в ребенка нужно постоянно вникать. Ты и сама это делаешь, хоть Марек у тебя уж большой, и я это делаю, и Лерка. И вот Алена трясется над своими детьми, да многие тоже. Но это просто наши знакомые, а мы знаемся с людьми типа себя самих. А полно, например, таких, как родители Назарова, мне Павел рассказывал, уж не знаю, где раскопал, но раскопал же! Его отец выходец из Привольного, в том доме, что мы кур там кормим, вырос. Родители его пахали на колхоз забесплатно — ну, помнишь эту фишку с трудоднями и сельскохозяйственным налогом? Кто в здравом уме захотел бы, чтоб его ребенок тоже вот так жил? Всеми правдами и неправдами старались выпихнуть детей в город, и выпихивали. Ну а в городе своя субкультура, выражаясь современным языком, и многие из сельских жителей восприняли только самые внешние ее проявления, пополняя ряды полумаргинальных слоев. В селах детьми тоже не особо занимались, но тут они видели пример общинной жизни, сельская мораль сурова, а в сообществе, где все у всех на виду, очень сложно скрыть грешки, а потому, даже если родители не занимались детьми, дети все равно воспринимали уклад и сами поступали соответственно. А в городе нет строгого надзора общины, и размыты нравственные нормы, и если можно было не бояться, что осудят соседи или отец ремня всыплет — то вроде как можно фордыбачить разное. Вот и выросло поколение людей, которых оторвали от их корней, а на новом месте они прижились очень условно. Ими не занимались родители — и они считают, что достаточно просто накормить и обуть-одеть ребенка, чего же еще. А ребенок, рожденный в городе, уже воспринимает местную субкультуру как свою естественную среду — и разрыв с родителями в какой-то момент становится неизбежен: родители не понимают его, он не понимает родителей. А летом этих детей отдавали бабушкам — на свежий воздух и витамины. И вот бабушки, которые к тому времени уже не были вынуждены тяжело работать, вникали во внуков, давали им то, что не давали даже собственным детям, и не потому, что не любили их, а потому, что работа от зари до зари, бедность. И тут на старости лет она остается одна: дети в городе, муж умер, мужчины в селах долго не живут, а ей привозят внука или внучку. Это уже осознанная любовь, это постижение того, что вот он, целый мир рядом, это и понимание того, что ты с этим ребенком будешь недолго, и нужно ему так многое сказать, передать. Вникнуть в его дела, быть нужной. Понимаешь? С одной стороны, родители, которые за невременьем и безразличием вообще ни во что не вникают, а с другой — бабушка, которая всегда выслушает, поймет, пожалеет, даст совет, поможет чем сможет.

— Да, моя бабушка была именно такой. — Ника грустно улыбнулась. — И я рада, что Марек тоже помнит ее, а она дождалась его. Это очень нас с ним связывает.

— Вот вы, воспитанные бабушками, и становитесь потом самыми отъявленными наседками. — Ровена ухмыльнулась. — Испытав на своей шкуре нелюбовь и непонимание в семье с одной стороны и бабушкину заботу и любовь — с другой, вы словно даете себе слово никогда не быть такими родителями, какими были ваши.

— Чья бы корова мычала.

— Мой наседочный инстинкт сам по себе, мой случай нетипичный. — Ровена засмеялась. — Мои родители мной не занимались не потому, что не хотели, а потому, что я им этого никогда не позволяла. Но я все равно люблю их и знаю, что они меня любят, и я очень благодарна им за то, что они всегда, в любом случае были на моей стороне. Что бы ни случилось, что бы я ни вытворила — я всегда знала, что могу на них рассчитывать, и сейчас это знаю. И я бесконечно признательна им за это, как и за то, что они особо не давили на меня. Да где же Алена-то?

Они обе ждали Алену, чтобы передать ей вахту. Но им нравилось сидеть в этом дворе, нравились звуки и запахи, и сверчки уже начали свои песни в траве.

— Ишь, стрекочут, словно им за это деньги платят. — Ровена прислушалась. — Ника, за домом кто-то есть.

То, что это не Алена, они обе поняли, Алена всегда заходит в калитку и уже оттуда начинает что-то рассказывать, о чем-то спрашивать, ее шаги они знают. А тут кто-то находится за домом, и кто это может быть, неизвестно.

— Я возьму тяпку и зайду со стороны кустов сирени, а ты возьми лопатку и оставайся здесь. — Ровена плавно поднялась, словно перетекла из одного положения в другое. — Ника, мы не можем уехать и не выяснить, кто здесь шастает.

Ровена подняла из травы только что вымытую маленькую тяпку, бросила под ноги Нике небольшую садовую лопатку и исчезла за кустами сирени. Ника с сомнением подняла облепленную грязью лопатку. В своем садоводческом рвении Ровена кое-что решила пересадить и занималась этим ежедневно. И перед отъездом всегда тщательно отмывала под краном садовый инструмент, но они же пока уезжать не сбирались, и лопатка грязная.

— Да от одного вида этой лопатки любой преступник сбежит. — Ника поднялась, прислушиваясь. — Что...

Из-за дома выбежала растрепанная девушка лет двадцати с небольшим и, натолкнувшись на Нику, взвизгнула и упала.

— Вот идиотка, цветы помнешь! — Ровена выглянула из-за угла и подошла к оглушенной девчонке. — Давай, мелкая дрянь, расскажи, что ты здесь вынюхивала.

— Я не...

Рюкзак свой девушка потеряла, Ровена подобрала его, а теперь бесцеремонно вытряхнула его содержимое на траву.

— Ага, понятно. — Ровена подняла удостоверение. — Газета «Суббота», внештатный корреспондент Татьяна Мисина. А Назаров знает, что ты здесь?

— Какое вы имеете право, я...

Ровена молча отвесила девчонке тяжелую пощечину, от которой голова непрошеной гостьи дернулась, как у тряпичной куклы.

— Здесь я задаю вопросы. — Ровена пинком отправила девчонку обратно в траву, не давая ей подняться. — Итак. Что ты здесь делаешь?

— Свою работу. — Девчонка утерла нос тыльной стороной ладони. — Это не противозаконно — фотографировать дом. И вы не имеете права...

Ровена снова ударила девчонку. Ника подумала, что надо бы вмешаться, но ей было совершенно не жаль мелкую проныру.

— Ладно, вы тут беседуйте, а я пойду лопатку мыть.

— И то дело. — Ровена зло прищурилась. — А мы тут с девушкой потолкуем по душам.

Журналистка затравленно смотрела на свою мучительницу, кажется, до нее начало доходить, что ситуация, в которой она оказалась, плачевна.

— Послушайте, я вас знаю! Вы Ника Булатова, наша газета писала о вашем кафе! — Девчонка всхлипнула. — Вы должны что-то сделать.

— Все, что я хотела бы с вами сделать, детка, моя подруга сделает гораздо лучше. — Ника покачала головой. — Вы пришли сюда, чтобы добить лежачего. А теперь почувствуете на собственной нежной шкурке, каково это, и я думаю, что будет вполне справедливо так с вами поступить.

Ника забрала лопатку и направилась к крану, попутно доставая телефон — нужно было сообщить Назарову, что его сотрудница слишком рьяно принялась выполнять свою работу. Звук новой оплеухи вызвал у Ники злорадную ухмылку.

Некоторым людям иногда нужно преподавать урок.

* * *

Машина почти полностью выгорела. Бережной молча смотрел на суету экспертов, думать о том, что кто-то находится внутри, ему не хотелось.

— Облили бензином, внутри и снаружи, и подожгли. — Эксперт чихнул, потому что запах гари очень сильный. — Андрей Михайлович, внутри два тела, пока больше ничего сказать не могу.

— Даже намека на то, кто это может быть?

— Смогли прочитать номер шасси, машина принадлежит прокурору Наталье Ивановне Скользневой, и нет причин думать, что в машине кто-то другой. — Эксперт развел руками. — Тем более что, насколько я знаю, на телефонные звонки она не отвечает и по адресу проживания отсутствует. А вот кто второй...

Бережной практически уверен, что второе тело в машине — помощник Скользневой, Вадим Труханов, но понимает, что нужно позволить экспертам делать свою работу. И тем не менее эти два тела в машине говорят о том, что кто-то поспешно обрывает ниточки, которые ведут к разгадке старого дела. Скользнева и Труханов знали, кто именно дал приказ рассматривать дело об убийстве Дарины Станишевской, опираясь только на материалы следствия, игнорируя нестыковки и упущения. Скользнева была опытным дознавателем, не могла этого не видеть, но сыграла в поддавки.

И теперь она, скорее всего, мертва, потому что вряд ли обгоревшее до костей тело в машине принадлежит кому-то другому.

— Тут вот что странно. — К Бережному подошел патологоанатом со странной фамилией Норейко, маленький толстый человек в тяжелых очках. — Оба тела попали в машину уже мертвыми, причина смерти — выстрел в голову, у обоих в затылочную часть.

— То есть их расстреляли, отвезли сюда, усадили в машину и подожгли?

— Все именно так и выглядит. И стреляли в них не

здесь, потому что при таком выстреле было бы много крови, а вокруг машины нет следов крови.

— Это большой риск — перемещать тела. Может, стреляли в них прямо в машине?

— Вряд ли. Судя по размеру отверстий, стреляли из дробовика. Никто не станет стрелять из дробовика в тесном пространстве машины, и тем более выстрелишь в одного, а второй что, так и будет сидеть, не двинется даже? Нет, их вывезли, обездвижили и расстреляли, потом привезли сюда, усадили в машину и подожгли.

— Дробовик, говоришь? Умно...

— Именно что умно, тут ведь если мы что и найдем — дробь, в смысле, то идентификации она не поддается. К сожалению, жар был сильный, и оба тела сгорели почти полностью, так что вряд ли отыщется материал для идентификации по ДНК, но я постараюсь, конечно.

— Да уж постарайтесь, Семен Львович, потому что очень нужно знать, кто сгорел в этой машине. Зачем было вывозить, поджигать? Драматизм какой-то.

— Не знаю. — Норейко развел руками. — Тут бы останки извлечь, чтоб они в пыль не рассыпались, а думать, зачем все было сделано именно так, я не хочу, это слишком мрачно, если вы понимаете, о чем я говорю. А я избегаю мрачных вещей, они меня морально травмируют.

Норейко поправил галстук и ушел, оставив Бережного наедине с его мыслями.

— Ну да — резать трупы и видеть останки людей каждый день — это не мрачно, а думать об убийце — видите ли, моральная травма для него. — Бережной хмыкнул. — Вот народ...

Генерал направился к машине. Больше ему делать здесь совершенно нечего, сейчас дело за экспертами. И пока не будет их отчетов, Бережной может заняться более полезными делами, раз уж его вытащили из постели посреди ночи.

Водитель, ожидая своего пассажира, курил около машины. Бережной бросил курить несколько лет назад, а до того курил всю жизнь, и, несмотря на то что он бросил, курить ему хотелось постоянно. И тут уж — коса на камень, Бережному было унизительно начать курить снова. Это получилось бы, что какие-то табачные палочки сильнее его.

Его водитель, зная сложные отношения Бережного с табаком, никогда не курил в присутствии начальника. Вот и сейчас прятался, присев за машиной, и курил лишь оттого, что Бережного не видит, а видит толпу экспертов и полицейское оцепление, что означает: начальство занято надолго, можно и покурить.

Бережной шел медленно, не желая обломать человеку кайф и заставить чувствовать неловкость, пусть докурит, выбросит окурок, и уж тогда можно ехать.

Навстречу Бережному двигался Дашкевич, начальник Скользневой. Не то чтоб они с Бережным не ладили, но еще в свою бытность на старом месте генерал иногда сталкивался с Дашкевичем в связи с делами, которые расследовались, и у него сложилось стойкое впечатление, что Дашкевич, хоть и дотошный, но о законе особо не радеет, его больше волнует, сможет ли он прикрыть свою задницу в случае чего.

— Здравствуйте, Андрей Михайлович.

— Здравствуйте, Василий Игоревич. — Бережной кивнул в сторону дымящейся машины. — Машина идентифицирована как принадлежащая прокурору Скользневой, в салоне останки двух тел, стреляные раны в затылочной части головы у обоих. Василий Игоревич, мне нужны все дела, к которым имела отношение Скользнева, и...

— А кто второй? — Дашкевич беспокойно выглянул через плечо Бережного, его лицо еще хранило следы подушки — явно подняли из постели совсем недавно. — Вы говорите — два тела, а второй-то кто?

— Пока не знаем. Думаем, ее помощник Труханов, мои люди не могут его найти.

— О господи! — Дашкевич запустил пальцы в волосы. — Я не могу себе представить, что могло стать причиной этого убийства. Никаких резонансных дел Наталья не вела, в последний год все ее дела были очень простыми: кражи, хулиганство. Ничего, из-за чего можно... совершить такое.

— Но все же мои люди посмотрят. И кабинет ее я велел опечатать.

— Это правильно. — Дашкевич кивнул. — Если еще что-нибудь понадобится, ваши люди получат всяческое содействие. А может... Нет, конечно, домой к ней вы уже кого-то послали.

— Дома ее нет, и нет признаков того, что она возвращалась — на пульт сигнализации не приходило сообщение о снятии квартиры с охраны. Она ушла в восемь, поставила сигнализацию, с тех пор в квартире никого не было. — Бережной посмотрел на Дашкевича в упор. — Василий Игоревич, расследованием будут заниматься мои люди, если вы не возражаете, и мне нужно, чтобы у них был доступ к ее личному делу, в ее квартиру и кабинет. И сделать это нужно тихо, понимаете? Не надо, чтобы об этом трубили в прессе, нам с вами такая реклама ни к чему.

— Конечно же, вы абсолютно правы, Андрей Михайлович, убийство прокурора — это как сигнал для преступников, что вот, дескать, как нужно... А начальство потом... Нет, к начальству нужно идти уже с чем-то, и вам, и мне. Но если ваши люди будут проводить расследование сами, то я всецело с этим согласен и окажу всяческое содействие.

Бережной не ошибся, Дашкевич и правда думал только о том, чтоб надежно прикрыть свою задницу.

14

Павел рассматривал распечатку звонков, которые выдал его поисковик.

Наталья Балицкая, бесследно исчезнувшая после суда над Викторией, все эти годы не пользовалась своим телефонным номером, а других за ней не значилось. Правда, это ничего не означало, у нее мог оказаться любой номер — ничего не стоит попросить купить карточку какого-нибудь алкоголика, которому не хватает на бутылку шмурдяка, но Павел отчего-то был уверен, что последний разговор Натальи был с человеком, чей номер Павел уже знал.

Игорь Осмеловский, драматический любовник, признанный красавец и сердцеед, любитель юных девочек.

Павел ухмыльнулся — есть вещи, которые человек даже сам о себе забыл, но в архивах хранится все. Вот запись о его семье. У красавца и сердцееда есть трое старших братьев и две сестры, живут они где-то у черта на рогах в Суходольске, и фамилия их не Осмеловские совершенно, а Степановы. И братья все рецидивисты, одна сестра тоже в тюрьме, а вторая — алкоголичка, лишенная материнских прав на всех своих шестерых детей.

— А ты, друг ситный, отлично устроился.

Его мать убирала квартиры состоятельных людей, а Игорек помогал ей, ну а лет с тринадцати уже напропалую пользовался своей внешностью, причем пользовался без разбору, и мужчины, и женщины готовы были платить смазливому подростку за самые разные услуги.

А потом Игорю выпал джекпот в лице дамы чуть за тридцать, которая оказалась актрисой и женой известного режиссера, старого и грузного, снимающего какие-то сериалы. Она и сама как-то снималась в его сериале, где и окрутила глупого старика, увела его от старой жены с обвисшими сиськами, и он выполнял все ее капризы, кроме одного: запретил сниматься, потому что оказался болезненно ревнивым.

И никуда не отпускал ее одну, но у него были съемки, а у жены скончалась мать. Вот она и приехала в Суходольск, где жил Игорь, чтобы похоронить мать и оформить наследство. В квартире старухи как раз убиралась мать Игоря, и парень помогал ей — единственный из всех детей он всегда помогал матери. Окончив школу, он просто плыл по течению, в армию его не забрали по причине заболевания почек. Воровать, как братья, он боялся — не хотел в тюрьму, зная, что его там ждет с такой внешностью, и он просто помогал матери убираться, при этом находил для себя новых клиенток и клиентов. Если уж продавать то, чем наградила природа, то за хорошие деньги и по своему выбору.

Но в тот день все в его жизни изменилось. Приезжая была так впечатлена талантами юного Игоря, что пообещала «вывести его в люди», и мать согласилась отпустить с ней сына. Из всех ее детей лишь Игорь радовал ее сердце, и она хотела ему лучшей жизни.

Игорь уехал в новую жизнь, преисполненный самых радужных ожиданий.

Правда, все вышло немного не так, как он ожидал: его любовница оказалась не готова содержать его. Она и не собиралась, сдержала свое слово буквально — попросила супруга помочь якобы дальнему родственнику, и тот не отказал, надавил на все рычаги, и парня приняли в актерскую школу. И он учился там, хоть и без особого блеска, но недостаток таланта с лихвой компенсировался внешними данными. Девчонки сохли по нему, а он сторонился их, потому что любовница оказалась ревнивой.

Впрочем, и сама учеба давалась Игорю нелегко: ему не хватало не просто таланта, как раз кое-каким талантом он обладал, недоставало образования, манер, начитанности, всего того багажа, с которым приходят в актерскую школу. До приезда в столицу он никогда не был в театре, и ему пришлось многое наверстать, но он здраво рассудил, что актерство — это лучше, чем мыть чужие квартиры, оказывать интим-услуги или воровать, он очень боялся тюрьмы. Но любовница сумела дать ему то, чего он не получил в своей прошлой жизни: она заставляла его читать, учила манерам, была строгой и требовательной, иной раз и жестокой. Игорь обижался и был готов все бросить, но потом они мирились, и любовница говорила: придет время, и ты мне еще спасибо скажешь за то, что гоняла тебя.

Перспективы у Игоря вырисовывались неплохие, его несколько раз уже приглашали на небольшие роли в кино, и он неплохо справлялся, и его планы стали вполне определенными. Театр театром, а кино — это деньги, а он думал только о том, чтобы закончить обучение и начать зарабатывать. Предложения ему поступали, но учеба и съемки плохо сочетались. Правда, учиться оставалось совсем чуть-чуть, а потом...

Он знал, что, как только получит хорошую роль, все в его жизни изменится. И прежде всего — он разорвет опостылевшие отношения со скучающей и стареющей любовницей. Конечно, будут истерика и скандал, но что ж поделаешь, шума она поднимать не станет, побоится огласки.

А его любовница становилась старше, маялась от безделья и была капризной, устраивала сцены ревности и вообще надоела Игорю, он был молод, а вокруг крутилось множество юных стройных девчонок, которые пахли молодостью, свежестью, а их звонкие голоса волновали его.

Беда стряслась уже под выпуск. Режиссер вернулся со съемок раньше, чем предполагалось, и результатом стала трагедия в шекспировском духе: в порыве гнева старик схватил пистолет, сто лет валявшийся в ящике его стола и считавшийся сломанным, и застрелил жену, а потом выстрелил себе в голову.

Игорь оказался в центре неприятного скандала, и его карьера в кино закончилась, не успев толком начаться: старого дурака уважали, и ни один режиссер не хотел снимать «неблагодарного пакостника». И его жизнь, едва обретя очертания, рухнула. Игорь не знал, что делать, потому что, несмотря на искушенность в определенном смысле, в целом он все еще оставался просто провинциальным мальчишкой, не знающим о жизни ничего, кроме самой грязной изнанки.

И все друзья и воздыхательницы враз куда-то пропали, словно и не было их.

И только Леночка Осмеловская, тоненькая и бледная инженю, оказалась рядом. Она утешала его как могла, а потом вдруг принесла приглашение на работу от Александровского драматического театра. И для него, Игоря. Только приглашение было для Игоря и Елены Осмеловских.

И, конечно же, Игорь согласился. Это было спасение, на которое он уже не надеялся. Расписавшись с Леночкой и взяв ее фамилию, он уехал в Александровск, где произвел фурор среди дам и сразу же получил роль Ромео. Он играл самого себя, но только улучшенную версию — чувства были ему не знакомы, но он умел надеть на себя любую маску, если это было зачем-то нужно, а ему было нужно стать Ромео, потому что от этого зависела его карьера, и он им стал. А потом был Дон Жуан, а потом...

Вот только Гамлета из него не вышло, эта роль требовала от актера совершенно иной эмоциональной наполненности, и такой наполненности в Игоре не было, он не понимал пьесу и роль играть не мог. Но это была ерунда — Гамлет, тем более что Леночка играла там Офелию. Они жили в квартире, которую выделил им город, квартира была небольшая, но своя.

Пока вдруг Леночка не сказала, что хочет развода, потому что любит Гамлета, трагического и непонятого Костю Рябинкина, любит и хочет быть с ним, и квартиру нужно разменять на две коммунальные.

— И вдруг она взяла и погибла. — Павел читал строчки дела. — Несчастный случай после спектакля, ударило током в гримерке, что-то там замкнуло, когда она хотела включить фен. Очень удобно, да. Тебе остались звучная фамилия, квартира, свобода и трагический флер скорбящего вдовца, выжившего Ромео, на которого барышни слетались, как мухи на варенье, чтобы утешить. Ты перешел работать в Театр молодежи, где тебя толком не знали, и преуспел. Очень удобно умирают все твои дамы, Игорек. И отчего это старый режиссер выстрелил в жену, а не в тебя? Ведь, по идее, убивают всегда и неверную жену, и любовника. И никто не усомнился, старик и правда был известен как патологический ревнивец, он и первую жену ревностью изводил, вот ты и выскочил. Но я-то знаю, что ты вполне мог сам все это устроить. Нам с тобой пора побеседовать, Ромео.

Павел рассматривал фотографии на мониторе. Вот Дарина — бесцветная, надутая, волосы подняты на макушку, тело бесполое, изогнуто самым немыслимым образом. Это какая-то тренировка, потому что для выступлений она накладывала на лицо макияж, очень яркий, жюри должно видеть и лицо гимнастки.

— Вообще не похожа ты на свою фигуристую сестру-красотку. То-то ты бесилась, девонька.

Павел увеличил фотографию Никиты. Те же черты, что и у сестры, но парень весьма симпатичный. Невысокий, поджарый, он отлично играет до сих пор, и хотя скандалы преследуют его, талант у парня есть, не отнять.

— Неужели ты спал со своей сестрой, больной ублюдок? — Павел покачал головой. — А ведь я выясню, имей в виду, и если ты к чему-то в этом деле причастен, пеняй на себя.

Фотографий Игоря Осмеловского в Интернете множество. И даже статья, где говорится, что Игорь сыграет в каком-то историческом сериале у молодого режиссера. Ну да, старые грехи забыты, и даже подтяжку сделал, стервец, чтоб выглядеть моложе.

— Тебя даже пытать не надо, просто пригрозить изрезать вывеску, и ты все мне расскажешь. Но сцену я оформлю интересно, тебе понравится.

Посмеиваясь, Павел поднялся и отправился по коридору в дальнюю комнату, где звукоизоляция полнейшая. Ему нужно приготовить ее для совершенно особого гостя.

* * *

Вика спала и не спала. Как назвать это состояние, когда тело дремлет, но голова продолжает генерировать контент, Вика не знала, да и не важно. Она слышала звуки извне, чувствовала вибрации аппаратуры, и было бы лучше, если бы ощущала запахи, но ее нос после операции был закрыт специальной повязкой.

Острая боль уже отступила, оставив после себя жуткие воспоминания, послеоперационные отеки понемногу сходили — пластический хирург, привезенный Панфиловым, потрудился над ее лицом и обещал, что оно будет как прежде и даже лучше. Вика впервые ощутила что-то вроде любопытства — интересно, что сделал с ней этот маленький проворный человек с внимательными светлыми глазами. Она ничего ему не сказала, говорил большей частью он, но с ним ей было уютнее, чем с громогласным доктором Кругловым, которого все называли Семеныч. И когда он приходил, чтобы осмотреть ее, Вика отчего-то ужасно смущалась.

Но Семенычу ее терзания были до лампочки. Он входил в палату в сопровождении свиты из ординаторов и медсестер, и от него ничего нельзя было скрыть. Он щупал, давил, стучал пальцами, осматривал, скептически оттопырив нижнюю губу, он поворачивал Вику и так, и эдак, а она думала о том, что у нее немытые волосы и руки требуют маникюра. И, конечно же, это хорошо, что Женька принес ей немыслимой красоты пижаму, но в такой изысканной штуке она, Вика, сейчас выглядит еще более неуместной.

Но большей частью Вика все-таки спала. Ей снились какие-то непонятные события, которые уже как бы произошли, но ничего такого не происходило. Снился дом и цветы, и сверчки тоже стрекотали в ее снах, стоило только задремать. Она спала, словно выполняла норму по сну, ощущала чье-то присутствие, а проснуться не было сил. Открыв глаза, она всегда видела либо Назарова, либо Алену. Иногда приходила красивая женщина с удивительным именем Ровена — ее монологи касались цветов. Она рассказывала Вике, кого и куда она пересадила и почему так сделала, предлагала меняться клубнями георгинов и спрашивала насчет тюльпанов. Вика даже что-то ей отвечала, но чаще она просто спала или делала вид, что спит — говорить было не о чем. Какие-то незнакомые люди хозяйничали в ее доме и ухаживали за огородом и цветами, и это было очень странно. В голове у Вики ситуация вообще никак не варилась, и она решила не думать о том, что происходит за пределами больницы. Ее тело восстанавливалось, но она до сих пор не решила, рада ли этому.

Она несколько раз пробовала проделать то, что проделала в полиции — оторваться от тела и взлететь, но похоже, что Семеныч крепко пришил ее душу к этому телу, и все попытки из него улизнуть не увенчались успехом.

Мысли Вики медленно ворочались в голове — она вспоминала отчего-то, как бабушка Люба привозила ей в больницу эклеры. Вика была маленькая, ей сделали операцию на сердце, но отец был на чемпионате, а близнецы только родились, и мать была ими полностью поглощена, и потому в больнице трехлетняя Вика лежала одна. А напротив лежала девочка с совершенно белыми губами. Ее мама не отходила от дочки ни на шаг, но девочка безучастно смотрела в потолок и, казалось, ничего вокруг себя не видела. И ее мама тоже ничего вокруг не видела, кроме своей дочки, просто не хотела замечать, и когда девочку увозили на перевязку, она принималась перестилать ее кровать, а все белье бросала прямо на Вику. И одеяло, и подушку — так, словно соседняя кровать была пуста.

Однажды это увидел пожилой доктор — худой, с тонким носом и внимательными глазами. И сильно разозлился на эту женщину, яростно что-то говорил ей, и она виновато смотрела на него глазами только что проснувшегося человека. А вечером приехала бабушка Люба и привезла Вике эклеры, от одного вида которых Вику затошнило.

Та давняя история, пережитые тогда страх, и боль, и одиночество — оказывается, все это оставалось с ней и снова всплыло. И хотя никто не бросает на нее подушки и одеяла, и хотя Женька приходит каждый день, и не только Женька, — она пленница в этой больнице, в этом теле, на этой планете. И никуда не уйти, и уйти некуда.

— Эй!

Вика открыла глаза. У ее кровати стоял Павел, и Вика сжалась — этот человек отчего-то пугал ее. Слишком внимательно смотрят его карие глаза. Совсем не такие, как у Женьки. Холодные, изучающие, и человек этот приходит отчего-то в самые трудные часы, когда жаркая тьма наваливается со всех сторон. И хотя Вика немного боится его, но всегда ждет, потому что ночью приходят боль и страшные сны, и ей не хочется быть одной.

Вика смотрит на вошедшего и думает о том, что малина, наверное, вся осыпалась. Хоть Ника и говорит, что собирали ее, а толку... Нет, все-таки осыпалась. А даже если и не осыпалась, они варят из нее тысячу раз никому не нужное варенье, а наливку из варенья не сделаешь.

«Ничего, пойдут сливы, сделаю сливовую. — Вика думает о предстоящих хозяйственных хлопотах как о чем-то обычном. — И надо бы кур завести, что ли».

Вика не смотрит на Павла, его взгляд смущает ее.

— Я знаю, о чем ты думаешь, Лунная Девочка.

Он отчего-то так ее называет, и прозвище вроде бы не обидное, но у него звучит с оттенком насмешки. А Вика умеет услышать насмешку, она все умеет слышать.

— Не знаешь.

— Знаю. — Павел ухмыльнулся. — Ты думаешь о том, что у тебя немытая голова и ногти в заусеницах. И о том, что вот хорошо бы уйти отсюда, хлопнув дверью. И чтоб тебя все оставили в покое. А еще ты думаешь о своих цветах, причем думаешь гораздо больше, чем о своем плачевном положении. И когда ты отсюда выйдешь, я подарю тебе кота.

— Нет, я...

— Такая утонченная натура, как ты, должна любить котов. — Павел подмигнул. — Кот тебя удержит на планете куда лучше, чем цветы. Ну что, угадал?

— Пальцем в небо.

— Это неспортивно. — Павел добродушно улыбнулся. — Угадал ведь.

— Не все.

— Ну что ж, что не все. — Павел рассматривает Вику, словно впервые видит. — У меня есть к тебе очень личный вопрос. Вернее, у меня целый ворох личных вопросов, но этот самый животрепещущий. Скажи на милость, как ты могла связаться с Осмеловским? Ведь ничтожный мужик, только и радости, что смазливая морда, но внутри он пустой, как кувшин в Помпеях. Как вышло, что вы с ним оказались любовниками? Это после Назарова-то!

— Назаров тоже монахом не жил, женился на этой тощей наркоманке. — Вика сердито прищурилась. — Так я что, должна была до старости по нему слезы лить, завернувшись во власяницу? Только и работы мне было — рассматривать его фотки то с брачной церемонии, то с медового месяца, то еще откуда-то!

— Огрызается еще! — Павел рассмеялся. — Полуживая валяется — и огрызается! Ну-ну... Но все-таки — почему Осмеловский?

— А почему нет? — Вика презрительно поморщилась. — Один из ведущих актеров, красавец, весьма неглуп в своем роде, и актер хоть и не гениальный, но трудолюбивый и способный.

— А самое главное, им очень просто было манипулировать, — добавил Павел. — Ты использовала его, не столько для того, чтоб утереть нос Назарову, сколько для того, чтобы позлить свою младшую сестру, а может, и не только ее. Ну и смотрелись вы вместе отлично, я признаю. Но зачем нужно было переоформлять на него собственность? Оформила бы на Алену.

— Алена не хотела, ей и деревенского дома за глаза хватило. Они тогда только начали бизнес, взяли кредит, Алена боялась, что если дело вдруг не пойдет, банк оттягает квартиру за ее долги, а она себе этого никогда бы не смогла простить. И даже дом — это только мы говорим, что он был на Алену переоформлен, а на самом деле на ее мать, тетю Лиду. Просто чужим этого знать не надо было. — Вика вздохнула. — Я же, когда поняла, куда оно все клонится, не хотела оставлять ничего, что могли бы отсудить мои родители. А теперь оно уже и не нужно — все это. Что я стану делать со своей городской квартирой? Жить в ней уже никак.

— Он убил свою жену, и бывшую любовницу, и ее мужа. — Павел прошелся по палате, выглянул в окно. — Сам мне рассказывал, размазывая сопли.

— Да? Ну, он мог, конечно, если речь шла о деньгах или карьере. — Вика нажала на кнопку, и кровать приподняла ее в полусидячее положение. — Но мне плевать, честно. Ты собираешься на него заявить?

— Нет, — Павел снова уселся на стул. — Много времени прошло, доказательств нет. Я могу его заставить пойти и явку с повинной написать, но не стану. Обе тетки, по сути, тоже его в полный рост использовали, особо не стесняясь, а в таком деле кто в пищевой цепочке выше, тот и прав. К тому же эти убийства меня не касаются. Ну, убил и убил, так уж получилось. Я философски отношусь к подобным вещам, и справедливость меня тревожит только в случаях, когда я ощущаю необходимость ее восстановить, так что деяния этого парня в отношении его бывших любовниц — только его проблема, ему же с этим жить и умирать.

— Я тоже была его любовницей.

— И если бы он убил тебя — ну, убил, что ж. — Павел скорчил глумливую гримасу. — Но он сделал нечто худшее, он помог тебя подставить, а потом пиарился на этом, получил массу рекламы и прочих ништяков, не говоря уже об имуществе. А это уже затрагивает мое понимание справедливости.

— Тогда зачем ты мне это рассказываешь?

— Я для того тебе это рассказываю, чтобы ты понимала: не все, что я узнаю, я предаю огласке. Многое из того, что становится мне известно, я вообще нигде не свечу, а просто использую как некую иллюстрацию для понимания того или иного гражданина. Вопрос второй: ты ушла из дома, после того как узнала, что у твоих брата и сестры были отношения совершенно не братские? Да или нет?

— Это совершенно не твое дело!

— Считай, что теперь мое. Так как?

— Никак.

— Я так и думал. — Павел вздохнул. — Тогда я расскажу тебе, как я это вижу — на основании фактов и фактиков, которые стали мне известны. Итак: когда тебе было восемнадцать, ты вдруг узнала, что твои брат и сестра спят вместе, и не просто спят. Возможно, ты это случайно увидела. И хуже всего, что родители об этом знали давно, не знала только ты. Думаю, ты попыталась поговорить с родителями, а они отморозились и сделали еще тебя виноватой, да? Ну, я же вижу, что так оно и есть. И ты никому ничего не рассказала, просто уехала в Привольное к бабушке и оттуда каталась в институт и обратно — благо есть прямой автобус и хороший график движения. Твоя карьера на местном телевидении пошла в гору, и в двадцать лет ты получила шанс — собственную программу. А через год рассталась с Назаровым. Он уехал, а за тобой начал ухаживать Осмеловский. Ты как раз была в том возрасте, что ему нравится. И ты решилась — да черт с ним, утру нос Назарову. Но ты не ожидала, что на Осмеловского имели виды и другие дамы, в том числе и твоя сестра. Она, похоже, просто всегда хотела то, что есть у тебя. Ты знаешь, что она и к Назарову подкатывала?

— Даже если так, вряд ли ей что-то там обломилось.

— Да, ничего не обломилось. — Павел пожал плечами. — Но сдается мне, что ты этого не знала. Что ж, проехали. Просто объясни мне, почему ты не наняла нормального адвоката?

— Я сначала поверить не могла, что все это происходит со мной, ведь я была невиновна, и следователь говорил: вы не беспокойтесь, я во всем разберусь. И мне казалось, что вот-вот прояснится дело, придут результаты экспертиз, но результаты пришли, а я... В общем, когда я поняла, что происходит, все уже было решено. Если бы еще не эта ужасная волна клеветы в Интернете! Я читала, что пишут обо мне все эти люди, и фотографии свои отфотошопленные видела, они словно соревновались, кто придумает более злую шутку обо мне. Казалось, тысячи людей швыряют в меня камни, и самое главное — я никак не могла защититься, даже опровергнуть не могла, потому что... Ну, что я могла опровергнуть, если там откровенную ложь писали! И граждане с гыгыканьем ее подхватывали... В общем, я не знала, что мне делать. А потом меня арестовали. Адвокат обещал, что меня освободят вот-вот, что он направил ходатайство, и прочее — но меня не выпустили. Алена привезла мне кое-что из одежды и средств гигиены, но это в целом оказалось страшнее, чем я могла себе представить. Эта жуткая вонь в камере, эти женщины... А где-то там продолжалась пляска на моих костях. В день суда у здания собрались люди с плакатами — портреты Дарины, надписи «Убийце — пожизненное!», «Гори в аду!» и прочее. А я все надеялась, что вот сейчас в суде все выяснится. И тут адвокат мне вдруг говорит: нужно признавать вину, уже все договорено, тебе дадут семь лет, отсидишь три на зоне рядом с Александровском, это практически поселение, три года выдержать можно, а потом выйдешь и будешь жить как жила. А иначе загремишь на все пятнадцать. Он до последнего обещал, что уж на суде-то всем покажет кузькину мать, обратит внимание судьи и присяжных на нарушения, и вдруг в последний момент говорит: признавай вину. И я поняла, что они между собой обо всем договорились, что никто не искал никого другого, потому что — вот она я, отпечатки на ноже мои, на моей одежде кровь, а Наталья показала, что мы ссорились накануне. Я тогда была наивной идиоткой, понимаешь? А в колонии мне потом люди объяснили, что и как было сделано, да только поздно было что-то менять, я уже сидела.

— Наталья на суде говорила, что присутствовала при вашей ссоре накануне убийства. Вы с Дариной и правда поссорились?

— Да. — Вика вздохнула. — Я зашла к Игорю перед спектаклем, и вдруг заходит Дарина. Я была в шоке, они даже знакомы не были, и тут она завалилась к нему в гримерку. Игоря не было, что-то там не состыковалось с костюмом, он побежал в костюмерную, а Дарина тут как тут — глазками хлопает: ой, я решила зайти пожелать ни пуха ни пера, ты ведь познакомишь нас?

— Как так вышло, что они не были знакомы?

— А с чего им быть знакомыми? Видишь ли, я оборвала связь с семьей и не хотела никого из них видеть. Естественно, у нас был разный круг общения. И хотя Дарина иногда приезжала ко мне на студию, пыталась что-то объяснять... Но мне ничего не нужно было объяснять, я просто не хотела иметь ничего общего с этой грязью, и, самое главное, я впервые в жизни была счастлива, и это потому, что я была **без них**! Я всю жизнь переживала, что так их подвела тем, что не могла заниматься спортом, что не могла им всем соответствовать, что я для них обуза, старалась достигать чего-то, чтобы добиться их одобрения, — и вдруг оказалось, что никакие они не идеальные, а просто покрывают грязную тайну. В общем, я не хотела больше ничего общего с ними иметь, понимаешь? И в тот день была последняя капля, Дарина явилась на работу к моему парню! Тут не в ревности было дело, а в том, что она снова влезла в мое личное пространство. И пока мы грызлись, пришла Наталья с костюмом Игоря. А я Дарину толкнула, и она прямо на Наталью налетела.

— Вы раньше были знакомы с Натальей Балицкой?

— Мы учились с ней в одном классе. — Вика покачала головой. — Она была такая, знаете... Серенькая, во всем. Маленького ростика, щекастенькая, катастрофически курносая, коротконогая, у нее кличка была — Фунтик, что-то было поросячье в ней, конечно. А после восьмого класса она бросила школу, что-то там в их семье было неладно, и больше я с ней не встречалась — до того самого вечера, когда она вошла в гримерку Игоря с этим расшитым бархатным костюмом. И как раз попала на скандал.

— Но вы не ссорились с Натальей?

— Нет, с чего бы? Я тогда впервые увидела ее после того, как она бросила школу.

– Тогда почему она утопила тебя, заявив на суде, что у Дарины и Осмеловского была связь и вы в тот день ссорились из-за этого?

— Я не знаю. — Вика подняла взгляд на Павла. — Я правда не знаю, но она солгала. Она стояла там и лгала, я просто ушам своим не верила!

— Ладно.

Павел поднялся и вышел.

— Надо же, по-английски — не прощаясь. — Вика нажала на кнопку, и кровать снова приняла горизонтальное положение. — Странный тип.

Вдруг в дверь палаты въехало кресло на колесах, за ним показался Павел.

— Садись, Лунная Девочка.

— Ты решил меня похитить?

— Я бы с радостью, но у меня есть жена, и если она об этом узнает, то просто убьет меня, и твоим цветам тоже не поздоровится. Хотя нет, цветы она не тронет, это для нее любимый фетиш, но дом она твой точно спалит дотла, так что предлагаю остаться друзьями.

Павел смеялся, и Вике тоже стало смешно, а еще очень быстро он изменился, вот только что сидел Великий Инквизитор, сверлил ее взглядом, а тут уже просто парень с соседнего двора, с которым сто лет знакомы. Но его жена...

— Так твоя жена — Ровена?!

— Ну да. — Павел ухмыльнулся. — Так что сейчас мы просто поедем мыть голову, захвати банные принадлежности, я нашел работающий душ, и медсестра тебя уже ждет там.

Вика вдруг заплакала. Слезы текли и текли, затекали под повязку, она понимала, что выглядит сейчас по-дурацки, и вообще все унизительно, но не может остановиться. Потому что она ожидала чего угодно, только не этого.

А Павел молча ждал, и это благо. Может быть, вначале и было слово, но с тех пор их сказано столько, что лучше бы оно так и оставалось только у бога.

15

— Ситуация на сегодняшний день такова. — Павел решил, что ему нужно первым начать разговор и выложить все факты, которые он успел выяснить. Ну, почти все. — Зайковский утверждал, что увидел Викторию на мойке машин, проследил за ней и сделал несколько фотографий. Это был убойный материал, и он знал, что если Назаров откажется его публиковать, то интернет-издания с руками оторвут. Назаров говорит: Зайковский клялся, что материал никто не видел.

— Значит, кто-то все-таки видел, — Реутов чувствовал себя неуютно рядом с Олешко, и его это раздражало. — И мы это уже знаем.

— Ага. — Павел ухмыльнулся. — Только того не знаете, что новость о задержании Виктории выбросила в Интернет некая Татьяна Мисина, внештатная сотрудница газеты «Суббота», студентка журфака. А вчера вечером она проникла на территорию домовладения Виктории и делала там фотографии, а также пыталась опрашивать соседей. На вопрос, откуда она узнала о том, что в этом доме живет Виктория Станишевская, она показала, что слил ей информацию бойфренд-полицейский, который сидит сейчас в СИЗО. А она решила опередить коллег и половить рыбку в мутной воде.

— Ну, как ты это узнал, я не спрашиваю, но раз говоришь, просто поверю тебе на слово. Я другому удивляюсь: как до сих пор журналисты не ринулись раскручивать эту тему? — Виктор покосился на Олешко и подумал о том, что не худо бы как-нибудь выпить с ним пива. — Ну, допустим, «Суббота» молчит, потому что там Назаров. А «Верже»? А «Панорама»? А интернет-газета «Забор» и ресурсы поменьше? Все словно воды в рот набрали.

— Да, это странно. — Бережной дочитал отчет Реутова. — Скажите мне, что по старому делу? Вы нашли Наталью Балицкую?

— Нет. — Реутов покачал головой. — По прежнему адресу она не живет, и такое ощущение, что в городе ее тоже нет. В последний раз Балицкую видели в зале суда, и свою квартиру она оставила буквально через неделю — но я думаю, что раньше, просто через неделю ее хватилась хозяйка квартиры. Хозяйка сказала, что даже вещи оставила, и с тех пор ни слуху ни духу.

— А ведь именно на показаниях Балицкой обвинение строилось. Она якобы знала о связи Дарины и Осмеловского и видела, как Виктория и Дарина ссорились накануне.

— Но у Дарины с Осмеловским связи не было. — Павел потер подбородок и нахмурился. — Я спросил у Виктории в тот день, когда ее привезли из операционной. Она не могла мне солгать в таком состоянии. Она отлично знала, что у Дарины не было ни любовной, ни иной какой-либо связи с Осмеловским, но с кем-то — была, и тогда Вика не захотела мне этого сказать. Солгать не смогла, а сказать не захотела. Но я поговорил по душам с Осмеловским. Актеришка рыдал и клялся, что ничего у него с Дариной не было, он вообще не был с ней знаком, как и с остальным семейством Станишевских, просто когда началась шумиха, воспользовался ситуацией ради пиара, и все, что он говорил журналистам, было ложью. Но у меня есть информация из двух разных источников, которая подтверждена самой Викторией. У Дарины была связь с Никитой.

— Что?!

— Таким хором за столом бы песни петь. — Павел ухмыльнулся. — Но тем не менее информация достоверная: брат и сестра были любовниками, причем с раннего подросткового возраста. Но самое отвратительное то, что родители об этом знали, но ничего не предпринимали. И когда Виктория поняла, что происходит, и попыталась поговорить с родителями, они обвинили старшую дочь в том, что она может погубить всю семью и что она всегда была лишней, и Виктория просто съехала к бабушке в Привольное.

— Господи!

Бережной многое повидал, иногда ему казалось, что он уже видел все, но жизнь преподносит очередной сюрприз, да еще такой, который ей лучше было бы оставить при себе.

— Гадость какая! — Реутов брезгливо поморщился. — Просто поверить не могу! И родители знали?!

— Думаю, их интересовали только спортивные результаты, а что там происходит за закрытой дверью детской комнаты, было для них не важно, главное — чтобы никто чужой не узнал. А тут Вика в ужасе, и есть нехилая опасность, что она проговорится. — Павел вспомнил растерянные глаза Вики, даже через годы она недоумевала, как так могло выйти. — И накануне убийства Виктория действительно поссорилась с сестрой — та заявилась в гримуборную к Осмеловскому и как ни в чем не бывало предложила Виктории познакомить ее с актером. И Вика не сдержалась, и хотя дело было совсем не в ревности, но Дарину она толкнула, эту ссору и видела Балицкая. Кстати, она с Викторией какое-то время училась в одном классе — то есть они были знакомы лично. Я выяснил, что как раз тогда у Балицкой умерла мать и ее взяла к себе дальняя родственница, но скоро умерла и она, а ее дети просто выставили Наталью на улицу. Одна из соседок пожалела сироту и пустила жить в свою времянку, пристроила в театр, Наталья работала сначала помощницей костюмера, потом доросла и до костюмера.

— Вот как. — Бережной кивнул. — Но на суде она лгала.

— Да, лгала. — Павел бесстрастно смотрел на полицейских. — И нужно узнать почему. Тем более что последний разговор, зафиксированный на ее телефоне, был с Осмеловским, через два дня после суда над Викторией. Но он клянется, что не видел Наталью — дескать, пришел в условленное место, прождал ее час и ушел, она так и не появилась.

— Как тебе вообще удалось его разговорить? — Реутов с уважением взглянул на Павла. — Нам он сразу заявил: ничего не знаю, и вообще дело давнее, а у него, дескать, память так устроена, что он только роли свои помнит. Как же ты добился откровенного разговора?

— Поверь, ты не хочешь этого знать. Мне-то он рассказал даже, с какого возраста мастурбировать начал. Я умею располагать к себе людей, видимо. — Павел зло засмеялся. — Нет, господа офицеры, Игорь Осмеловский жив, цел и почти здоров. И он рассказал, что Балицкая в тот день попросила его о встрече. Якобы хотела рассказать что-то очень важное, и он поехал в условленное место и прождал ее зря. Мое мнение — Балицкую убрали. Кто-то сыграл втемную и Осмеловского, и Балицкую, и полицию вкупе с судом. Кто-то, кто не осмелился убить Викторию — возможно, потому, что убивать не было привычки. Зато потом эта привычка появилась.

— То есть ты думаешь, что Дарину тогда убили непредумышленно?

— Денис, ты знаешь, что так иногда бывает. В пылу ссоры случается всякое. Но последующие убийства — это уже чистый расчет.

— Думаешь, все-таки Балицкая мертва?

— Уверен. — Павел кивнул. — Она исчезла в тот день, когда договорилась о встрече с Осмеловским, и больше ее не видели. Пропали чемодан и кое-какая одежда, потому хозяйка не заявила сразу о пропаже Балицкой, она решила, что девушка просто уехала, тем более что накануне Балицкая говорила, что собирается взять отпуск и поехать на острова. Ну а когда не вернулась в срок, примерно положенный для отпуска, хозяйка подождала еще недельку, а потом попыталась заявить в полицию о пропаже, но у нее не приняли заявление, потому что она не родственница. И тогда хозяйка собрала вещи квартирантки, с тех пор хранит их в своем сарае — вдруг Наталья все-таки объявится. И я точно знаю, что она лгала на суде не по наущению Осмеловского, он и сам был удивлен. Но кто-то ее заставил лгать, а после она была опасна живая. И хотя последний разговор с ее номера был с Осмеловским, когда она ему назначила встречу, но кто-то, видимо, перехватил ее по дороге.

— А пропажа чемодана и вещей?

— Она жила во времянке в частном секторе, долго ли пробраться туда и взять кое-что? Хозяйка-то не знает, пропал чемодан позже или Балицкая унесла его с собой, она ее отсутствие вообще только где-то через пару дней заметила. — Павел наморщил лоб, обдумывая сказанное еще раз. — Все случилось в достаточно короткий отрезок времени. Вот суд прошел, пару дней она думала, что делать, и поняла, что она нежелательный свидетель и нуждается в совете и помощи. Друзей у нее не было, мать умерла, и оставался Осмеловский, ее идол. Она попросила его о встрече, хотела все ему рассказать: почему она сделала то, что сделала. И он согласился поговорить, причем встречу они назначили не завтра или через неделю, а через час, он отложил все дела и приехал в условленное место, но Балицкая не пришла. Телефон ее был отключен. Так что — да, я думаю, ее убили.

— С чего ты решил, что она была влюблена в Осмеловского?

— Дэн, поскольку квартирная хозяйка до сих пор хранит ее вещи, то она мне позволила осмотреть их. Ничего существенного, кроме, пожалуй, множества фотографий Осмеловского, на некоторых дарственная надпись. Он же говорит, что просто иногда делал ей комплименты — из жалости, ведь даже некрасивая женщина хочет чувствовать себя женщиной, а Наталья, видимо, решила, что у нее есть шанс. И, конечно, она ненавидела Викторию, потому, скорее всего, и согласилась лжесвидетельствовать.

— Все это выглядит как грандиозная афера. — Реутов злился. — Мы бродим по кругу, и ничего нового не узнали.

— Назаров говорил, что к нему приходил Станишевский-старший, просил не трепать их семью. — Виктор задумался, ему казалось, они упускают нечто, что лежит буквально на поверхности, но мысль ухватить не мог. — Он Викторию уже осудил и хотел бы расстрелять. Теперь-то я понимаю почему — она знает их маленькую грязную тайну, и Станишевские до смерти боятся, что правда об инцесте всплывет. А сама Виктория даже если что-то знает, то нам не скажет. Думаю, она или кого-то покрывает, или кого-то очень боится. И в этой истории есть только один человек, которого стоит бояться — Коля-Паук.

— Но прижать мы его не можем, а догадки к делу не пришьешь. — Олешко задумался. — Я тут полюбопытствовал, посмотрел информацию о колонии, где сидела Виктория. За тот период, пока она там сидела. Странная картина получается, господа офицеры. Насколько я знаю, колония очень жестокое место. В личном деле Виктории есть отметки о нескольких избиениях, она даже лежала в местном лазарете после них, но с какого-то момента как отрезало. Но за время ее пребывания участились смертные случаи в колонии, при этом заключенные погибали в драках, убийства были раскрыты, а виновные получили сроки, с Викторией это, кажется, не связано вообще, но с тех пор как она вышла на свободу, статистика снова пришла в норму. Дело в том, что я за эту неделю очень многое узнал о Виктории Станишевской.

— А именно?

— Андрей Михайлович, тут по пунктам надо. — Павел покачал головой. — Не выйдет с наскока, но извольте. Я побывал у нее дома. Там, по-моему, ничего не менялось года эдак с тридцатого — ну, разве что старенький холодильник стоит и проведен Интернет. Ноутбук Виктории запаролен, там встроен код, взломать который я не смог. А это уже о многом говорит. На веранде стопка журналов с кроссвордами, многие очень сложные, некоторые я вообще не представляю, как можно решить, но все до единого решены полностью и верно. Клетки заполнены аккуратными буквами, одной и той же ручкой. В доме идеальный порядок, как и в летней кухне, на чердаке и в постройках. И ничего настолько личного, чтобы вообще можно было бы судить о Виктории как о человеке. Но это все есть, просто спрятано, и тайника я не нашел, хотя уверен, что тайник в доме. Повторюсь: **я не нашел тайник**. Вы это понимаете?

— Она умнее, чем мы думали.

— Она кто угодно, только не жертва. — Денис задумчиво крутил шариковую ручку. — Она слишком умна, чтобы стать жертвой, она бы сама все обвинение на уши поставила, если бы захотела, но она сидела и молчала. Почему? Кого она покрывала? Кто ее сумел напугать и чем, если она сознательно позволила кучке негодяев разрушить ее жизнь и отобрать у нее все?

Павел покачал головой.

— В том-то и дело, что я говорю вам о ней — какая она сейчас. Но тогда — это был совсем другой человек, ребята. Она была вполне зубастая барышня, но когда все это случилось, оказалась одна посреди большой беды, она была деморализована и растеряна: ее обвинили в убийстве сестры. И вроде бы улик маловато, и следователь уважительно с ней обращается и обещает разобраться, и адвокат говорит — да все фигня, это не улики. Но тут в игру вступает некто третий. Думаю, это именно тот человек, который убил Дарину и Наталью Балицкую.

— Павел, я все-таки не стал бы утверждать так уверенно о смерти Балицкой. — Бережной задумчиво потер подбородок. — Тело не найдено.

— Думаю, и не найдется. Сразу никто не хватился, искать не стали, а теперь разве что убийца сам скажет, куда подевал останки. — Павел понимал, что полицейским надо придерживаться процедуры, но он свои выводы уже сделал. — Давайте для удобства версии примем пока мою точку зрения. Так вот о чем я говорю, господа офицеры. Некто третий уговорил Балицкую лжесвидетельствовать — причем Викторию ей было не жаль, она бывшую одноклассницу, скорее всего, ненавидела из-за Осмеловского. Но этот некто шагнул дальше: разгоняется информационная война. Это Назаров обратил мое внимание на то, что в какой-то момент общественное мнение резко переменилось, и причиной этому стали довольно едкие публикации в сети Интернет — сначала все это выглядело как безобидный троллинг, но очень быстро волна поднялась и обрушилась на голову Виктории. И Назаров отследил источник этой волны, разгонять ее начал блогер с ником Морган. Его публикации буквально разбирали на цитаты, и вот уже Виктория — враг номер один, и около суда начинают собираться полоумные фрики с портретами убиенной Дарины и скандировать: смерть убийце!

— Паш, да что такое Интернет! Не смеши! — Виктор иронично вскинул брови. — Кучка подростков идиотничает.

— Ошибка, которую делают многие люди нашего возраста, мы живем в реальном мире и не понимаем того, что рядом с нами огромный виртуальный мир. И многие люди живут в двух измерениях. Ты знаешь, что такое информационная война? А вот доктор Геббельс знал, и он сейчас смотрит на наш Интернет и от тоски грызет кромку котла, представляя, что бы он сделал, будь у него такой ресурс. А ведь это он изобрел принцип: взять ложку правды, смешать с бочкой лжи — и люди поверят. Информационные войны ведутся постоянно. Вот вам нужно что-то скверное оправдать — например, вы хотите истребить всех голубей. Если вы с ходу станете ходить и убивать их, граждане примутся возмущаться и, скорее всего, сдадут вас в полицию, а то и просто морду набьют. Но если, например, создать несколько сотен аккаунтов в Интернете и на разных интернет-форумах, в социальных сетях, на новостных ресурсах каждый день размещать информацию, согласно которой голуби — распространители инфекций, голуби — убийцы более мелких птиц, например, снегирей, голуби — агенты Госдепа, голуби убили младенца, голуби попали в двигатель самолета, и он потерпел крушение, — то очень скоро граждане толпами побегут убивать голубей, потому что никто не станет проверять правдивость информации. И тех одиночек, которые будут говорить им: ребята, это неправда, голуби не поступают так, это не в их повадках, голуби — городские попрошайки, а снегири не живут в городах, и голуби не летают так высоко, чтобы попасть в двигатель самолета, — так вот горстку этих граждан сначала обсмеют как дураков и невежд, ведь полно информации о преступной сущности голубей, **это же все знают!** А потом вообще объявят врагами и сдадут в полицию, а то и побьют. Понимаете, как это работает? И чем более скверное дело замышляется, тем длительнее информационная война, которая как раз и опасна тем, что ведется словно исподволь, но капля точит камень, и манипулировать людьми стало очень легко. Ну а тут все было проще: за считаные недели волна ненависти накрыла Викторию и утопила ее. И Назаров отследил того, кто это начал, а я вычислил все его аккаунты в Интернете. Некто Морган, который зарегистрировал сто сорок семь аккаунтов в разных соцсетях и на форумах. И этот Морган — Дмитрий Зайковский, ребята.

— Ну и дела! — Реутов думал, что после сообщения Павла об инцесте его уже ничто не удивит. — Ты это установил совершенно точно?

— Абсолютно точно, клянусь здоровьем своего кота. И, возвращаясь к теме нашего разговора: мы имеем дело с различными гранями личности. Той Виктории Станишевской, которая сидела в зале суда, больше нет и никогда не будет. Она умерла, исчезла. Тюрьма вылепила совершенно новую личность — и эта личность вполне могла убить и Дарину, и Зайковского, и кого угодно. И до сих пор может, я думаю, — такое не проходит бесследно. Но она этого не делала.

— Думаешь, она знала о Зайковском?

— Вить, я не знаю. Но вот что странно: вы видели квартиру Зайковского. Это реально дыра, но в баре у него стоял дорогой коньяк, его ноутбук и телефон были украшены яблоком, и всему этому добру четыре года.

— Остатки роскоши?

— Да, так и есть. Четыре года назад у него были деньги на дорогие гаджеты, на элитную выпивку и на хорошую обувь — ну, вы видели обувь в коридоре, тоже не новая, но дорогая, а в шкафу стоят две коробки с совершенно не ношенными туфлями брендовых марок. То есть ему упал хороший куш, так что не только у Виктории был мотив убить Зайковского.

— Тогда почему убили Балицкую — если убили, а Зайковский все эти годы оставался жив? — Реутов постучал по столу пальцами. — Нет, не складывается.

— Возможно, Зайковский не знал нанимателя, такие вещи часто делаются через Интернет. Где-то, скорее всего, есть еще почтовый ящик, который содержит всю его переписку с заказчиком, нужно найти. А тут Вика вышла на свободу, и некто решил устроить ей веселые деньки и слил ее Зайковскому, а тот поиздержался за три года, а может, вычислил заказчика. Ну, заказчик и решил избавиться от ненужного свидетеля, который, возможно, пытался его шантажировать. И это уже преднамеренное убийство, убийца даже нож нашел почти такой, каким убили Дарину.

Бережной понимал, что Павел, возможно, прав — но беда в том, что к делу его умозаключения не пришьешь. Осмеловский на официальном допросе уйдет в отказ, а больше живых свидетелей нет.

— Нужно пригласить Станишевских и поговорить с ними. И с Никитой тоже. Пора официально возобновлять расследование по вновь открывшимся обстоятельствам. — Бережной решился. — Пусть дадут показания. Кстати, а откуда стало известно, что Дарина и Никита пребывали в сексуальной связи?

— К Назарову приходила Ирина Ладыжникова. — Павел развел руками. — Извините, господа, но полиции он не слишком доверяет после случившегося. Ирина сообщила, что видела и слышала нечто, не оставляющее сомнений в факте инцеста.

— Что именно?

— А это вам самим придется выяснить, Денис. — Павел засмеялся. — Нет, я могу, разумеется, добыть показания, но официально это не будет иметь никакого значения, а вам нужны именно официальные заявления, которые и для суда годятся, если что.

Бережной сокрушенно покачал головой — дочь Ладыжникова... Вонь поднимется до небес.

— Ладно, сделаем. — Бережной открыл папку, лежащую поверх бумаг. — Теперь что касается Скользневой, господа офицеры. Официальную проверку мы инициировали в тот день, когда убили прокурора Скользневу, и на сегодняшний день я уже получил информацию по ее счетам и контактам.

— Быстро как, Андрей Михайлович, обычно нас мурыжат неделями. — Виктор удивленно округлил глаза. — Тут прошло всего ничего.

— Нас и сейчас будут мурыжить, но дело в том, что я в самом начале нашего расследования попросил одного своего знакомого хакера покопаться в финансовых делах Скользневой. Это было незаконно, да только законным путем я бы эту информацию тогда получил через год, а сейчас мы ее уже получили. Кто же знал, что Скользневу убьют и у нас появится доступ. Тем более что ни в ее кабинете, ни в квартире ничего необычного найдено не было, жила она вроде бы по средствам, но вот на ее матери числится счет с достаточно крупной суммой денег, особенно же крупные поступления были во время процесса над Викторией Станишевской. А мама у нее — пенсионерка, кстати. Так же в собственности матери Скользневой есть новый двухэтажный дом с бассейном и зимним садом, находится дом в поселке Солнечном, и внедорожник тоже имеется, кстати, совсем новый. На зарплату прокурора это не купишь, а тем более на пенсию мамы-учительницы.

— Источник денег известен? — Павел заинтересованно заглянул в папку. — Прислали информацию вам по электронной почте, я смотрю...

— Да, источник денег известен, некая фирма с конечным бенефициаром в офшорной зоне, но мой человек фирму отследил, юридическое лицо в офшоре зарегистрировано в Никосии на Николая Ладыжникова.

— Сюрприз-сюрприз. — Павел сухо хохотнул. — Круг замкнулся, похоже, вот только непонятно, чем так помешала Виктория нашему меценату Коле-Пауку.

16

Ника торопилась — сегодня Виктории должны снять повязки и швы, и, возможно, Семеныч скажет, когда отпустит ее домой. Они ехали к ней втроем, чтобы просто поддержать. Вика просила, чтобы не приезжал Назаров, Алена же не знала, сможет ли вырваться с работы, у нее — наплыв гостей, но насчет них разговора не было, и они втроем решили, что Вика не останется наедине с собой в день, когда ей выдадут зеркало.

Ника знала, что полиция официально возобновила расследование убийства Дарины, но о подробностях

Павел молчит, и даже Ровена не смогла его толком разговорить.

— В огороде сегодня трудятся дети. — Ника вела машину через плотину, поминутно чертыхаясь. — Я велела Мареку собрать огурцы, они созревают очень быстро. Их так много, хоть торгуй ими. Алена говорила, что Вика солит их в бочках, я в погребе бочонок нашла — боже, это не огурцы, а песня, ничего вкуснее не пробовала. Как она их солит, неизвестно, Алена говорит, это бабка Назарова ей свои секреты передала. И что рецепт она никому не давала, а Вике перед смертью оставила и тоже не велела ни с кем этим рецептом делиться, только с родней.

— А Вика что, Назарову родня? — Валерия с опаской покосилась на внедорожник, слишком близко притершийся к их машине. — Они же... это...

— Любовники, ага. — Ника рассмеялась. — Лерка, скажи три раза слово «секс».

— Бабка Ткачева говорит, что в их селе все друг другу родня, куда ни копни, где-то пересекаются родственные линии, так что ж теперь, и детей не рожать? — Ровена вздохнула, у нее были сложные отношения с родственниками. — Мать бабки Варвары Назаровой и мать бабушки нашей Вики были троюродными сестрами.

— Ну, это и правда очень отдаленное родство. — Валерия подумала о своих детях и расстроилась. — Я вот о чем думаю, девочки. Дарина спала с собственным братом... Они же близнецы, понятное дело, что и комната была общая, а может, и кровать... до какого-то возраста. Как это могло произойти? Что их толкнуло на такое, почему родители закрывали на это глаза?

— На самом деле, Лерка, ты думаешь сейчас не о Станишевских, а о своих близнецах. — Ровена покосилась на подругу. — Ты думаешь о том, что Максим и Ника, возможно...

— Нет!

— Врать-то не надо. — Ровена фыркнула. — Мы же не дуры. Понятно, что когда слышишь о подобных вещах, то всегда примеряешь на себя. Но дело в том, что ответ здесь на поверхности. Эти дети были эмоционально обделенными. Родители ими занимались весьма своеобразно: развивали лишь их спортивные данные, больше их ничто в детях не интересовало. Когда мой Тимка был маленький, я таскала его на руках, целовала его, пела песни, мы с ним делали вместе множество дел, разговаривали постоянно, у него было столько вопросов... В общем, все то, что называется родительской любовью, он получил и получает — прикосновения особенно, они очень важны для маленьких детей. А Станишевские своих детей **тренировали.** Павел узнал, что они близнецов тренировали едва ли не с семимесячного возраста: привязывали гирьки к рукам и ногам, заставляли делать упражнения. Эти дети росли фактически в спортинтернате, и единственная эмоциональная привязка у них была друг к другу. Старшая сестра была им непонятна, она-то росла с бабушкой и дедушкой, которые в ней души не чаяли, все нужные эмоции Вика получала, и они ее не понимали, а общего с Викой у них стараниями родителей ничего не было. Этих детей искалечили в раннем возрасте, эмоционально кастрировали, и потому единственным доступным выражением эмоций для них стал секс, и как только они ощутили потребность, они ее удовлетворили. А родители не знали, как на это реагировать. А может, им было плевать, пока дети дают нужные результаты в спорте. Так что, Лерка, с твоими детьми такого никогда не случится, потому что вы с Панфиловым чокнутые родители, а ваши дети — залюбленные до потери пульса мелкие сорванцы. А потому просто уймись и перестань себя накручивать. Все, что происходит с детьми, — вина родителей, всегда. Даже если это уже взрослые дети.

Ника поставила машину на стоянку, и подруги вышли в пышущее жаром лето.

— Рона, в багажнике пакет, Назаров ей халатик новый передал и пижаму, а Алена еды упаковала. — Ника вздохнула. — Алена меня скоро так раскормит, что в дверь не пролезу, но удержаться невозможно. Лерка, концепция нового зала у меня есть, а подавать будем то, что нам сейчас Алена готовит.

— Тоже об этом думала. — Валерия согласно кивнула. — Рона, ты у бабки Ткачевой спрашивала насчет ткацкого станка? Чтоб нам научиться делать эти полосатые дорожки.

— Спрашивала, бабка говорит, что не умеет, но есть в Привольном старуха, которая знает, как это делается, обещала меня с ней познакомить.

— Вот и прекрасно. — Ника подставила лицо солнцу. — Мы солнцепоклонники, девчонки! Вот точно так же древние майя поклонялись Солнцу, представляя его в образе Ягуара, они откуда-то знали о пятнах на солнце. Ягуар был священным животным, считался воплощением бога на земле, потому что мог смотреть на солнце, как и все кошки. Короче, это весьма котоугодная религия, если не считать человеческих жертвоприношений, но я бы некоторых людей тоже принесла в жертву богам, до того они противные.

— Хороша бы ты была, если бы приносила в жертву богам разных паршивцев! — рассмеялась Ровена. — Боги бы сказали: ты что, совсем охренела, зачем ты нам такую заваль суешь? Нет, ты подай-ка нам девственниц, и еще славных парней, а мерзавцев оставь себе. Мы тебе не что попало, а боги, и нам полагается все только самое что ни на есть лучшее!

— Да, тут я как-то не подумала. — Ника вздохнула. — А то бы можно было принести в жертву этих противных Станишевских. Читала я в Интернете, что они о Вике говорили, уму непостижимо! И хватило наглости у папаши к Женьке на работу заявиться! Совсем совести нет у человека.

— Если они закрывали глаза на инцест, то Вика для них и вовсе не существовала. — Ровена по привычке огляделась. — Ладно, пошли. Я Вальку-то предупредила, что мы придем поддержать Вику.

— Смотри, Аленин скутер. — Валерия кивнула в сторону ярко-красного с золотом скутера, прикованного к столбику толстой цепью. — Она до последнего не знала, вырвется ли сюда, еду с нами передала, а вот ведь приехала раньше нас.

— Никогда бы не подумала, что на такой штуке можно так далеко кататься. — Ника разглядывала золотые полосы, блестящие на солнце. — Думала, она только по селу на нем рассекает.

— Отчего же? Если машина в исправности и есть емкость с горючим, то укатить можно довольно далеко, скорость у него вполне приличная. — Ровена подтолкнула подруг к двери. — Пошли, что мы тут стоим, скутер этот каждый день видим.

— Да просто ощущение странное. — Валерия шагнула вслед за подругами. — Я когда приезжаю в Привольное, у меня возникает такое чувство, что это вообще другая Вселенная. Время по-другому бежит, воздух другой... Причем дома, в Озерном, у меня нет такого ощущения. И тут вот я вижу нечто из **той** Вселенной. Странно это.

Они прошли по гулкому прохладному вестибюлю и поднялись по лестнице. Больница жила своей жизнью, сновали врачи, бродили перебинтованные пациенты, осторожно ступая по ступенькам, — лифт здесь чаще всего занят.

— Ненавижу больницы! — Ника выглядела несчастной. — Вот до чего же противно здесь все устроено...

— Ничего не поделаешь. — Ровена вспомнила свое пребывание в этой больнице. — А я здесь с Пашкой познакомилась. Сюда, вот Викино отделение, сейчас только халаты нам вынесу и бахилы, не то Валька гундеть примется.

Ровена была единственным человеком, называющим грозного Семеныча — Валькой, но таково право двоюродной сестры, и Семеныч с этим мирился — но не слишком мирится с самой Ровеной, считая ее легкомысленной, упрямой и социально опасной. И это, собственно, чистая правда, но далеко не вся, но Семеныч отказывался официально признавать свою неправоту. И хотя после брака Ровены с Павлом, а особенно после рождения Тимки, а потом и Мишки кузены в очередной раз объявили водяное перемирие, но долго ли продлится засуха в джунглях, неизвестно — гроза может разразиться в любой момент, и никто из них в случае возобновления боевых действий не готов уступать.

— Идем, что ли? — Ровена вынырнула из двери отделения в халате и бахилах. — Валька просит поторопиться, там с Викой совсем паршиво.

Ника и Валерия поспешно обрядились в заляпанные зеленкой халаты и, натянув поверх босоножек голубые бахилы, пошли вслед за Ровеной.

— Сейчас завалим туда кучей, она пуще прежнего расстроится. — Валерия вспомнила настороженный взгляд девушки в тот день, когда Алена привела ее в Викин дом. — Рона, что стряслось, собственно?

— Кто-то разместил в Интернете фотографии Вики с синяками и прочими прелестями. Ей швы сняли около часа назад — ну, понятно, что после пластики и побоев там зрелище так себе, и тут бежит медсестра — ей твитнули это фото. Короче, сами понимаете.

— Вот же сволочь! — Валерия ощущала ту холодную ярость, которая иногда посещала ее, а в такие моменты она сама себя опасается. — Знать бы, кто это сделал.

— Я уже Павлу позвонила, он выяснит. — Ровена притормозила у двери палаты. — Все, девчонки, заходим. Будем по ситуации, но насчет журналистки в ее дворе по-любому молчок.

* * *

Вика застыла, как муха в капле янтаря. Так иногда она делала в детстве — просто застывала, надеясь, что родители не заметят ее и оставят с бабушкой, но именно тогда, в конце августа, родители вспоминали о ней. И ее везли в Александровск, который вонял пылью, увядающей травой, осенними кленами и хот-догами, а квартира встречала забытыми запахами. И постель тоже пахла чем-то чужим, и звуки за окном были слишком резкими, грохочущими, и все это означало, что хорошие времена закончились.

Конечно, она понимала, что под повязками ее лицо выглядит совсем не так, как когда-то на экране телевизора. И слева не хватало трех зубов, благо хоть не передних. И больше всего на свете Вика боялась, что ее в таком виде застанет Назаров, но и одной остаться в тот момент, когда снимут повязки и швы, ей было страшно. И конечно же, приехала Алена.

Из зеркала на Вику смотрела опухшая незнакомая рожа с черными и желтоватыми фонарями и синяками по периметру.

— Все не так плохо, как кажется. — Хирург подмигнул Вике. — Через пару недель ты сама в этом убедишься, а месяца через два поймешь, что стала еще красивее, чем была. Заживление тканей идеальное, отеки и синяки скоро сойдут. Нос поболит немного, но вскоре боль пройдет. Все, девушка, я удаляюсь, мавр сделал свое дело — мавр может уходить.

Он ушел, а Вика в отчаянии смотрела на свое отражение.

— Алена... ты скажи Женьке, чтоб не приходил ко мне. — Вика бросила зеркало на тумбочку. — Пусть никто не приходит, я...

Дверь в палату открылась, и заглянули две девчонки в цветных форменных пижамках — видимо, медсестры, но из какого отделения, неизвестно.

— Точно, это она. — Та, что повыше, уставилась на Вику с веселым интересом. — Да, разделали ее, как бог черепаху.

Вторая хихикнула и попыталась сфотографировать Вику, но Алена сориентировалась молниеносно. Ударив ногой по двери, она придавила две любопытные головы, и девчонки испуганно заголосили, на крик прибежал Семеныч.

— Явились Вику фотографировать.

Семеныч с яростью смотрел на двух дурех.

— Вы чьи практиканты?

— Мы... в отделении ортопедии, из медицинского колледжа... — Та, что повыше, заскулила громче. — Да что мы сделали-то? Все равно фотки уже в Интернете есть!

— Валентин Семеныч, мне прислали только что! — Дежурная медсестра бежала по коридору. — Вот знать бы, кто это сделал!

Круглов взял у нее из рук телефон и чертыхнулся — кто-то сфотографировал лицо Вики и выложил в Инстаграм, фотографии уже разлетелись по Интернету.

— Этих двоих выбросить из больницы и на пушечный выстрел больше не подпускать к зданию. А с вашим директором я поговорю сейчас же, в медицине вам делать нечего. — Круглов с отвращением отвернулся от двух девчонок, в ужасе онемевших от размеров свалившегося на них бедствия. — А это... ну, выложил кто-то фотки. И что? Никакая не трагедия, и нечего сопли на кулак наматывать.

На самом деле Круглов отлично все понимал, но сейчас ему требовалось выяснить, кто из его сотрудников слил фотографии в Интернет. По всему выходило, что и вовсе никто не мог, потому что в палате находились хирург, медсестра, Алена и он сам, но потом его вызвали к больному.

— Алена, кто заходил в палату после того, как я ушел?

— Уборщица с ведром сунулась было, но доктор ее прогнал.

— Уборщица, значит. — Круглов смотрел на Вику, свернувшуюся калачиком под одеялом, и думал, что уборщицу эту сейчас ищи-свищи, а найти надо. — Ладно, Вика, не кисни. Пусть это будет самая большая твоя беда.

— А оно все так — самая большая беда. — Вика зло уставилась перед собой. — Родители выбросили из дома — а, ерунда, пусть это будет самое большое твое горе! В тюрьму посадили — да черт с ней, ведь вышла же, не беда! Теперь вот это все — да переживешь, чего там, ерунда. Все ерунда, когда случается с кем-то, а не с тобой. Что еще станет самым большим моим горем, интересно?

Вика отвернулась к стенке, накрывшись с головой. Когда она вот так лежала под своим лоскутным пледом, ей становится легче. Этот плед когда-то сделала бабушка — из кусочков отслужившей свое одежды. Вика любила рассматривать его, узнавая лоскутки — это от ее платья, это от бабушкиной юбки, это отцовская тропическая рубашка... Они ездили на какие-то острова вчетвером, а Вику не брали, и тогда она испытывала странное ощущение: с одной стороны, ей хотелось увидеть, что там, за горизонтом, а с другой — ей категорически не хотелось куда-то ехать с **ними.** Много лоскутков, и за каждым кусок жизни, какая-то история. И бабушка объединила это в одно целое, а до нее — еще кто-то, потому что некоторые кусочки совсем старые, от вещей, которые носила бабушкина мать, например. И все тщательно сшито, подогнано, ни одного лоскутка не выбросишь, и можно рассказывать истории бесконечно. Только многие из этих историй — из разряда последнего горя и самой большой беды.

В палату пришли «три грации», как мысленно называла Вика новых знакомых, и Ника сразу попыталась чем-то накормить, Валерия молчала, рассыпая вокруг наэлектризованные искры, а Ровена как ни в чем не бывало завела разговор с Аленой о каких-то событиях в Привольном.

— И мы смотрим, а на спидометре скутера пробег почти сорок километров. — Алена рассержена, как и в тот день, когда случилось происшествие. — Кто-то ночью брал скутер, но кто бы это мог быть? И Питер молчал, подлили ему что-то, не иначе. Правда, вернули-то в целости, и горючего столько же, как и было, и вымыт идеально, ни пылинки, но им-то невдомек, что мы отслеживаем километраж. В общем, с тех пор сарай запираем, но вообще-то не украли же, а что покатались — ну и бог с ним. Просто Юрка злится, что собаку чем-то опоили, еды-то он от чужих не возьмет ни за что, значит, как-то опоили. А с другой стороны, скутер тайком, значит, взят — да если так было надо, мы бы и без денег дали поездить.

— Значит, в дом никто не залезет?

— Рона, у нас краж вообще не случается, а уж чтобы в дом залезть... Да и что там брать-то! — Алена фыркнула. — Правда, скоро Лешка тетки Ленкин должен выйти, вот он — да, промышлял по соседям. Ну да он на свободе пробегает месяц от силы, потом снова проворуется и сядет, но дом и он взламывать не будет, ни за что.

Вика думала лишь о том, что все эти люди мешают ей сейчас. Зачем они пришли? Зачем толпятся в тесной палате, если ничего уже не исправить и ничего нельзя вернуть?

— Вика, хватит себя жалеть. — Ровена резко стянула с нее покрывало. — Это непродуктивно. Давайте сейчас устроим здесь девичник. Кстати, несмотря на синяки, я вижу, что хирург отличный, и нос будет лучше прежнего. Ника, давай поедим чего-нибудь, а нет — так я в ларек за шаурмой сбегаю.

— Какая шаурма, ты что! — Ника зашелестела пакетами. — Лерка, хватит дуться, помоги мне. Вика, я тебя очень прошу... Ну вот просто очень. Вставай и поешь с нами, я принесла тебе еды, которую Семеныч разрешил. Наши повара готовили, старались, и Алена тоже...

Вика вспомнила, как вечером, в день смерти бабки Варвары, они с Назаровым ужинали вдвоем — тем, что бабка приготовила для них утром, словно зная, что днем умрет.

«А может, она и знала. — Вика закрыла глаза, чтобы никого не видеть. — А я не знаю, но я могу это сделать, когда захочу. А я хочу?»

Вика представила, как все будет на свете — без нее. Она об этом часто думала, и по всему выходило, что очень многим она не нужна живой, и Вика решила, что станет жить просто им назло, всем **им.** Тем, кто снаружи.

— Выпей сока. — Ника вложила ей в руку прохладный стеклянный стакан. — Вика, я думаю, что Рона права, ты же боец. Почему ты сейчас сдалась? Стыдно сдаваться, ты что! Нет, ну я согласна, поступили с тобой по-свински. И даже когда все прояснится, ничего уже нельзя будет изменить — прошлое мы не можем менять, но будущее — это запросто.

Вика промолчала. Ей хочется сказать этой счастливой благополучной женщине, что не всегда и не у всех есть будущее. И что у нее, Вики, все будущее теперь сводится к засолке огурцов и выращиванию капусты, и не то чтоб ей не нравилось это занятие, но выбрать другое она не сможет при всем желании. Путь в профессию ей закрыт навсегда, а больше она ничего делать не умеет, да и не хочет.

— Я тоже считала, что ты боец, а ты раскисла. — Валерия презрительно поморщилась. — Все вокруг тебя танцуют, а ты улеглась и изображаешь из себя труп. Вика, все это не поможет. Нужно бороться, что бы ни случилось — нужно бороться.

— Зачем? — Вике безумно хотелось, чтобы все ушли и оставили ее в покое. — Все, что имело для меня значение, уже в прошлом. Я никогда больше не смогу работать как раньше, моя жизнь безвозвратно потеряна. У меня остался старый дом, которому почти сто лет, и гектар огорода. Я там заперта навсегда. И эти люди, которые все время пытаются причинить мне боль, — непонятно зачем. С чем, с кем тут бороться? С этими двумя дурочками, которые заглядывали в палату? Они меня даже человеком не считают, заглянули — и разговаривают обо мне, словно меня тут и нет. А те, кто ждал меня в тот день у полицейского управления? Зачем им это понадобилось? А они приехали, ждали. У меня ничего не осталось, за что тут бороться? Всегда найдется правильный совет, когда беда не твоя собственная.

Вика понимала, что ее новые подруги не виноваты в том, что с ней произошло, но здесь больше никого нет, и вся ее боль, отчаяние и злость выплеснулись здесь и сейчас. Вика понимала, что ее заносит и что сейчас эти женщины, которые совсем недавно появились в ее жизни, встанут и уйдут, но иногда сдержаться невозможно, так много копится внутри, и чаша все никак не опустеет — а больше пить из нее нет сил, не глотается.

— Перестань! — Ровена присела рядом и взяла ее за руку. — Послушай меня, просто — послушай. Я понимаю, что тебя загнали в угол. И я представить даже не могу, что ты пережила в колонии. И теперь все это. Но я точно знаю: выхода нет только из могилы, и то местами спорно. Просто когда человек в стрессе, он чаще всего выхода не видит, а я тебе говорю: это все пройдет. И настанет время, когда ты будешь вспоминать этот день и думать: а ведь могла наделать глупостей, и не было бы... Ну, твоих детей, например. У вас с Назаровым обязательно будут дети, Вика. Двое как минимум, и ты сейчас должна делать все, чтобы выкарабкаться из беды, а ты готова сдаться. Но мы не позволим тебе сдаться, лично я буду лупить тебя всякий раз, когда ты попытаешься завести эту бодягу о чужой беде, которой нам не понять. Ника, налей-ка ей сока, а я схожу и спрошу Вальку, когда он намерен ее отпустить домой.

Алена, молчавшая все это время, поднялась и выглянула в окно.

— Смотрите!

Перед больницей собралась небольшая толпа. Люди держали в руках какие-то плакаты, слышались выкрики.

— Что здесь происходит? — Ника растерянно оглядела подруг. — Почему они здесь, зачем? Что все это значит?

— Кто-то их собрал. — Ровена достала из кармана телефон. — Я Пашке позвоню, он должен об этом знать. Ничего, девчонки, мы будем здесь, никто к Вике не прорвется.

Вика укуталась в лоскутный плед и замерла. Желтые георгины качали головами на ветру, в огороде шумела огромная старая груша, а по вспаханной земле, осторожно ступая лапами в рыжих чулочках, шла кошка Мурка.

17

Бережной тщательно изучал документы, присланные Павлом Олешко.

Не то чтоб он не понимал, что с Интернетом и всем, что он несет, приходится считаться, но лишь сейчас, увидев четкий анализ, сделанный Павлом, в полной мере осознал, насколько серьезно можно навредить практически любому человеку, натравив на него безликую интернет-толпу. Люди, прячась за анонимностью, вытворяют то, чего никогда бы не сделали в реальной жизни.

А здесь вроде бы все можно.

И вопрос, знала ли Виктория, что Дмитрий Зайковский — это и есть Морган, устроивший ей травлю, остается открытым. Как открытым пока остается вопрос, кому сейчас понадобилось распространять фотографии изуродованного лица Вики по всем соцсетям и прочим ресурсам.

— Андрей Михалыч, тут к вам...

Голос секретарши испуганно дрожал, и Бережной догадался, кто к нему пожаловал. Он ждал этого посетителя и все гадал, когда же тот сделает свой ход.

Ладыжников вошел в кабинет генерала так, словно бывал здесь много раз, и сейчас просто заглянул в гости к старому знакомому. Его манера по-хозяйски чувствовать себя везде, где бы он ни появлялся, раздражала Бережного невероятно. Извольте видеть — в дизайнерском костюме, каждая складка которого кричала о многих нулях, приписанных к цене, в дорогих летних туфлях, поджарый, невысокий, очень загорелый, он улыбнулся генералу, блеснув безупречными зубами, и протянул руку для приветствия.

— Добрый день, Андрей Михалыч. Не велите казнить, но уж очень нужно было встретиться.

Бережной пожал протянутую руку, понимая, что с ходу конфликтовать с Ладыжниковым не стоит. До этого он видел своего визави считаные разы, и хотя тот всегда был приветлив и предельно вежлив, Бережной чувствовал хорошо скрытую насмешку — ведь годами полиция не могла инкриминировать Коле-Пауку ничего, даже Правил дорожного движения он не нарушал. А между тем Бережной точно знал, что все бордели курируются именно Ладыжниковым, как и торговля наркотиками. Но знать и доказать — это разные вещи, и доказать Бережной ничего не мог. Было много разрозненных точек, которые на первый взгляд не связаны никак, но в целом чувствовалась система с четкой иерархией, но выявить того, кто за всем стоит, было очень сложно, а доказать вообще не представлялось возможным. Коля-Паук контролировал свою паутину с той неспешной хозяйственностью, которая присуща лишь людям, уверенным в своих силах. То, что полиция много лет разрабатывает его, он знал, как и знал, что ничего на него нет, потому насмешка всегда таилась в глубине его глаз.

К тому же в последние годы случилось несколько резонансных смертей, которые выглядели как суицид, несчастный случай, естественная смерть, но за ними тоже маячила фигура Ладыжникова. Эти смерти так или иначе были выгодны ему, но доказательств опять же не было. Ни единого доказательства, что эти смерти не то, чем выглядят. Даже допрашивать в связи с происшествиями некого. Ну, повесился у себя в гараже директор местной радиокомпании, за месяц до этого намекнувший, что деньги, которыми Коля-Паук щедро спонсирует конкурсы талантов, поступают от торговли наркотиками. Или разбился на автомобиле судья, приговоривший одного из «деловых партнеров» Ладыжникова к длительному тюремному заключению за отмывание денег, изъяв при этом в казну все наличные, найденные в офисе этого самого «партнера», — а это было несколько больших ящиков, набитых пачками купюр. Или умерла от банального столбняка бывшая жена Ладыжникова, пытавшаяся добиться раздела имущества и пригрозившая бывшему супругу рассказать о его делах «там, где следует». И вдруг откуда ни возьмись столбняк, и не спасли, да.

Об этом шептались обыватели, это гуляло в Интернете, но сам Ладыжников относился к подобным слухам с юмором, утверждая, что они ему только на пользу, ведь человека с такой смертоносной репутацией никто не посмеет обмануть в делах.

Бережной не раз и не два изучал все, что было собрано о Ладыжникове, и понимал: инкриминировать ему нечего, слухи — это просто слухи, их к делу не пришьешь.

— Здравствуйте, Николай Андреевич. — Бережной жестом предложил гостю присесть. — Неожиданный визит. Видимо, и правда что-то срочное. Так чем я могу вам быть полезен?

Ладыжников сел в предложенное кресло, и враз шутливое выражение сошло с его лица.

— Я пришел к вам поговорить о Вике Станишевской. — Ладыжников поерзал, устраиваясь поудобнее. — Мне нужно понять, что происходит вокруг нее и почему.

— Зачем?

— Странный вопрос. — Ладыжников нахмурился. — Эта девушка мне как дочь. В какой-то степени она мне больше, чем дочь, — я могу сказать, что создал ее. Я ведь не вдруг начал заниматься меценатской деятельностью, Андрей Михалыч. Когда достигаешь определенного уровня благополучия, начинаешь совсем по-иному смотреть на некоторые вещи. У меня есть собственная дочь, которую я растил один, ее мать оказалась не способна воспитывать ребенка, из-за наркотиков она умерла в клинике, променяла свою дочь на наркоту. Но девочку я воспитывал со всей ответственностью, и она хорошая девочка, умненькая и добрая, но — и все. Никаких талантов у Ирины нет, никаких особых стремлений. Ну да она и без этого проживет, ей оно и ни к чему, собственно, и речь не о ней. Просто в какой-то момент я вдруг увидел, сколько вокруг умных, талантливых детей, у которых нет ни единого шанса пробиться в этой жизни из-за бедности. У Вики была другая история: ее семья никак не поддерживала ее, и хотя Валерий мой друг, я всегда осуждал его за такое отношение к родной дочери.

— И вы занялись меценатством, чтобы дать шанс детям?

— Конечно. — Ладыжников пожал плечами. — Обо мне многое говорят, и я признаю, что не святой, — и вы отлично знаете, что все состоятельные люди в нашей стране такие же, как и я, а то и похуже. Как говорится, подкладка толстого кошелька сшита из слез. Но я готов это признать, и я готов хотя бы частично искупить, помогая талантливым детям. Их было много за эти годы, и каждым я горжусь, и каждому помогаю, если требуется, никого не выпускаю из виду, они словно и вправду стали моими детьми. Но Вика и Женя Назаров, и еще кое-кто — это мои первенцы, если можно так выразиться. Победители самого первого конкурса. И глядя на то, как они расправляют крылья, данные им богом, я радовался и гордился, и знал, что на правильном пути.

— Я сейчас разрыдаюсь от умиления. — Бережной тонко улыбнулся. — Поверьте, Николай Андреевич, я все это знаю. И я верю, что в данном случае ваши помыслы чисты, — честное слово, в этом я вам верю. Равно как и очень ценю то, что вы делаете на этом поприще. Но сейчас у нас разговор о Вике.

— Да. — Ладыжников смотрел на генерала прямо и уверенно. — Я понимаю вашу иронию. Правда понимаю. Мы с вами сидим в разных окопах. Но то, что касается Вики... Послушайте, она свое наказание получила. Если, конечно, она убила Дарину. Но...

— У меня к вам вопрос. Вернее, даже несколько вопросов. — Бережной решил, что хватит экивоков. — Почему вы не предоставили Вике хорошего адвоката? Знали ли вы, кто стоит за травлей Вики в Интернете? А также — правда ли то, что у Дарины и Никиты Станишевских были отношения совсем не как у брата и сестры? Что вы мне на это скажете?

Ладыжников посмотрел на генерала озадаченно, и Бережной понял, что некоторые вопросы застали его врасплох.

«Он не знал об инцесте. — Бережной поднялся и включил чайник, расставил чашки, позволяя гостю собраться с мыслями. — И до последнего времени он понятия не имел о травле, и вряд ли до сих пор понимает, что такое сегодня Интернет. В этом плане мы с ним похожи, оба — вымирающий вид».

— Могу я предложить вам чаю?

— Чаю... — Ладыжников покачал головой. — Да, пожалуй, я выпил бы чаю. Спасибо, что дали мне время собраться с мыслями. На вопрос об адвокате у меня есть ответ. Когда все произошло, я был за границей, а мой помощник не доложил мне о ситуации, и когда я вернулся, многое уже нельзя было исправить.

— Только повлиять на решение суда и обеспечить минимальный срок с амнистией, и отсидку на зоне с мягким режимом?

— Да. — Ладыжников хмуро кивнул. — Я не буду отпираться, мы с вами сейчас на одной стороне. Конечно, я постарался обеспечить Вике безопасность в местах лишения свободы, но все же она несколько раз пострадала. К сожалению, я не учел того, что это ее сломает. Тонко чувствующая девочка, очень ранимая, очень открытая ко всему доброму, — и вдруг попасть в такую передрягу, оказаться в колонии, я не учел, что это станет для нее тем, чего она не сумеет пережить. Я тогда этого просто не понимал, а сейчас понимаю. И об этой травле я не знал... Вернее, что-то такое мне докладывали, но я не придал тогда значения. Вы понимаете, все эти игрушки с Интернетом... Да я представить себе не мог, что это повлечет какие-то серьезные последствия! А когда понял, то уже было поздно, вред уже нанесен. Ну а насчет Дарины с Никитой... Я не могу в это поверить. Я знаю семью Станишевских, и, если не учитывать их отношение к Вике, это дружная, сплоченная команда. Быть того не может, чтобы... Да ну! Как вам такое только в голову пришло?!

— Для наркобарона и заказчика нескольких убийств вы слишком щепетильны, Николай Андреевич.

Бережной разлил чай по чашкам и достал вазочку с конфетами.

— Угощайтесь.

— Спасибо. — Ладыжников смотрел на Бережного сердито. — Первое утверждение спорно, и мы его пропустим, и никаких убийств я не заказывал. Я читал эти измышления в Интернете — они стали появляться примерно тогда, когда осудили Вику. И я понятия не имею, кто и зачем распространяет подобные слухи. Даже если в смертях этих несчастных и есть что-то подозрительное, даю вам слово: я не имею к этому никакого отношения. Послушайте, мы с вами сейчас говорим откровенно... Ну, по возможности. Эти люди мне не мешали, просто досаждали, но все это было решаемо, и сплетни, которые бродят среди обывателей, сначала меня забавляли, а сейчас я думаю, что они могут мне навредить. Знать бы, кто распускает эти слухи...

— А вы просто белый и пушистый.

— Нет. — Ладыжников взял из вазочки конфету и развернул ее. — «Белочка», надо же. С детства люблю. Я не утверждаю, что белый и пушистый, но те смерти — не на моей совести. Скорее всего, что и ни на чьей. Ну ладно еще авария или суицид, можно каким-то образом это устроить при желании, но столбняк! Рита любила ездить верхом и накануне поранилась на конюшне, а прививку делала давно, вот и... Как я мог заразить ее столбняком, сами подумайте?

— Ну, я могу с ходу несколько способов назвать. — Бережной хмыкнул. — Но мы не станем в это углубляться, недосуг.

И снова Бережной подумал о том, что склонен поверить Ладыжникову. Несмотря на его одиозную репутацию, Коля-Паук чем-то импонировал генералу, и сейчас их разговор протекал во вполне конструктивном русле.

— Так вот насчет Дарины и Никиты. Откуда это стало известно? — Ладыжников пытливо ждал ответа. — Сомневаюсь, что вам это сказали Валерий или Раиса.

— Нет. — Бережной усмехнулся. — Информация исходит от вашей дочери.

Видеть Колю-Паука сраженным наповал — редкое зрелище, и Бережной почти гордился, что в конце своей жизни сможет сказать: я это видел.

* * *

Назаров редко ощущал себя беспомощным, но сейчас был именно такой момент. Он словно уперся в стену, и что делать дальше, не знал.

Толпу, собравшуюся перед больницей, задержала полиция, присланная по личному приказу Бережного. Всех митингующих погрузили в автозаки и повезли в отдел, где каждый из них был опрошен на предмет участия в несанкционированном массовом мероприятии и направлен в суд. Но открытым оставался вопрос — кто и зачем снова раскручивает маховик травли? Ответа на него не было, потому что записи с нескольких аккаунтов, зарегистрированных из-под анонимайзеров, отследить он не мог.

Образ действий был все тот же: созданы аккаунты, поднимающие определенную информационную волну. Только теперь Зайковский мертв, а пунктуационные ошибки, допускаемые в тексте интернет-сообщений, все те же. А это значит, что под ником Морган прятался не только Зайковский, и его подельник жив.

Значит, Зайковский лгал, что материала о Виктории никто не видел. И если бы это помогло делу, Назаров сейчас выкопал бы его из могилы и облил негодяя помоями.

А еще Вика не захотела, чтобы он приезжал к ней в больницу. Это было точно так же, как когда он приехал к ней в колонию, и она сказала: больше не приезжай. Даже не ему сказала, а передала через Алену. И хотя сейчас это не колония, а больница, но Вика отказалась встречаться с ним.

Конечно, он видел в Интернете фотографии ее лица, покрытого синяками, со страшными отеками вокруг глаз. Это вообще не было похоже на Вику, и если она сейчас выглядит именно так, то он понимает, почему Вика не хочет, чтобы он приходил. Она не хочет, чтобы он видел ее такой. Она не верит, что он будет любить ее, что бы ни случилось, невзирая на то, какое у нее лицо.

Так, как он когда-то не верил в себя, не верил в то, что его можно любить таким, какой он есть, — точно так же и Вика не верит. И ему это совершенно ясно, потому что он сам прошел через осознание причин своих поступков и ошибок и понял, почему он своими руками разрушил когда-то их отношения. Но сможет ли Вика пройти тот же путь? Есть ли у нее на это время? Назаров в этом не уверен.

Но сегодня он решил поехать в Привольное.

Дом встретил его знакомым запахом — это был запах именно дома, его дома. Назаров помнил, что в детстве, когда его в августе привозили в город, то вещи, которые он вынимал из сумки, какое-то время сохраняли запах этого дома. И он зарывался лицом в свои майки и вдыхал запах дома, лета, счастья, бабушкиной ласковой строгости, и случалось, плакал от тоски. Словно бездонная трещина пролегла по линии шоссе, ведущего из Привольного в Александровск. В Привольном оставалось все хорошее, все то, ради чего стоило жить.

И только Вика примиряла его с необходимостью жить в Александровске, Вика была частью той счастливой жизни, и когда их взаимное чувство окрепло, Назаров словно обрел ощущение целостности: его жизнь в Привольном соединилась с жизнью в Александровске, потому что была Вика.

Он точно помнил, когда решился сделать шаг навстречу.

Был сентябрь, первая учебная неделя, Назаров так тосковал по дому в Привольном, по запаху реки и стрекоту сверчков, что впору было волком выть. А на кухне подвыпившие родители ссорились, их голоса, утратившие четкие очертания, раздражали, и Женька решил уйти на улицу. Уже вечерело, во дворе пахло лебедой, — пожалуй, только лебеда одинаково пахла и в Привольном, и у его дома.

Он сел на трамвай и поехал в центр города. Он и раньше, случалось, приезжал к Викиному дому и смотрел, как зажигается свет в ее окне. Назаров представлял, как Вика складывает в сумку учебники и тетрадки, исписанные четким почерком отличницы, как она переодевается, готовясь ко сну, и эта часть его фантазий заставляла сердце бешено колотиться. А потом он уезжал домой, думая о Вике.

Но теперь у них были общие воспоминания. Прошедшее лето многое изменило: Вика стала совсем уж красотка, и он таскался за ней все лето, иногда выманивая ее ночью купаться на реку, потому что днем рядом с ней всегда была Алена. Но он так и не решился откровенно поговорить — просто рвал цветы и приносил обеим девчонкам, чтобы они плели венки, потому что Вика в венке из полевых цветов была похожа на сказочную фею, даром что в линялом платье и стоптанных сандалетах.

А в тот вечер он столкнулся с Викой недалеко от ее дома, она бежала по тротуару, и он видел, что она плакала. Назаров всегда считал, что Викины родители похуже его собственных, потому как — ну что взять с его отца и матери? Образования толком нет, работают на заводе, в свободное время либо пялятся в ящик, либо пьют пиво. А у Вики родители и знаменитые, и образованные — а ведут себя хуже некуда, потому что его, Женькины, родители хотя бы обращают на него внимание, когда трезвые, а Викины ее и вовсе знать не хотят.

Вика бежала куда-то в ночь и плакала. И натолкнулась на Назарова. И такая радость вспыхнула в ее глазах, и Назаров понял почему — он ведь тоже был для нее частью той их счастливой жизни в Привольном, где все было хорошо, а они были нужны и любимы.

— Ой, Жека!

Не успел он опомниться, как Вика повисла на его шее, и он приподнял ее и закружил, и Большая Медведица подмигнула ему из-за акации во дворе.

— Ты куда направилась на ночь глядя?

— А, ну их вовсе! — Вика отпустила Назарова и потащила его в беседку. — Я так рада, что ты здесь.

Она не спросила, как он оказался у ее дома — в такой час, притом что жил на другом конце города. Она ни о чем не спросила, словно и не расстались они неделю назад у ее калитки, переполненные тоской и грустными мыслями. А сейчас они болтали о школе, о каких-то новостях, и Женька понимал, что теперь они будут видеться часто, потому что — вот именно тогда, сидя с Викой в беседке, он примирился и с Александровском, и с осенью, и с пыльными листьями увядающих кленов. Его мир стал целостным, трещина срослась.

А теперь Вика не хочет его видеть.

Назаров принял душ и переоделся. Он еще никогда не ночевал в этом доме один: после бабушкиной смерти с ним оставалась Вика, и не было ощущения пустоты. Но сейчас он вдруг осознал: в доме он один. На бабушкиной кровати громоздились горкой подушки, накрытые кружевной накидкой, на столике лежали ее очки и стоял флакончик самодельной растирки, которую бабушка изготавливала сама и натирала слабеющие ноги. Все было привычно, кроме одного: он остался один.

Назаров вздохнул и поплелся в летнюю кухню, надеясь обнаружить что-нибудь съестное.

Летняя кухня встретила его запахом остывшей печи и борща. Назаров с удивлением уставился на небольшую кастрюльку на столе — кастрюлька была не его, но вот она, еще теплая, стоит на его столе. За кастрюлькой обнаружилась записка:

«Жень, ешь борщ, а что останется, не забудь поставить в холодильник, иначе скиснет».

Почерк был Аленин. Назаров налил себе в миску борща, взял кусок хлеба и вышел на улицу. Сверчки уже завели свой концерт, от реки слышался лягушачий хор, в курятнике копошились куры, где-то звучали музыка и голоса, и Назаров снова ощутил свое полнейшее одиночество. Но вкус еды успокоил его, Назаров утолил голод и решил, что миску надо бы вымыть, не оставляя на утро. Поднялся и пошел к крану, зашуршала вода, мокрая трава маслянисто блестела в свете фонаря.

— Привет.

Назаров едва миску не выронил от удивления. Эту женщину он ну никак не ожидал увидеть и шума подъехавшей машины не слышал — впрочем, шумела вода, а дорога к его дому шла под горку, и на нейтральной передаче можно было докатиться почти неслышно.

— Привет, Ира. Что ты здесь делаешь?

Он поставил миску на столик у летней кухни и сел на скамейку. Приглашать гостью в дом он не собирался, несмотря на гудение комаров. Это его дом, его и Вики, и он хочет дать понять Ирине, что ее визит не слишком его обрадовал. Но и обидеть ее Назаров тоже не хочет — ведь, по сути, Ирина не сделала ему ничего плохого, да и никому, если уж на то пошло. Просто... Ну как-то так вышло, что она везде лишняя.

Ирина села рядом с ним, вытянув длинные ноги. Слишком высокая, слишком худая, с длинной шеей и лицом-сердечком, короткий нос и раскосые небольшие карие глаза — несмотря на все «слишком», все равно она была привлекательной. Но делать ей у него во дворе абсолютно нечего.

— Жень...

Она тронула его за плечо, и Назаров напрягся. Он помнил ту их ночь, когда они пили коньяк, и он жаловался на Вику. На то, что Вика его не любит и что если бы любила, то оставила бы эту ерунду с телевидением, потому что она потакает низменным вкусам толпы, а зачем так себя растрачивать? Тем более что он ее в Париж зовет, а не в тундру какую-то.

И в какой-то момент Ира вот так же положила ему руку на плечо, а коньяка и обиды было тогда слишком много.

Но сейчас другие времена, и ему больше не нужно что-то себе доказывать. Он точно знает, что Вика любит его, просто она не знает, как сильно он любит ее саму.

— Ира, не нужно. Ничего не выйдет, прости. Мы с Викой только начали все сначала, и я сейчас сделаю все, чтобы ее удержать.

— Ладно, попытаться стоило. — Ира засмеялась. — Как ты, Женька?

— Как-то. — Назаров что угодно готов отдать, чтобы сейчас к нему пришел кто-то из соседей. Но в такое время кто может прийти? Сельские жители рано ложатся спать. — Пока не очень.

— Ну, это ясно.

По дорожке застучали шаги, и Назаров уже знал, кто идет, — это Алена.

— Женька, ты дома? — Аленин голос звенит в темноте. — Женька!

— Я здесь, Алена.

— Я тебе пирожков принесла, мать напекла много, так я решила... Ой! Добрый вечер.

— Добрый. — Ирина улыбнулась, как кошка, учуявшая мышь. — Пирожки... О, как пахнут!

— Ага, угощайтесь. — Алена покосилась на Назарова. — Юрка, иди сюда! Он дома!

От калитки послышались шаги, и Ирина поднялась со скамейки.

— Ладно, Жень, мне пора. Я вижу, ты здесь в надежных руках.

Она ушла, прямая и тонкая, обогнув по дороге удивленного Юрия. Алена с подозрением прищурилась:

— Жень, что это было?

— Спасители вы мои. — Назаров хлопнул себя по шее, убивая комара. — Идем в кухню, здесь нас комары живьем съедят.

Они вошли в летнюю кухню, плотно закрыв за собой дверь, и Назаров снова ощутил почву под ногами. Он был не один.

18

Георгины цвели под окнами веранды, и Вика тронула тяжелую розовую голову высокого цветка. Лепестки были нежными и прохладными, даже под солнцем георгины сохраняют в сердце своих цветов прохладу, и Вика рада, что уже может ощущать запахи.

— Смотри, я пересадила бархатцы еще сюда. — Ровена показывала ровные ряды цветов. — Они там слишком густо были посажены, я еще около крана их высадила и за домом тоже. Просто в промышленных масштабах они у тебя разрослись, и циннии тоже. Я и себе взяла немного, белых цинний у меня нет. Когда примутся цвести, красота будет невероятная. И я у тебя выкопала два куста георгинов, розовые и лиловые, а тебе, смотри, привезла желтых — один высокий, он еще расти будет и бутоны выбросит только в августе, а это среднерослый сорт, он уже в бутонах. Пересадила, и даже не заболели, видишь?

— Да, спасибо.

Вика кивнула — желтых георгинов у нее и правда не было, хотя когда она пытается уйти из собственного тела, то всегда видит желтые георгины.

— Тебе обязательно нужно приехать ко мне в гости, я хочу показать тебе свой цветник.

Лицо Вики все еще выглядит так, словно по ней проехался самосвал, и чувствует она себя не лучшим образом, но она так хотела домой, так торопилась спрятаться там, где всегда была счастлива... И на тебе, Ровена увязалась за ней.

— Мы твой огород поливали и пололи там сорняки. — Ровена хихикнула. — Извини, но мы выпили бутылок пять твоей наливки, а малина уже закончилась. Варенья наварили прорву — и тебе, и себе. Это, конечно, не наливка, но зато ничего не пропало. А малины больше нет.

— Ничего, в сентябре ее снова будет полно, этот сорт плодоносит два раза в год.

Вика прошла в дом. Она знала, что ведет себя неправильно, совершенно незнакомые люди помогали ей просто потому, что она попала в беду, но говорить у нее нет сил, и она не знает, что говорить. Эти женщины, такие благополучные, реализованные, понятия не имеющие, через что ей пришлось пройти и что сделать ради элементарного выживания, а если бы знали, то с криками ужаса бежали бы от нее, и Женька тоже не остался бы рядом.

Но не сказать никому — тоже нечестно, это словно всех обмануть самим фактом молчания.

— Пробовала твое мыло. — Ровена поставила в кресло пакет с больничными вещами. — Отличная штука, особенно то, что пахнет сиренью. Вика...

Голос Ровены изменился, и Вика искоса взглянула на нее. В доме царил полумрак — некоторые ставни закрыты, и Вике отчаянно хочется, чтобы Ровена ушла. Ей надо остаться одной, и пусть все станет как раньше. До того, как все эти люди появились в ее жизни. Потому что ничто не отменит того факта, что ее жизнь никогда не станет прежней, и она сама тоже никогда уже не сможет радоваться.

— Тюрьма, колония — прежде всего отбирает радость. Способность радоваться, хотя там нечему радоваться, конечно, нет ни единой причины. — Вика села на пол и оперлась спиной о стену. Это ее дом, здесь она была счастлива, и воспоминания об этом прошлом счастье позволяют ей жить. — Там все так устроено, что любой, кто туда попадает, превращается в ничто. В меньше, чем ничто.

— Вика, просто не думай об этом.

— Ну да. — Вика закрыла глаза, прислушиваясь к миру вокруг. — Это отличный совет от человека с этой стороны забора: ты выйдешь, все забудешь и станешь жить дальше. Нет, послушай. Я знаю, что никто из вас не виноват в том, что со мной произошло. И не думай, что я не ценю вашу помощь и не благодарна за нее. Просто вы все время пытаетесь меня убедить в том, что я уже могу обо всем забыть. Но правда в том, что я никогда не забуду, и не знаю никого, кто может забыть то, что сломало его безвозвратно. Есть даже книги такие — как выжить в тюрьме, но нет книг о том, как жить после того, как выйдешь оттуда. Потому что по сути ты никогда оттуда уже не выходишь, это остается навсегда.

— Ты же боец. Я знаю, ты боец, ты всегда достигала желаемого.

— Это было с той, другой женщиной. Та женщина умерла в день, когда ее заперли в вонючей камере с десятком уголовниц. Притащили прямо из студии — в студийном костюме и туфлях на шпильке, в гриме, защелкнув на руках наручники. И когда за моей спиной полязгнула дверь, все взгляды устремились на меня... А потом ночью меня пытались изнасиловать ножкой табурета...

— Что?!

— Это обычная вещь в женских уголовных сообществах. Места лишения свободы — это еще и места, где люди лишены секса. А для примитивных особей секс — одна из базовых потребностей, равно как и способ унизить другого, занять господствующее положение. И женщины очень изощренно подходят к данному вопросу. А потом была колония — это только так говорится, что «мягкий режим» и прочее. Мягкий режим — это для рецидивисток, а для меня то место стало адом. Потому что я была другая — там, за забором, и когда я вдруг оказалась там же, где и все они, мне стали мстить за свои неудавшиеся жизни, за мужей-алкоголиков, за родителей-маргиналов, за ту нелюбовь, грязь и мерзость, в которой жили эти женщины на свободе. Они на мне вымещали то, что им после тюрьмы некуда идти, — и тоже говорили: ты выйдешь и станешь жить как жила, а я снова в тюрьму пойду, словно это я виновата в их бедах.

— Люди часто так поступают с теми, кого они считают выше себя.

— Я знаю. — Вика сжала кулаки. — Но что мне с этого знания? Когда я в первый день попала в лазарет с побоями, то ночью попыталась что-то предпринять. К сожалению, у них там вся система так построена, что даже умереть спокойно не дадут, так что охранницы деловито избили меня — чтоб не валяла дурака, и я две недели провела в карцере. Ну, там еще было более-менее, потому что я там была одна. Когда я вышла оттуда, одна из тамошних «авторитетных» дам решила, что я стану ее любовницей. Как ты понимаешь, за три месяца я больше провела в лазарете и в карцере, чем в общей спальне.

— И как...

— Как я выжила? — Вика зло засмеялась. — Я сделала так, что досаждающие мне дамы начали вдруг гибнуть одна за другой. Драки, да — о, эти женские драки с заточенными предметами. Женщины более жестокие по своей природе, а места лишения свободы превращают их в нечто настолько мерзкое, что их первичными инстинктами очень легко руководить. И дерутся они более жестоко, и это очень удобная вещь, понимаешь? Если знать, кому и что сказать — так, словно невзначай, или какой слух пустить — да так, что никто не отследит источник этого слуха, ну и прочее. Конфликты вспыхивают очень легко, там это было даже проще устроить, потому что ай-кью контингента гораздо ниже, чем на телевидении. Я знаю, что ты не ожидала такого, но если ты здесь, то я должна тебе сказать, иначе нечестно.

— Я не понимаю. — Ровена смотрела на Вику со страхом. — Я не понимаю, как...

— Конечно. — Вика с грустью заметила, что Ровена даже от нее попятилась. — Я работала на телевидении. Это тоже в некотором смысле зона, и правила там примерно такие же, просто не все так прямолинейно. А я там не просто выжила, я сделала там карьеру, и очень рано. И не только потому, что Николай Ладыжников стоял за моей спиной. Манипулировать людьми очень легко, если знаешь их слабости, скрытые желания, подсознательные страхи, какие-то тайны, печали, а для этого нужно смотреть и уметь видеть, и делать выводы.

— И... сколько их было — тех, кто... Ну, кто дурно с тобой обходился?

— Достаточно. — Вика смотрела на Ровену, и той было неуютно под ее взглядом. — Достаточно для того, чтобы за полгода люди поняли: досаждать мне не надо. Но никто из них меня даже не заподозрил, все считали, что за мной есть некая третья сила.

— А разве нет?

— Нет. — Вика покачала головой. — Мои привилегии, которые обеспечило влияние Николая Андреевича, касались работы в местной библиотеке, я не драила толчки, не работала в цеху, ну и охранницы больше никогда не били меня, но остальное — это я сама. И я выжила, но это не значит, что это хорошо. Потому что выжила только та часть меня, от которой ты сейчас в ужасе шарахнулась, хотя сама замужем за очень похожим типом.

— Я не шарахнулась.

— Ну, ты меня-то совсем за дуру не держи. — Вика горько улыбнулась. — Самое смешное знаешь что? Я бы убила эту грязную тварь сейчас. Просто за то, что она — маленькая гадина, которая с детства досаждала мне. Но тогда это было не моих рук дело. А сейчас — да, я бы и не задумалась.

— Да, мне Паша сказал. — Ровена взяла себя в руки. — Как ты узнала, что... Ну что между ними все это происходит?

— Элементарно. Просто увидела. — Вика презрительно поморщилась. — Зашла в спальню, а они... Я тогда и представить себе не могла, что такое возможно. Я просто глазам своим не поверила. И я была настолько глупой, что побежала с этим к родителям.

— А они все знали.

— Да, они все, оказывается, знали. — Вика снова взглянула на Ровену, и в ее взгляде была только горечь. — Я ведь до этого всегда считала себя чем-то вроде человека второго сорта. Я ведь не могла заниматься спортом, я даже от занятий физкультурой в школе была освобождена. А они такие успешные, целеустремленные, и эти вечные разговоры — о сборах, о соперниках, о новых системах тренировок — было ощущение, что я живу посреди спортивной команды и торчу там, как больной зуб. Дарина — идеальная дочь, Никита — молодчина и вообще бравый парень, и тут такое недоразумение, как я. И вдруг на меня свалилась эта грязная тайна. Это был какой-то невероятный когнитивный диссонанс, понимаешь? И когда мать сказала, чтобы я не смела даже заикаться об... ну, об этом... Я тогда поняла: они с отцом все знали, но так им было удобнее. И я не смогла дальше жить с ними в одной квартире. Им было даже выгодно такое положение дел, это же ужасно, а они — как будто так и надо.

— В смысле?!

— Да в смысле — чем ловить близнецов по отдельности, и чтоб Никита не намотал триппер, а Дарина не пропускала тренировки, чтоб никто не забеременел и не добавил проблем, а так ребятки трахаются между собой, все тихо и шито-крыто, все довольны. Мне тогда многое высказали — и что я неудачница, и что всегда только мешала, и что из-за меня у матери карьера закончилась раньше, чем предполагалось... В общем, проще было просто уйти, и никто меня не останавливал, если ты понимаешь, о чем я. Ну а бабушке я рассказала, что поссорилась с ними и больше не вернусь, а она и рада была, что я останусь жить с ней, мы же всегда этого хотели. Тут Женька тогда жил, ну и Аленка тоже здесь, и Юрка ее. Мы с Женькой вместе ездили в универ и обратно домой, и много чего делали вместе тогда...

Вика вздохнула, вспоминая те несколько счастливых лет, когда она наконец не была вынуждена жить в родительском доме, а в Привольном ее ждали натопленная печка, кошка Мурка на бабушкиных коленях, и все, кого она любила, были рядом.

— А потом оно как-то само все сошло на нет. — Вика закрыла глаза, и Мурка снова шла к ней со стороны леса. — Когда Женька начал работать в газете, написал первую книгу, разместил ее в Интернете, она вдруг стала очень популярной, ее перевели на несколько языков. Мы так радовались, ведь писательство — тяжелый труд и часто неблагодарный, а тут сразу такой успех! Он поехал на презентацию во Франкфурт, там ежегодная книжная ярмарка проходила, и подписал контракт еще на две книги. И вторую ему нужно было писать в Париже, окунуться в атмосферу, так сказать. А мне вдруг дали собственную программу, и через некоторое время мне стали приходить письма, меня начали узнавать на улице — а Женька этому не радовался. Я радовалась его успеху, а он моему — нет. Тогда, наверное, все пошло не так. Вдруг стала появляться Дарина: то на студию заявится, то в университете меня встретит, и все с разговорами какими-то, трижды ненужными.

— Какими?

— Да глупости. — Вика вздохнула. — Вот я не понимаю, я не так все поняла, и нужно уметь мыслить не стереотипно, тем более что я такая известная журналистка, а предрассудки как у старухи, и бла-бла-бла. Она была мне неприятна, понимаешь? У нее тогда как раз карьера гимнастки закончилась, и она маялась дурью, ища себе попутно мужа, благодаря которому займет определенное положение, ей казалось, что я вращаюсь среди таких людей. Ну, отчасти это было правдой, но я совершенно не собиралась восстанавливать родственные связи, которых не было. То она не замечает меня вообще или поливает презрением, а тут бегает за мной, пытаясь что-то от меня получить взамен на мифическое восстановление каких-то несуществующих связей. Подсылала ко мне Ирину...

— Ирину?

— Дочь Ладыжникова. — Вика засмеялась. — Хорошая девочка, но когда она пошла на факультет журналистики, над ней реально хохотали.

— Почему?

— Рона, она никакой не журналист, это не ее. Не помогли ни репетиторы, ни усиленные занятия. Хотя формулировать мысли она кое-как научилась, но это уровень новостного ресурса для толпы, где просто подаешь новость и примитивно комментируешь ее, часто на грани оскорбления, и все. Они с Дариной вроде как в детстве немного дружили, а потом Ира поступила в универ и тогда уж прилипла ко мне. Она реально думала, что если таскается за мной и надоедает тупыми вопросами, это значит, что мы с ней подруги. Она звонила мне, спрашивала, как мои дела, какие планы на вечер, куда-то приглашала, а я в толк взять не могла, с чего все эти танцы с бубном, пока однажды не увидела ее с Дариной. Они целовались. Целовались, представь себе! Ты знаешь, я не терплю всей этой нечистоплотности, вот хоть назови меня ханжой, а не терплю. Я просто стала избегать Ирину, только до нее не очень все это доходило, вот как о стенку горох. А Николай Андреевич был доволен нашей дружбой — ну, он думал, что мы подруги, а я не хотела его обижать, потому что кем бы его ни считали, он сделал для меня больше, чем кто бы то ни было. Он предоставил мне шанс и помогал как мог. Я не могла ему рассказать всего, а уж о том, что видела, — тем более, но я стала втройне осторожна. Дарина была подлая тварь, очень хитрая, умела прикинуться овечкой, умела мгновенно мимикрировать, и ее тощенькая убогая фигурка хронической гимнастки, волосы, собранные на макушке, глазки трогательно распахнуты, еще и рот приоткрыт — типа, смотрите, я наивная хрупкая девочка, защищайте и берегите меня! Но я ее насквозь видела, вот что. Ну и то, что у них что-то с Иркой было... В общем, ты понимаешь, как это выглядело.

— Понимаю. — Ровену услышанное оглушило. — Это было незадолго до убийства Дарины?

— Нет, это было примерно года за два до этого, наверное. — Вика вздохнула. — Женька тогда полгода как уехал, а за мной начал ухаживать Игорь. Водил меня по клубам, а я ходила, только чтоб не ехать в пустую квартиру. Я тогда как раз купила себе жилье в городе и взяла машину в кредит. Ну и ездила, пыталась как-то справиться, а тут эти интернет-новости: Женькина книга, публикации — и тощая наркоманка рядом. Снежный Ангел, мать ее так, ради любви приостановила карьеру. Небось просто от наркоты лечилась, а туда же — ради любви! А Назарову как раз это и было надо тогда, чтобы кто-то ради него от чего-то отказался, без этого у него картина любви не складывалась, кто-то вбил ему в башку, что ради любви нужно отказываться от чего-то важного в жизни. Ну и я стала встречаться с Игорем, и снова вынырнула Дарина — мол, познакомь меня с ним, богема, творческие люди... А потом они с Иркой целуются в ночном клубе. Ну и вся картинка сложилась для меня. Только потом я об этом и не вспоминала уже, потому что в колонии все эти вещи кажутся детскими играми, а там все всерьез. И теперь думай сама: вот вы все, такие хорошие люди, и Аленка тоже, и Женька... Вы все рядом со мной и пытаетесь спасти и помочь, но правда в том, что та женщина, которую имело смысл спасать, давным-давно умерла, а я не стою ни вашей дружбы, ни помощи. И я не знаю, как вам всем это сказать, а не сказать будет нечестно.

Ровена села рядом и взяла Вику за руку.

— Осенью привезу тебе штамбовых роз, хочешь? У тебя за домом есть отличная лужайка, им там будет хорошо.

* * *

Реутов всегда знал, что люди неохотно разговаривают с полицией о своих делах. Но Никита Станишевский спрятался в стенах клиники, и Реутову стоило немалых трудов, чтобы добиться разговора с ним без присутствия родителей. Как всегда, помог Бережной с его связями.

— Я вызову старших Станишевских и буду мурыжить их до упаду, а ты езжай в клинику и раскручивай нашего футболиста. — Виктор отпил из стакана темного пива и блаженно вздохнул. — Я просмотрел все интернет-сообщения, касающиеся Виктории. Кто-то пытался разгонять волну, но сейчас затихарился — видимо, понял, что перебор. Больничная камера зафиксировала ту «уборщицу», которая сфотографировала Вику в больнице, Алена Дмитриева опознала ее, но личность пока не установили — может, Олешко что-то выяснит, тогда поймем, кто натравил на Вику толпу у больницы.

— Ее выписали сегодня. — Реутов вспомнил изменившееся до неузнаваемости лицо Вики. — Надеюсь, доктора правы и ее внешность вернется, потому что сейчас это выглядит страшно.

Реутов понимал, что разговор со Станишевскими будет не самый простой, и их показания, по сути, гроша ломаного не будут стоить, правды от них все равно не добиться, но если не задержать их здесь, Никита свяжется с ними, и разговора не получится.

— Все, вот их машина. — Реутов наблюдал, как паркуется серый внедорожник. — Я уехал, продержись тут, брат, на тебя вся надежда.

Клиника оказалась уютной и ненавязчиво дорогой. Пастельные тона, приглушенные звуки, спокойная музыка, доносящаяся из классов, где проходили групповые занятия. Приветливая девушка-администратор, потерявшая дар речи при виде красавца-полицейского, поминутно краснела, провожая его к Никите.

— Вот здесь у нас гости проходят сеансы релаксации, — девушка улыбнулась Реутову завлекающей улыбкой. — А тут у нас сад камней, один из пяти. Гости могут медитировать, и...

— Гости?

— Мы называем пациентов гостями. — Девушка вздохнула. — Они должны ощущать себя в безопасности, должны знать, что мы на их стороне, что... Вот, это комната Никиты. Я вас прошу, не надо его волновать, он может сорваться, и...

— Сами подумайте, кого я могу взволновать? — Реутов заглянул девушке в глаза. — Я просто недолго поговорю с ним, какие волнения тут могут быть?

— Конечно. — Девушка смотрела на Реутова как загипнотизированная. — А потом я могу предложить вам чаю, у нас прекрасный цветочный чай.

— С удовольствием. — Реутов пожал ослабевшую ладонь новой знакомой. — И я бы посмотрел на сад камней, очень интересно.

— Я... Конечно же, как только вы здесь закончите... Вот мой телефон, я с радостью все вам покажу.

— Не сомневаюсь.

Реутов улыбнулся девушке и, еще раз тронув ее ладонь, вошел в комнату с лиловыми стенами.

Здесь и правда все выглядело по-домашнему — кроме, пожалуй, ажурной решетки, оплетающей балкон. Но и она смотрелась как часть интерьера.

Никита Станишевский выглядел совсем не так, как в рекламных роликах его футбольного клуба. Он словно усох, стал меньше, его взгляд потух, и Реутов подумал, сколько же препаратов влили в парня, чтобы приглушить тягу к наркотикам?

— Вы кто?

Его голос очень похож на голос отца, но более нервный, и сам Никита, несмотря на препараты, весь какой-то дерганый. Реутов вспомнил слова Назарова о том, что Никита с детства нервный и конфликтный.

— Подполковник Реутов. Никита, мне нужно задать вам несколько вопросов.

— Я уже сказал, что всегда покупал у разных поставщиков и не помню их!

Реутов ухмыльнулся — кто о чем, а голый о бане.

«Нужны мне твои поставщики, несчастный торчок. — Реутов улыбнулся Никите вполне по-дружески. — Да я за полчаса узнаю, у кого ты покупал, если мне это понадобится, сам же и расскажешь».

— Вы меня не поняли. Я хочу задать вам вопросы о ваших сестрах. — Реутов сел в кресло и жестом пригласил Никиту последовать его примеру. — Я понимаю, что тема тяжелая, но...

— У меня была сестра — Дарина, ее убили. — Никита плюхнулся в кресло и сжался, обхватив себя руками за плечи. — А та, что убила ее... она мне не сестра. Отец говорил, что она опять кого-то убила? Я ничего об этом не знаю, я не видел эту тварь много лет, и вообще не понимаю, как ее могли выпустить. Но уж теперь, надеюсь, ее посадят надолго.

— Мы разберемся. — Реутов вздохнул. — Я понимаю, что вам тяжело, но вынужден настаивать. Скажите, Никита, с кем встречалась ваша сестра в последние месяцы перед смертью?

— Ни с кем.

Ответ прозвучал так быстро, что Реутов понял: Никита лжет.

— Подумайте еще, я вас не тороплю. — Реутов изобразил участие. — Я понимаю, что воспоминания доставляют вам боль, но...

— Нет, я в порядке. — Никита вскинулся. — С чего все взяли, что я болен? Я немного устал, но я в полном порядке. Дарина ни с кем не встречалась, у нее не было на это времени. Тренировки по два раза в день, режим. У нас с ней просто не было времени с кем-то встречаться. Мы...

— Но зачем тогда она хотела, чтобы сестра познакомила ее с актером Осмеловским?

— Это Виктория так говорит, а на самом деле, я уверен, она лжет. — Никита вцепился пальцами в свои плечи, ногти побелели. — Дарина не встречалась ни с кем.

— Тогда что она делала в гримерке Осмеловского?

— Она никогда там не была. — Реутов вдруг понял, что Никита едва сдерживается. — Слышите, эта тварь лгала на суде! Дарине совершенно незачем было это знакомство. И она никогда бы не стала ни о чем просить Викторию. И никогда не была в гримерке этого актера.

— Но на суде была свидетельница, Наталья Балицкая. И она показала, что Дарина не просто бывала в гримуборной Осмеловского, но у них был роман.

— Она лгала, говорю я вам, эта тварь лгала!

— Но почему нельзя допустить, что у Дарины был роман с актером? Вполне может быть. И она вам не сказала, потому что вы не подружка, а брат, и...

— У Дарины не было подружек! — Никита уже кричал. — Не было романов! У нее был спорт и был я, у нас ни на что больше не было времени!

Реутов понимал, что состояние Никиты позволяет сейчас спрашивать его о чем угодно, и он ответит.

— Никита, что ты сделал с Натальей Балицкой?

— Ничего. — Никита вдруг успокоился, и только взгляд его продолжал гореть яростью. — Я ничего с ней не делал. Она лгала на суде о Дарине, я спросил у нее, зачем она солгала, а она посмотрела на меня своими поросячьими глазками и сказала: потому что так было нужно.

— Ты пришел к ней в дом?

— Это не дом был, а конура. Грязная конура, как раз для такой свиньи. — Никита презрительно искривил тонкие губы. — Я потребовал, чтобы она перестала мне лгать и сказала правду, а она засмеялась и ответила: правда делает свободным, но ей не нужно, чтобы кто-то стал свободным, а Дарине уже все равно, ложь это или правда.

— И ты убил ее?

— Кого?!

— Наталью. — Реутов в упор смотрел на Никиту. — Что ты сделал?

— Ничего. Уложил ее в чемодан, отвез на Остров и бросил чемодан со скалы в воду. — Никита вдруг вскочил. — Она мне лгала! Лгала о Дарине, лгунья! Дарина никогда ни с кем не была, ей никто не был нужен, она просто хотела...

— Кто помог тебе с телом Балицкой?

— Никто. — Никита забегал по комнате. — Ничего не было, какая глупость — прийти сюда и спрашивать, я ничего не знаю.

— Где ты сбросил чемодан?

— Какой чемодан? — Никита непонимающе уставился на Реутова. — У меня нет никакого чемодана. Здесь, видите ли, не разрешают чемоданы, все мои вещи забросили в шкаф, а чемодана нет. Мяч на поле, левый крайний бежит к воротам...

Реутов кивнул и поднялся. Никита кругами ходил по комнате, что-то бормоча себе под нос, парень его уже явно не видел.

— Боюсь показаться излишне любопытным, но работа такая. — Реутов наклонился к девушке за стойкой. — Что с Никитой? Какой диагноз? Поймите, я не из праздного любопытства спрашиваю.

— Шизофрения. — Девушка вздохнула. — Наркотики и стероиды спровоцировали развитие болезни.

— И какой прогноз?

Девушка покачала головой, и Реутов понял: Никита больше никогда не будет играть в футбол. Он теперь играет в другой лиге.

* * *

Назаров решил, что больше он отступать не станет.

Когда Вику выписали, он не смог встретить ее: она категорически отказалась. Она снова отгораживалась от него, прячась за своими бедами, словно за стенкой. А потому он позвонил Нике, и они поехали в ювелирный салон.

— Нужно что-то такое, что ошеломит ее. — Ника с видимым азартом ринулась к прилавкам, наполненным блестящими кусками металла. — Не обязательно бриллианты, но нечто такое, от чего она просто обалдеет. Жень, она очень непростая девушка, и то, что с ней произошло, не сделало ее проще. Она не доверяет миру, не доверяет людям, и у нее есть для этого причины, конечно. И твоя задача сейчас... Вот оно, Женя! Девушка! Девушка, идите сюда!

Назаров с удивлением рассматривал небольшое колечко с прозрачным камнем каплевидной формы. Продавщица ринулась на призыв Ники, и они заговорили об огранке, каратах, бог знает, о чем еще — и скоро кольцо, упакованное в синюю бархатную коробочку, оказалось в кармане Назарова, а его счет в банке в ужасе содрогнулся.

— Если это не растопит ее сердца, тогда я уж и не знаю, что растопит. — Ника смеялась. — Да я тогда сама выйду за тебя, раз такое дело.

И сейчас Назаров шел через соседский огород, по тропинке посреди кукурузы, сжимая в руке синюю коробочку. Днем он поговорил с Викой, и она просила подождать еще неделю.

— Ага, а лучше год. — Назаров понимал, что Вика рассердится, но отступать был не намерен. — Нет, дорогая, мне безразлично, насколько пострадало твое лицо, у меня уже была барышня с идеальным лицом, и что, это ей помогло?

В окнах Викиного дома темно, только в спальне виден свет, но не электрический — Вика зажгла свечи.

Назаров толкнул дверь, она оказалась заперта.

— Вика!

Шаги за дверью напомнили ему зиму, босые Викины

ноги на ледяном полу. Вика ненавидит комнатные тапки и всегда ходит босиком.

— Жень, я... Давай не сейчас.

— Или ты немедленно откроешь эту чертову дверь, или я высажу ее! И все соседи это услышат.

— Ты не посмеешь.

— А давай проверим? — Назаров чувствовал какой-то небывалый кураж. — Хочешь поспорить?

Щелкнул замок, темнота наполнилась запахом сиреневого мыла и Викиных духов.

— Свет зажигать не надо.

— Да как же! — Назаров вытащил из кармана коробочку и щелкнул выключателем, Викины ладони взметнулись к лицу. — Виктория, прекрати, я все это уже видел.

— В Интернете?

— Да. — Назаров отвел Викины руки от лица и опустился на колено. — Виктория Станишевская, ты выйдешь за меня замуж?

— Жень, посмотри на меня, — попросила Вика измученно. — Мало того, что все вот это, и неизвестно еще, что будет с лицом, так у меня ко всему прочему нет трех зубов, и я сидела в тюрьме, там я подстроила несколько драк со смертельным исходом. И вообще я не та, за кого себя выдаю.

— Я знаю, — Назаров взял Викину руку. — Но я ни с кем не хочу быть в этой жизни, только с тобой.

Вика взяла кольцо и повертела его в руках.

— Да, такой камень нужно показывать при хорошем освещении. Назаров, ты решил сразить меня наповал?

— Ника сказала, что если это не растопит твое сердце, она сама за меня выйдет.

— Ну уж нет!

19

— Что они тебе сказали?

Реутов с видимым наслаждением отпил из своего стакана пиво. Обычно он не позволял себе пить спиртное во время работы, но сейчас ему казалось, что, если он не выпьет, его разорвет на мелкие кусочки, до того жутко случившееся с Никитой Станишевским. А потому он купил по дороге пакетик с кусочками вяленого лосося и сейчас пил пиво, наслаждаясь каждым глотком.

— Станишевские? — Виктор понюхал рыбу и отправил прозрачный кусок в рот. — Ну, конечно, они тут же мне ненавязчиво поведали о своей дружбе с Ладыжниковым. Потом Раиса долго расписывала просчеты полиции и суда, позволившие убийце их дочери выйти на свободу. Когда я спросил, правда ли, что у Никиты и Дарины была связь... Дэн, они реально испугались, но теперь я точно знаю, что это правда. Потому что они в два голоса орали, что это измышления убийцы, что если я стану распространять эту гнусную, грязную, извращенную ложь, то очень пожалею, а мою семью Коля-Паук утопит в реке. В общем, все записано, и на видео тоже, потом посмотришь. Но они не знают главного: кто убил Дарину, они твердо уверены, что это Виктория.

— Они просто не рассматривали никакую иную версию. — Реутов допил пиво и потянулся, разминая мышцы. — Все как я и думал, и пользы от них не было.

— Они, как и Никита, отрицают связь между Осмеловским и Дариной, ну разве что он якобы ухаживал за их прекрасной девочкой, а Виктория приревновала. Такое разочарование, а они истратили на нее отличное имя, которое подошло бы победительнице всяческих соревнований, а Вика оказалась злобным ничтожеством, убийцей и лгуньей. Ну вот тебе вкратце наш почти что часовый разговор. Я даже сейчас еще не решил, кто из них более мерзкий, он или она. А у тебя что?

Реутов долил себе пива и зашуршал пакетиком с лососем.

— Вить, у парня реальная шиза. — Реутов снова внутренне содрогнулся, вспомнив Никиту. — Стероиды, наркота — все это упало на его от природы неустойчивую психику. Но знаешь что? Он сказал, что пришел к Балицкой, уложил ее в чемодан и сбросил со скалы в воду.

— Убил ее?

— Я сперва тоже так подумал. — Реутов покачал головой. — Я даже не знаю, почему я спросил у него о Балицкой, просто сказал, что была свидетельница, и тут он завелся и начал кричать: она лгала на суде, у Дарины не было подруг или любовников. И я спросил, что он сделал. И он сказал.

— Если он сумасшедший...

— Понятное дело. — Реутов согласно кивнул. — Его слова ни к чему не привяжешь. Но если бы он убил ее, он бы сказал, хотя бы что-то — ну, по крайней мере, он бы сказал, как он убил: задушил там, зарезал, ударил по голове. Но это не прозвучало, он сказал то, что было на самом деле, буквально: я положил ее в чемодан, вывез на Остров и бросил в воду. И еще один момент: уехав из клиники, я заехал на бывшую квартиру Балицкой и повторно осмотрел времянку, в которой она жила. Поддел ножом плинтус, линолеум поднял и под плинтусом нашел следы хлора. Кто-то обработал ее времянку хлорсодержащим веществом. Я спросил у хозяйки, не было ли запаха хлора в то время, когда исчезла Балицкая, и она вспомнила, что во времянку-то заглянула, потому что из открытой форточки почуяла сильный запах хлорки. Но Никита ничего не сказал об этом, он сказал только одно: просто упаковал тело в чемодан и унес. Кто-то сумел убедить его, что так нужно, и он сейчас уже не помнит, что там был кто-то еще, но кто-то там все-таки был, и этот кто-то убил Балицкую и отмыл там все, и это не был Никита. Это был кто-то хладнокровный, умеющий просчитывать ходы, оценивать возможные риски.

— Да, дела. — Виктор вздохнул. — Может, Ладыжников? Он мог все это устроить.

— Ладыжникову не понадобился бы для этого Никита. — Реутов фыркнул. — Тем более что он не допустил бы наличия такого свидетеля.

— Ну, тоже верно. Доложимся генералу?

— Я попросил майора Васильцова одолжить своих водолазов, и сейчас полтора десятка ребят обследуют дно вокруг скалистых мест Острова.

— Прыткий ты, брат, но и я не зевал. — Виктор долил себе пива. — Я связался с Олешко и попросил показать фотографию «уборщицы» из больницы его жене и Нике Булатовой.

— Зачем?!

— Наитие. — Виктор засмеялся. — И что ты думаешь: они обе опознали в ней барышню, которую застали около дома Виктории в Привольном. Татьяна Мисина, подружка одного из оперов, которые допрашивали Викторию, внештатный корреспондент газеты «Суббота». Это она слила в Сеть новость об аресте Виктории, и она же, прикинувшись уборщицей, сфотографировала Викторию в больнице и выложила в Сеть.

— Надеюсь, за ней уже поехали? — Реутов выудил из кармана звенящий телефон, а в это время на столе Виктора загудел старый телефонный аппарат. — Да, слушаю... Отлично, едем уже. Вить, за Мисиной уже выехали?

— И даже нашли. — Виктор вздохнул и положил трубку. — Ну что за нафиг! Мы постоянно на шаг позади нашего убийцы.

— Что?

— Ребята застали ее уже мертвой. Самоубийство, и совсем недавно, тело еще теплое. — Виктор достал из-под стола банку с пивом. — А ты?..

— У западной оконечности Острова обнаружился большой чемодан, в нем останки. — Реутов отнял у напарника пиво и по-братски поделил его, вылив в свой стакан половину. — Васильцов говорит, что чемодан оказался полностью герметичным, а части тела были завернуты в пищевую пленку, упакованы очень плотно.

— То есть...

— Именно. — Реутов одним глотком прикончил пиво и поднялся. — От тела осталось довольно много и мы, возможно, обнаружим там улики. И уж точно узнаем, что ее убило. Поехали, Вить, я за рулем. Ты позвони Олешко, пусть подтягивается, если считает нужным, а я позвоню Бережному. Только здесь надо мусор весь собрать, а форточку открытой оставим, не то вернемся, будет вонять как в пивной.

Виктор кивнул и достал из шкафа пакеты для мусора.

* * *

У Павла была привычка все свои дела распутывать до самого донышка. Ему мало было узнать информацию, сама по себе информация часто бесполезна, если не связать ее с личностными факторами участников расследования. Потому что одни и те же поступки и обстоятельства для разных людей имеют совершенно разное значение. И лишь когда привязываешь некую информацию к конкретному человеку, картинка начинает обретать смысл и очертания.

— Надо же, как тебя распиарили, парень. А ведь по сути-то — ну, торговец наркотой и куратор сети борделей, и есть над тобой люди поавторитетнее, но поди ж ты, главное пугало Александровска — Коля-Паук во всей красе. — Павел хмыкнул. — Самое смешное, что кто-то убил и судью, и журналиста, и твою бывшую, но ты этого не делал, и знать не знаешь, кто бы это мог быть, как не знаешь, что из тебя несколько лет намеренно сооружали этакого Бугимена. А ты все удивлялся, откуда берутся слухи.

Павел послал на печать документы и поднялся. Ему хотелось домой, от отпуска остался огрызок, и он хотел провести это время с семьей. Но и бросить сейчас дело он не мог, потому что данные, которые он добыл, ни за что не достать Бережному и его ребятам.

Генерал понравился Павлу — он и правда был тем, кем казался: человеком на своем месте, яростным поборником законности, и Павел думал о том, что Бережного с его бескомпромиссным подходом и неприятием защиты чести мундира любой ценой вполне могут отправить в отставку. И вряд ли его команда останется после этого в полиции, их просто выживут, заставят уйти, а это будет очень плохо для города. И потому он хотел помочь Бережному, и будет впредь присматривать за ним, чтобы подстраховать в случае надобности.

Бережному об этом, конечно, знать необязательно.

Павел собрал бумаги в рюкзак и вышел, вслед ему подмигнули мониторы, перешедшие в автономный режим. Сбор информации не должен прерываться, и система справляется с этим сама.

Зазвонил телефон, и Павел узнал номер Виктора Васильева. С этим парнем у него сложились вполне приятельские отношения, и его подход к делу Павлу очень нравился.

— Паш, мы едем на место самоубийства. — Павел слышал, что Виктор в машине. — Татьяна Мисина, сотрудница Назарова, которая...

— Сейчас буду.

Павел вырулил со стоянки и направился в сторону мостов. Мисина, которая что-то вынюхивала во дворе у Виктории и которую Ровена опознала по фотографии с камеры наблюдения в больничном лифте, несмотря на мешковатый халат санитарки, — но все, что Павел знал о ней, говорило о том, что Мисину кто-то использовал как фланговую пешку, а потом ею пожертвовал. Кто-то обрубает концы, потому что слишком наследил, заигравшись в информационную атаку. Такая атака потребовала большего количества участников, и результатом ее должно было стать преследование Виктории Станишевской, потому что убийство Зайковского на нее повесить не сумели.

— Никакое это не самоубийство. — Невысокий пожилой патологоанатом отчего-то сердится. — Странгуляционная борозда говорит о том, что жертву сначала задушили, набросив шнур сзади, а после подвесили на этом же шнуре, но первоначальная борозда ярче, потому была прижизненным повреждением. Жертва убита максимум полчаса назад, токсикологию я сделаю, конечно, только под ногтями жертвы чисто, пятки тоже не ссажены, а это значит, она не сопротивлялась, а ее конечности не двигались, когда ее душили. Ладно, пакуйте труп, не о чем говорить.

Павел наблюдал, как работают эксперты, как компьютерщики упаковывают компьютер Мисиной, ищут телефон — ему все это уже неинтересно, потому что ответ он уже знает, просто нужно еще немного времени. Но самое главное, что он знает, в каком направлении копать.

— К Бережному с нами поедешь? — Реутов исподлобья глянул на Павла. — Или есть другие дела?

— Поеду, какие сейчас другие дела... — Павел ухмыльнулся, настороженность Реутова его забавляла. — Тут более-менее все ясно, пусть работают эксперты.

— В том-то и дело, что неясно. — Реутов заметно сердился. — Или нарыл чего?

— Нарыл. — Павел повел плечом, на котором висел рюкзак. — Поехали, здесь мы ничего нового не узнаем, а я вас удивлю.

Реутов нахмурился. Вот подозрителен ему этот тип, и все. С чего Виктор с ним почти что закорешился, ему непонятно, потому что от Павла за километр пахнет уголовщиной — не банальным гоп-стопом, а нарушением базовых, так сказать, прав человека.

— Ты меня, Денис Петрович, который день со стороны в сторону поворачиваешь, и все у тебя одна изнанка получается, а человек — вот даже и я, допустим, — человек разный бывает, и разные обстоятельства проявляют различные грани его личности, ты этого не можешь не знать.

— Знаю. — Реутов кивнул. — Ладно, проехали. Давай к Бережному.

Они разошлись по машинам, но Павел, проследив, что Реутов выезжает со двора, вышел из машины и вернулся в квартиру Мисиной. Полицейский на входе его не остановил, эксперты тоже не обратили внимания. Павел, достав из кармана перчатки, открыл платяной шкаф и осмотрел его содержимое. Удовлетворенно хмыкнув, он вышел из квартиры, на ходу снимая перчатки.

Его ждала команда Бережного, и у него было что им предъявить.

* * *

У Бережного телефон звонил не переставая. Сотовый он отключил, а звонки в приемной секретарша взяла на себя, и Бережной подозревал, что она впервые чувствует себя счастливой за все время, что он занимает генеральский кабинет.

— Журналисты, мэр, снова журналисты. — Бережной вздохнул. — Звонил Станишевский, угрожал иском за твой, Денис Петрович, разговор с его сыном. Конечно, я объяснил ему, что ты имел право беседовать с Никитой, ведь он совершеннолетний и дееспособный, что еще больше разозлило нашего Отца Года. А так вообще-то нерадостно, господа офицеры, и я надеюсь, что у вас есть что-то существенное. Об убийстве Мисиной я знаю, звонил патологоанатом Норейко. Кстати, он изучил останки, найденные в реке: это совершенно точно Наталья Балицкая, убита точно так же, как были убиты Дарина Станишевская и Зайковский — удар ножом в правую часто торса, снизу вверх. Нож похож на те, что использовались в двух предыдущих убийствах, что дает нам основания утверждать: это один и тот же убийца. Внутри чемодана обнаружены отпечатки пальцев Никиты Станишевского, но врач говорит, что он непригоден для допроса. Мисина удушена, но я думаю, что убийца просто хотел скрыть преступление, а потому изменил modus operandi, так сказать, но убийца все тот же. А у вас что?

Реутов достал из кармана блокнот. В отличие от растрепанных блокнотов Виктора, в которых, кроме него самого, никто ничего не мог понять, блокноты Реутова всегда были идеально аккуратными, а страницы их были заполнены четким раздельным почерком владельца.

— Мисина была опознана как женщина, проникшая в больницу и сфотографировавшая Викторию Станишевскую в день, когда хирург снял с ее лица повязки и швы. — Реутов понимал, что этого мало. — Вряд ли она собиралась предложить этот материал газете, редакционная политика «Субботы» исключает подобные вещи. Но она сразу разместила фото в Интернете, на новостном ресурсе, который пользуется славой скандального разоблачителя. Именно на этом ресурсе она разместила и новость о том, что Виктория задержана в связи с убийством Зайковского. И вот еще что: на этом ресурсе очень часто появлялись материалы о Ладыжникове, причем материалы неприятные: о сети борделей, о наркоте, об убийствах. Особенно делалось ударение на то, что у него в городе все в кулаке, и полиция, и мэрия. Конечно, Ладыжников пользуется влиянием, но по факту на него ничего нет, а на сайте размещались заведомая ложь или недоказуемые факты. В общем, странно это.

— Ясно. — Бережной вздохнул. — Ну а больше у нас до сих пор ничего нет, и если компьютерщики ничего не вытянут из компьютера и телефона Мисиной...

— Я проверил звонки Зайковского и Мисиной. — Виктор откашлялся, ему нестерпимо хотелось пива. — Я думаю, кроме телефонов, найденных в квартирах убитых, у них наверняка было еще по аппарату для связи, которые им выдал наш убийца и которые они должны были использовать только для связи с ним, а потом он забрал телефоны с собой.

– Думаю, ты прав. — Олешко достал из рюкзака кипу бумаг. — Вот тут распечатки звонков Мисиной, Зайковского и Балицкой. Пришлось покопаться на сервере провайдера, но это достоверная информация. Кроме своего основного телефона, все трое использовали дополнительные номера, и все они вели разговоры только с одним номером. И вот этот номер зашифрован, его местоположение мне отследить не удалось.

— То есть они во время следствия по делу об убийстве Дарины Станишевской связывались?

— Постоянно. — Павел пододвинул полицейским распечатки. — И с этого зашифрованного номера так же поступали звонки к прокурору Скользневой, как четыре года назад, так и накануне ее смерти. А вот звонок с одного из этих телефонов Виктории, во время следствия, за день до ее ареста. И вот список людей, которым поступали звонки с этого телефона.

— И невозможно узнать, кому он принадлежит?

— Нет. — Павел вздохнул. — Я пытаюсь, но пока безуспешно. Тем не менее, всех участников дела объединяет этот таинственный номер. И вот еще интересная вещь. С номера, принадлежащего предположительно Зайковскому, на телефон Виктории было отправлено сообщение — фотографии. Я достал их с сервера, вот они.

Павел выложил на стол несколько вполне четких снимков, на которых полицейские узнали Алену Дмитриеву с младенцем на руках, еще на одной был Назаров на каком-то мероприятии.

— Конечно, она не протестовала. — Павел вздохнул. — Ей не дали выбора. Вернее, она выбрала не себя. Бросили эти фотографии, словно сказали: будешь трепыхаться — мы достанем всех, кто тебе дорог. Ведь если Назаров снят на каком-то мероприятии, то Алена Дмитриева сфотографирована у своего кафе, а на руках у нее — младший сын, тогда ему было меньше года, как видите. Конечно, Вика выбрала не себя.

Воцарилось молчание. Реутов думал о том, что он, возможно, поступил бы точно так же, если бы Соне и Катюшке что-то угрожало. Виктор смотрел на фотографию Назарова и думал о том, знает ли сам Назаров, какой он счастливчик, ведь его женщина ради любви к нему принесла в жертву собственную жизнь.

А Бережной думал о том, что убийцу нужно взять живым — чтобы посадить его в самую мерзкую камеру, навсегда. За то, что он сделал с ясноглазой улыбчивой Викой Станишевской, которая больше не улыбается, и неизвестно, сможет ли.

— Это означает, что работала некая преступная группа, которой руководило неизвестное лицо. — Бережной поднял взгляд на присутствующих. — И все члены этой группировки мертвы.

— Кроме одного. — Павел значительно поднял указательный палец. — На свободе тот, кто все это организовал, и мы не знаем даже, ради чего. Чем ему мешала Виктория Станишевская?

— Думаю, тут дело не в Виктории. — Реутов задумчиво взъерошил волосы. — Вернее, не только в Виктории. Тут дело в Станишевских. Смотрите, какая картина: Дарина убита, Виктория в тюрьме, Никита подсел на наркотики и по итогу спятил. И кроме того, он крепко втянут в убийство Балицкой — правда, убийца не думал, что Никита все расскажет, и он бы не рассказал, будь в своем уме, но дело в том, что этого никто не мог предвидеть. И теперь, хочешь не хочешь, но все грязное бельишко Станишевских будут трепать в прессе так, как никогда не трепали, шила-то в мешке не утаишь по-любому. Это как раз то, чего они больше всего боятся.

— Думаешь, Ладыжников?

— Вить, а зачем это Ладыжникову? — Реутов пожал плечами. — Если бы он захотел, Станишевские просто попали бы в автокатастрофу, например. Или баллон с газом взорвался бы, или они бы просто исчезли, и все. Нет, Ладыжников так не действует.

— Самое смешное, что Ладыжников вообще никак не действует. — Павел вдруг рассмеялся. — Ребята, самая интересная деталь: Ладыжников — дутая величина.

Нет, конечно, Коля-Паук держит свои незаконные дела в порядке, тут и разговору нет, но вы его держите под колпаком годами, и что?

— Практически ничего. — Бережной вздохнул. — В том-то и дело. Знаем, что все бордели под ним и наркота через его людей идет, но если кого задерживают, это мелкая рыбешка и на Ладыжникова указать не может, либо это его приближенные, но у них тут же появляется адвокат, который в два счета вытаскивает подозреваемого из-под стражи, и мы только руками разводим. У Ладыжникова все схвачено, и взять этого поганца за задницу мы пока не можем, а он еще и меценат, многие люди на интересных постах как раз победили в его конкурсах, либо учились за его счет, и он обеспечил им карьеру. Он обстоятельный мужик, наш Ладыжников, и думает на долгосрочную перспективу.

— Тем не менее все те смерти, которые приписывали его злой воле, были убийствами, к которым он имел только косвенное отношение. — Павел достал из рюкзака еще одну пачку распечатанных страниц и раздал полицейским. — Вот судья, погибший в аварии. Это единственный раз, когда к Ладыжникову приблизились почти вплотную и он не смог вытащить своих подельников, отмывающих для него деньги. Следствие признало, что это был несчастный случай, у судьи за рулем случился сердечный приступ, анализ его крови показал высокое содержание адреналина — но дело в том, что такой уровень адреналина не вырабатывается организмом, а значит, вещество попало извне. Потом его усадили за руль и он, пребывая в стрессе, добавил собственный адреналин к тому, что ему впрыснули, и сердце не выдержало. Или, например, самоубийство журналиста выглядит совсем так, как самоубийство Мисиной, фотографии странгуляционных борозд свидетельствуют о том, что парня убили точно так же, как Мисину. А жена Коли-Паука, заразившаяся столбняком якобы в конюшне, была от столбняка привита, но уровень бактерий в ее крови свидетельствует о том, опять же, что столбнячные палочки были введены ей, например, перорально — дали с питьем, скорее всего. Но дело в том, что сам Ладыжников об этих забавных совпадениях понятия не имеет.

— Откуда ты знаешь?

— Дэн, я вскрыл все его почтовые ящики. — Павел ухмыльнулся. — Ничего из этого вы не сможете использовать, потому что я вскрыл их незаконно, а потому я не стану смущать ваши души ненужными знаниями, тем более что это было бы неспортивно. Я распечатал только переписку и переговоры за указанные периоды. Четко видно, что Ладыжников понятия не имел, что происходит. Ни единого намека на то, что он был в курсе или являлся заказчиком. Он хитер, ребята, но не настолько же, чтоб вот так уж совсем никаких следов не оставить.

— Но кто-то этих людей убил. — Бережной листал документы. — Зачем?

— Затем, что образ великого, вездесущего и ужасно жестокого Коли-Паука начали лепить лет десять назад, когда он развернул в Александровске свою деятельность, связанную с меценатством. Ведь до этого о нем не ходило никаких демонических слухов — ну, очередной преступник, изворотливый и хитрый, но такие и раньше были. И вдруг начали появляться какие-то новости — на интернет-форумах, в соцсетях, жуткие рассказки о невероятной жестокости и неуловимости для закона непобедимого Коли-Паука. А я видел его, слышал тоже, изучил его деятельность, и он не производит впечатления отморозка, и ребятам он помогает вполне искренне.

— Да, у меня такое же мнение сложилось. — Бережной вздохнул. — Тем не менее кто-то убивает для него. Кто-то из его окружения?

— Я изучал и его окружение — нет у него таких умельцев. — Павел развел руками. — Он не торгует наркотой в розницу, в его руках наркотрафик крупных партий, а там все немного не так, как с мелкими толкачами, там люди серьезные. Девками занимаются его менеджеры, так же и деньги отмываются — никакой крови, никаких трупов, так разве что уму-разуму проворовавшихся поучить, для этого есть дуболомы, но никаких убийств.

— Значит, чего-то мы не знаем. — Бережной устало потер переносицу. — Мы зациклились на Ладыжникове потому, что те убийства были ему на руку, но от убийства Дарины он ничего не получил, как и от посадки Виктории. И уж точно ему ничем не мешали Зайковский и Мисина, он их даже не знал, скорее всего.

— Не знал. — Павел кивнул. — Но я посмотрел в шкаф Мисиной — там среди прочих вещей висят две хорошие шубки, не новые, но хорошие. Ну и ноутбук у нее такой же, как у Зайковского, а в квартире неплохой ремонт — как женщина, она более рационально распорядилась деньгами.

— Ладно, а деньги с его счета для Скользневой? — Реутов понимал, что Павел прав, но ему требовалась полная ясность. — Он годами ей платил.

— И еще десяткам чиновников. — Павел хмыкнул. — Думаю, Скользневу тогда сыграли втемную: позвонили от имени Ладыжникова и приказали закрыть глаза на дырки в следствии. Она и не усомнилась, и с чего бы, деньги поступили исправно. Кто-то, кто был близко, кто имел доступ к счетам и знал пароли. Кто-то, кого и в расчет не принимали.

Бережной улыбнулся:

— Паш, ну ты совсем уж. Нет, не может этого быть.

— Отбросьте все, что не могло иметь места, и останется один-единственный факт, который и есть истина. Это, между прочим, Шерлок Холмс сказал. — Павел хмыкнул. — Да, я тоже не сразу понял.

20

Вика проснулась рано. Так рано, что даже голуби на акации, растущей перед домом, еще не принялись гудеть, и только петухи надрывались по дворам, и ревели недоенные коровы. Осторожно переступив через Назарова, она вдруг поймала себя на мысли, что свою первую ночь они тоже провели на этой кровати. После смерти бабушки Любы Назаров не захотел оставить ее одну в пустом доме, хотя она очень хотела, чтобы все оставили ее в покое и дали возможность скорбеть так, как ей нужно. Потому что плакать на людях она не могла, а слез было море, и плескались они все ближе — с каждым уходящим другом, соседом или родственником, которые поднимались из-за стола и отправлялись своей дорогой, слезы подступали, и нужно было просто спровадить Алену и Женьку, и Алену тогда увел муж, а Женька остался и поплакать ей не дал.

И она ощущала свое внезапное сиротство сквозь Женькины поцелуи, и этот дом тогда стал только их.

— А когда умерла бабка Варвара, мы снова оказались вместе. — Вика озадаченно смотрела на Назарова. — Жень, ты слышишь?

— Угу... — Назаров лениво открыл глаза. — Они словно сговорились сосватать нас любой ценой. И кто мы такие, чтобы спорить? Лично я хочу двоих детей, но лучше троих. Мы и так сильно отстали от Алены с Юркой.

— Вот сам и будешь их рожать, а я больше одного не хочу.

Назаров улыбнулся, и Вика вдруг подумала, что никогда никто не нравился ей так, как нравится Женька — тощий, высокий, длинношеий, кудрявый Женька Назаров — с этими его большими карими глазами в ресницах и пухлыми губами. Женька, который старается перевести в слова мир, который кипит и меняется вокруг них.

Чтобы все могли его увидеть, даже те, кто видеть не умеет. И чтобы запечатлеть то, что он видит, — и через сто лет люди узнали, что вот и они, нынешние, тоже видели восходы и закаты, любили и радовались, и горевали, и все это было до них, но не так, конечно, — и немножечко точно так же.

— Жень, я завтрак готовить не хочу. — Вика подошла к зеркалу и заглянула в него. — Вроде бы синяки побледнели, и глаза уже нормально выглядят. Может, оно и пройдет...

— Викуль, все будет норм. — Назаров протянул к Вике руку. — Иди сюда.

— Ну уж нет, сначала зубы почистим. — Вика хихикнула. — Жень, давай потом ты сделаешь луковые кольца с моцареллой.

— А моцарелла-то есть? — Назаров достал из пакетика подушечку жвачки. — Держи и иди сюда.

— Моцарелла есть, конечно, как и синий лук. — Вика ощутила мятный вкус жвачки и шагнула к кровати. — Жень, ничего же не закончилось.

Назаров сел в кровати и посмотрел на Вику. С растрепанными волосами, в короткой рубашечке, едва прикрывающей бедра, она вызывала в нем сильнейшее желание. Ведь в его жизни по-настоящему и не было никого, кроме Вики, и даже брак с Анной этого не изменил.

— Подожди, я почту проверю, мне доктор обещал написать, чем можно все эти синяки мазать, чтоб скорее проходили.

Вика открыла ноутбук и зашла в почту. Новое письмо действительно было, но не от доктора, письмо со ссылкой, Вика автоматически щелкнула на ссылку. Новостная страница какого-то желтого издания: «Откровенный разговор: Снежный Ангел». Вика пробежалась глазами по интервью — обычная публичная тряска трусами, ничего особенного. А вот это: «до меня у Евгения был роман с дочерью бандита, ее звали Ириной. Больше я о ней ничего не знаю, но я знаю, что они встречаются до сих пор».

— Ну охренеть!

Вика удивленно посмотрела на Назарова, думая о том, что если хотя бы часть этого правда, то... Ну а что тогда? А ничего. Вот просто — ничего.

— Назаров, ты спал с Ириной Ладыжниковой?

— Откуда ты... — Назаров осекся. — Да, один раз. Перед отъездом в Париж она приехала вдруг, коньяк привезла, я был в раздрае, потому что мы расстались, и я скучал, а тут она, и этот коньяк...

— Я понимаю.

— Я клянусь тебе, это было один раз, по пьяной лавочке. — Назаров подошел к Вике и заглянул через ее плечо. — Вот оно что...

— Ага. — Вика старалась, чтобы ее голос звучал как обычно. — Ты собирался мне сказать?

— Не знаю. — Назаров пожал плечами. — Для меня это ничего не значило, просто неловкость возникла при дальнейшем общении, а она решила, что можно все возобновить, хорошо, что Алена с Юркой пришли, и она уехала. Я не...

— Подожди, она сюда приезжала?

— Вик, она приезжала в мой дом — накануне твоей выписки из больницы. Ну, я ей все сказал — что мы с тобой снова вместе, что я все сделаю, чтобы это сохранить, и что ничего не будет. Ну, она вроде бы с юмором отнеслась, а тут Аленка со своими пирожками, просто спасение. Вика...

— Женя, если ты мне сейчас солгал, я тебя убью. Не из-за ревности, а за ложь.

Назаров вдруг понял — Вика не шутит. То, что она теперь другая, он понимал, но насколько она другая, понял только сейчас.

— Вика, ты просто осознай и прими: я люблю только тебя. В болезни и здравии, так сказать, и во всякой хренотени, и я собираюсь разделить с тобой свою жизнь и иметь от тебя детей. Если для тебя это пустой звук и какой-то случайный секс, по пьяни получившийся сто лет назад с женщиной, которая ничего для меня не значила и не значит, для тебя важнее, чем наши дети — ну, хрен с тобой, буду любить тебя и дурой, куда мне деваться.

— Ладно. — Вика закрыла ноутбук и поднялась, в упор посмотрев на Назарова. — Жень, просто никогда не лги мне, и если полюбишь другую — скажи сразу.

— Блин, Виктория, ты меня что, не слышишь совсем?! Я тебе говорю: я хочу от тебя детей. Что еще я должен сказать или сделать, чтоб ты поняла?

— Вот только не надо на меня орать.

Вика обиженно отвернулась.

Зазвонил телефон, Назаров потянулся за аппаратом.

— Жень, горит кафе! — Хотя голос Юрия звучал приглушенно, Вика тоже услышала. — И я Аленке позвонил, она ехала сюда, но до сих пор нет ее и телефон молчит.

— Мы едем. — Назаров потянулся к брюкам. — Вика, надо...

Вика уже оделась. Она и раньше умела собираться очень быстро, но сейчас это вообще мгновенно: вот только что она стояла здесь в ночной рубашке, растрепанная и сердитая, и вот она уже в летнем сарафане, а волосы забраны резинкой.

— Аленка ехала в кафе, куда ей было деться? Разве что скутер забарахлил. — Глаза Вики потемнели. — Ты езжай к Юрке, а я поищу Алену. Она, может, напрямки пошла через овраг, а телефон или разрядился, или посеяла. А то и в балке сейчас, там телефон сигнал не ловит, ты же знаешь. Так что ты езжай и будь с Юриком, поддержи его и помоги чем сможешь.

— Ладно, ты права, я поеду туда. А ты, когда Алену найдешь, сразу звони, я на связи.

Назаров побежал к машине, на ходу набирая номер Павла Олешко. Именно Павел вызывал у него наибольшее доверие, и Назаров хотел, чтобы Павел знал о происходящем.

Вика заперла дверь и спрятала ключ в дупло груши, растущей около дома. Она никогда не брала с собой ключ, чтобы не потерять, — ищи его тогда, или железную дверь придется резать.

Обувшись в резиновые сапоги, Вика взяла хворостину и пошла в сторону леса, посреди которого на несколько километров тянулся овраг, с переходами и скалами, как Большой Каньон.

С того самого момента, когда начали ворошить старое дело с убийством Дарины, Вика ждала чего-то такого. Но как объяснить человеку, который сейчас держит у себя Алену, что все это расследование было против ее воли, она знала. Что за этим последует? Как объяснить, что если бы не убийство журналиста, ничего бы не всплыло.

Но сейчас где-то там Алена.

Вика вошла в лес, вдохнула знакомые запахи. Это, собственно, рукотворный лес, посаженный когда-то именно из-за оврага, чтобы он не разрастался. И акации сделали свое дело, овраг прекратил расти, а лес колыхался на протяжении сотен гектаров, и уже на ее памяти эти деревья значительно выросли, закрыв кронами крыши и антенны улицы, находящейся за оврагом.

В детстве они с Аленой любили бродить здесь, знали все тропинки, и где какие ягоды и гнезда, тоже знали, и Вика любила запах прелой листвы и влажных зарослей чистотела, и тишину, которая окутывала, как ватным одеялом.

За кустом бузины блеснуло золото — Вика сжала кулаки. Это Аленин красный скутер с золотыми полосами, и она ни за что не оставила бы его здесь, она не стала бы ехать в лес на скутере. Значит, Алена там, где не работает сотовый.

Было в овраге такое место, там отчего-то начинали барахлить часы, и трава росла странная, чахлая какая-то, но рядом была расщелина, где с войны еще ржавели куски старого оружия: багнеты, части винтовок со штыками, обломанными и ржавыми, они были почти присыпаны землей, но и Вика, и Алена знали, что они там. Иногда они рылись в этой куче, но когда обнаружили череп с дыркой, перестали. И приходить перестали, хотя неподалеку был хороший родник.

Вика шла туда, смело ступая по траве ногами, обутыми в синие резиновые сапоги до колен, в которых она обычно мыла машины. Хворостина так, больше для порядка, в этих сапогах ей по любым зарослям можно свободно ходить, разве что встретится полоз. А эту тварь сапоги не остановят, он бросается на человека сразу, причем норовит укусить в лицо, и Вика думает, что только укуса полоза ее лицу сейчас и не хватает. И хотя полоз не ядовит, но этот двухметровый змей ударом хвоста может ноги перешибить, если захочет.

Только сейчас Вике на это плевать.

Назаров пропустил момент, когда ей пришла эсэмэска: «Тебя предупреждали, теперь ищи ее». Конечно, она все поняла, а уж когда Юрий сказал о пожаре в кафе, она сообразила: Алену выманили из дома и перехватили по дороге, и она сейчас у убийцы. Зато лучшего места, чем горящее кафе, чтобы удержать Назарова под присмотром, не найти. Пусть едет туда и будет с Юркой, тот его защитит в случае чего.

Вика спустилась в овраг, она почти бежала по пологому склону, росистая трава скользила, и сапоги тянули Вику вниз, как доска для серфинга, и все змеи, которые, возможно, и попались на пути, сейчас либо улепетывают куда глаза глядят, либо валяются в обмороке.

Спрыгнув на дно оврага, Вика побежала в сторону родников. Если ее предположение верно, Алена должна быть еще жива, но надолго ли это? Вика нырнула под ветки, свисающие с дерева, почти вывороченного из земли, но все еще живого — оно выросло на склоне и под собственным весом упало, но ветки были зеленые, дерево боролось за свою жизнь, его корни, почти полностью вышедшие на поверхность, продолжают тянуть из земли влагу и питательные вещества, но Вика знает: придет зима, и дерево не переживет холодов.

Но до зимы еще далеко.

— Алена!

Викин голос звучит приглушенно в густом влажном воздухе. Где-то вверху уже проснулись птицы, и Вика слышит их звонкие голоса и думает о том, что утром голоса птиц особенно чистые.

— Аленка!

Вот расщелина с кусками железа, а дальше влажная глина, скользкая и холодная, — родники по весне здесь все залили, и до сих пор не высохло. Вика поскользнулась и, не удержавшись, шлепнулась, в последний момент смягчив падение, ухватившись за корень дерева, свисающий откуда-то сверху.

— Да, элегантность ты растеряла.

Голос этот Вике знаком, но ее глаза ищут Алену.

— Ну и рожа у тебя, Шарапов.

— Да к черту! — Вика оглядывается. — Где Алена?

— А где ей быть?

Конечно, где ей быть. Вика обогнула кучу валежника, лежащего с незапамятных времен и словно окаменевшего. Дальше должна быть небольшая поляна, но она могла и зарасти, Вика уже давно не была здесь.

Алена лежит на влажной глине, руки и ноги ее связаны, рот заклеен, но она жива, ее синие глаза яростно блестят, она смотрит на что-то за спиной Вики, и ей не надо поворачиваться, чтобы понять, что там. Вернее, кто.

— Ну, здравствуй, ласточка. Что ж ты мне так и не позвонила?

— Привет, Ира. — Вика не хочет поворачиваться, но ей придется. — Далеко же ты забралась.

Она все такая же, какой Вика ее запомнила, — высокая, очень худая, короткий нос и небольшие пухлые губы на лице в форме сердечка, и каштановое каре, обрамляющее это лицо, очень идет ей.

А нож в руке не идет.

— Забавно. — В глазах у Ирины презрительное удивление. — И это тебе Назаров сохранял верность! Хотя он хорош, знаешь?

— Конечно. — Вика дотронулась до своего лица. — Ничего, скоро все придет в норму. До свадьбы заживет, в прямом смысле слова.

— Ах да, свадьба. — Ирина засмеялась сухим искусственным смехом. — Я смотрю, он и кольцо тебе купил. Ну, не в этой жизни, ласточка. Если он не достался мне, то тебе уж точно не достанется. Ты, наверное, думаешь — почему, за что?

— Ну, это как раз не секрет. — Вика пожала плечами. — Папа, который уделяет внимание чужим детям, талантливым и ярким, и дочка, которая — ну, просто дочка, без особых талантов. Хотя твой талант совершенно особый, не так ли?

— Раньше ты такой умной не была.

— На самом деле — была. — Вика понимает, что нужно тянуть время во что бы то ни стало. — Я отлично все понимала еще тогда, когда вы с Дариной так трогательно дружили, и если Никиту ты могла ей простить, то Игоря — ни за что. А она хотела быть с Игорем, и знаешь, я думаю, рано или поздно добилась бы своего, она была молодая и тощая, Игорь таких очень любит. А ты не могла ей позволить этого.

— Отчасти, ласточка, лишь отчасти. — Ирина ухмыльнулась. — Хотя ты сама виновата, ты всегда получала самое лучшее. Но это не все. А правда в том...

Она вдруг взвизгнула и подскочила, нож выпал из ее руки. Крупная черная гадюка шипела, изготовившись к очередному прыжку.

— Это гадюка Никольского, она очень ядовита. — Вика холодно улыбнулась. — А ты думаешь, чего ради я надела эти сапоги? Ты давно здесь не была, Ира, а все меняется, вот и тут многое изменилось. Например, из-за того, что перестали опрыскивать пестицидами поля, очень значительно расплодились гадюки.

Ирина попятилась, гадюка черной лентой бросилась вперед, и Вика поняла, что у нее только один шанс.

Она все силы вложила в удар.

Раскосые карие глаза закатились, Ирина захлебнулась криком и упала. Вика и гадюка оказались по разные стороны ее тела, и гадюка решила, что она в этом уравнении лишняя.

— Я сегодня везде к шапочному разбору.

Вика повернула голову — из-за расщелины вышел Павел Олешко.

— Ну что, Лунная Девочка, враг повержен? — Павел деловито заковал Ирину в наручники. — Что ж, папаше придется потратиться на адвокатов, а толку все равно не будет.

— Ее гадюка укусила, и не раз.

— Ох ты ж на фиг! Так ты потому в резиновых сапогах по самую шею?

— Ну да. — Вика склонилась над Аленой. — Подожди, подружка, потерпи маленько.

Вика сорвала с лица Алены скотч одним движением.

— Мать твою!

— Прости. — Вика посмотрела на нож, лежащий на дне оврага. — Ну нет, больше я своих отпечатков ни на одном бесхозном ноже не оставлю. Паша, у тебя нож должен быть.

— Он мне самому нужен, от гадюк отбиваться.

— Они разбежались в ужасе от шума и драки. — Вика разрезала путы на руках и ногах Алены. — Пойдем, что ли. Только Назарову позвоню.

— Знаешь что, Виктория! — Алена яростно сверкнула глазами. — Иди ты лесом. Да, вот прямо туда, лесом — и в пень башкой. Эта тварь мне тут распиналась, как она тебя посадила. И ты ни слова не сказала, пошла в тюрьму, чтоб...

— Да. И снова сделала бы то же самое. — Вика холодно посмотрела на Алену. — И ты бы сделала точно так же. Так что хватит пузыриться и давай, топай самостоятельно, я тебя тащить не буду, у меня вся задница тут отмерзла уже, а если приползет полоз...

— Какой полоз? — Олешко подозрительно покосился на Вику. — Это что, фигура речи?

— Тебе лучше не знать. — Вика обошла Павла, держащего Ирину, уже начинающую приходить в себя. — Столпотворение тут устроили...

По дну оврага спешили полицейские, и Вика думала о том, что же ей скажет сейчас Назаров, и по всему выходит, что будет ругаться.

21

— Компьютерщики изъяли ее компьютер и сразу же связали телефон с зашифрованным номером с Ириной. Мы смогли взять распечатку, сохранились записи звонка прокурору Скользневой, эксперты утверждают, что звонила Ирина. На месте, которое было оговорено как место встречи, найдены кровь и кусочки тканей.

— Улика косвенная. — Реутов нахмурился. — Но в свете остального, я думаю, будет достаточно. Просто в толк взять не могу, зачем она все это сделала, жить бы и радоваться!

— Как тут жить и радоваться, когда самолюбие больное! Конечно, ей было обидно, что папаша занимается другими детьми, а ее считает бездарностью. — Павел развел руками. — Притом его первые лауреаты, Вика и Евгений, стали для него почти родными, потому что были напрочь лишены родительской опеки. Она была младше, росла без матери, а папаша возился со своими вундеркиндами и таскал в дом чужих баб. А девка росла — и злость ее росла. Природа наградила ее изворотливым умом, и она придумала план.

— Паш, сколько ей лет тогда было, двенадцать? Какой там план! — Виктор покосился на генерала. — Она в куклы играла тогда.

— Она никогда не играла в куклы. — Павел постучал кончиками пальцев по фотографиям, разложенным на столе. — В неблагополучных семьях дети взрослеют рано. А тут, с одной стороны, папаша-наркодилер, с другой — мамаша-наркоманка. Папа пытается отучить маму от «дури», чтоб она занималась ребенком, а мама находит папину нычку и вмазывается так, что ее хилый мозг обратной дороги уже не находит, и папа прячет маму в клинику навечно. Потом папу торкнуло, он начал каяться и меценатствовать. А девочка тем временем растет и выводы делает. Сначала она хочет посадить папу, а потому начинает писать в Интернете откровенную ложь. Это видно по первым упоминаниям имени Ладыжникова и его клички. Конечно, полиция обратила внимание на эти слухи, но проверка ничего не дала. Девочка наблюдает, как папа то женится, то просто таскает в их дом каких-то баб, а он всегда любил высоких, коротышки часто любят высоких барышень — а дочь знает, что мама в психушке, и это папа ее туда упаковал. С ней никто не разговаривает, и она учится наблюдать. Коды от сейфов, пароли от почты, переписка, деловые разговоры — она живет этим, а папа делал вид, что все прекрасно. Нет, он возит дочку за границу, покупает ей путевки в лагеря, одевает, дарит цацки и гаджеты, но она для него не личность, а просто девочка без особых способностей. Его просто переклинило на способностях, а у дочки способности оказались: она придумывает убийства и прочие преступления. Если бы у нее был талант к сложению слов, она бы писала детективы, но такого таланта у нее нет, зато она в курсе папиных дел, и вот шанс — его жена решила оттяпать часть имущества. И дочка в Интернете покупает пробирку с бактериями и льет мачехе в сок. Она слямзила этот рецепт из романа Рекса Стаута, и очень удобно оказалось, что мачеха любила ездить верхом, зачем что-то придумывать, если есть готовый рецепт. Но Ниро Вульфа среди полицейских не случилось, и смерть женщины посчитали естественной. Тогда девочка решает вбросить в Интернет слухи, но они пошли папе на пользу, Колю-Паука зауважали, он стал проворачивать еще более крутые дела. Дочь решает, что у нее все-таки нет нужных умений, и поступает на факультет журналистики — чтобы снискать одобрение отца, но тот занят очередным конкурсом и делами бизнеса. Ире хочется хоть где-то оказаться своей, но студенты знают, чья она дочь, и обходят ее стороной, и она пытается сблизиться с Викой и Назаровым, которых давно знает, но они заняты друг другом и своими творческими проектами, которые ее отец с удовольствием обсуждает с ними. А с ней отец ничего не обсуждает. И как раз тогда она сближается с Дариной и Никитой. Их объединяет ненависть к Виктории: Дарина ненавидела сестру за яркую внешность и завидовала ее успеху у парней. Но Ирина быстро понимает, что между близнецами происходит нечто, чего происходить не должно, — они приглашают ее поиграть в их игру, и она соглашается. При этом ее больше интересует Дарина, но Никиту она привлекает, и они какое-то время заняты своими делами, в то время как у Виктории складывается карьера.

— Да, они все замельтешили как раз тогда, когда у меня появилась своя программа.

— То-то. — Павел вздохнул. — Родители ваши те еще мерзавцы. Знать, что дети занимаются такими вещами, и делать вид, что ничего не происходит... Ну а Ирина все больше разгоняет волну в Интернете — как она сама сказала мне, просто из интереса. Она осознала, что может манипулировать людьми, и это была проба сил, так сказать. И тут происходит несколько событий: в клинике умирает ее мать, Назаров едет в Париж и на этой почве расстается с Викторией, которая никуда ехать не собирается. Ирина решает начать все сначала, Назаров свободен. Но тот наутро делает вид, что ничего не помнит, и уезжает, едва простившись. Ирина ощущает себя брошенной в очередной раз, а тут папашу хлопнули с обналом. Можно снова подставить его, ведь он и правда был зол на судью. Она устраивает судье автокатастрофу — никто на нее не подумал, она попросила судью ее подвезти. Дождь, холодно, девочка была хрупкая и юная, судья пожалел ее. А она уколола его и сказала, что это яд, что ее заставили уколоть его и что нужно ехать в больницу. И судья в ужасе летел по трассе, пока сердце не разорвалось, и все выглядело как несчастный случай. Поскольку деньги есть, Ирина нанимает себе в помощь Мисину и Зайковского — и они развлекаются вбросами, которые провоцируют панику, например, пускают слух, что из продажи исчезнут спички, и через время народ начинает сметать эти спички. В общем, она пытается прибиться к какому-то берегу, но никто ее всерьез не принимает, а Виктория вдруг стала избегать. И вот тут мы подходим к убийству Дарины.

— Наверное, уже все поняли. — Реутов не любил позерства, а Павел валял дурака. — Она ее убила.

— Да, убила. — Павел кивнул. — Их связь с Дариной много значила для Ирины, и тут она узнает, что Дарина собирается заполучить Осмеловского, приятеля Виктории. Наталья Балицкая, которая работала костюмером, становится для Ирины информатором, и, когда сестры поссорились, Ирина решает образумить подружку. Пыталась уговорить: зачем он тебе, разве нам плохо вдвоем? А в ответ Дарина засмеялась и сказала: ну это же все не всерьез. Она не принимала их отношения всерьез, но Ирина-то принимала! И она, себя не помня, хватает нож, лежащий на столе, и ударяет им Дарину. И слышит шаги — это идет Виктория. Ирина в ужасе прячется за костюмами и слышит, что Дарина не сказала сестре, кто ее ранил. И когда Вика побежала звать на помощь, Ирина улизнула. Она не собиралась подставлять Вику, но, когда ее заподозрили, это оказалось очень кстати. Ведь оправдай суд Вику, полиция бы и дальше искала убийцу, Станишевские ни за что не успокоились бы. А так — вот она, убийца. И Ирина делает то, чего раньше не делала: она вместе со своим «сотрудниками» разгоняет информационную волну против Виктории, нанимает людей на пикеты, а с другой стороны — звонит от имени отца прокурору, которая представляет обвинение, и та даже не сомневается, что это Ладыжников приказал дочери, не желая светиться. Она же отсылает Виктории фотографии Алены и Назарова и подговаривает Балицкую солгать на суде. Ее ошибкой стала встреча с Осмеловским в театре после спектакля, на следующий день после суда, потому что Балицкая увидела, как Ирина флиртует с актером, и решила, что Ирина убрала Вику, чтобы самой завладеть вниманием ее кумира. И она решает рассказать Осмеловскому все, но Ирина спохватилась и принялась зачищать концы. Никиту она еще раньше посадила на наркотики, снабжала его бесплатно, и он помог ей избавиться от тела Балицкой. В тот день Ирина вдруг поняла, что убивать ей нравится, и нужно попробовать что-то еще, кроме ножа. Зайковский и Мисина ей были еще нужны, но появился шанс снова попрактиковаться в убийстве — один из журналистов негативно высказался о ее отце. Ирина знакомится с ним и убивает парня, предварительно накачав наркотиками. Она обставляет все как самоубийство, но фигура Коли-Паука обрастает страшными слухами, обыватели его реально боятся, а он понятия не имеет, кто разгоняет эти слухи.

— И тут из тюрьмы выходит Виктория.

— Да, Женя. — Павел скорчил гримасу. — Ладыжников не оставил в беде свою протеже. Он устраивает ей амнистию, и Вика выходит. Ирина узнает об этом не сразу, но когда узнает, то подсылает сначала Зайковского. Тот рад возможности хорошо заработать: делает снимки, пишет пафосную статью. Но в день, когда статья попала на стол Назарову, сталкивается в его кабинете с Ладыжниковым, а Назаров, желая на корню пресечь любые попытки Зайковского писать на эту тему, уверяет его, что Коля-Паук будет очень недоволен.

— Я не понимаю... — проговорила Вика растерянно. — Он же сам помогал раскручивать образ Николая Андреевича, он должен был знать, что все эти ужасы — ложь. Почему он испугался?

— Он не знал, что это ложь. — Павел с сочувствием посмотрел на Вику. — Ему давали информацию, он ее размещал, но он же не знал, что это Ирина их всех убила. И когда он увидел Ладыжникова, а потом Евгений сказал ему, что Ладыжников будет недоволен... Ну, не то он понял, что они с Ириной делают нечто, чего Ладыжников не одобрит, не то просто решил дать задний ход, но у нее уже разговор короткий. Она убивает его, потому что он в любом случае свидетель, потом убивает прокурора с помощником, обставляя все как несчастный случай, она же не думала, что от тел останется достаточно, чтобы определить причину смерти. Это она приказывает Мисиной поделиться информацией с полицией и вбрасывает новость об аресте Виктории, попутно собирая толпу. Потом она встречается с Назаровым, изображая обеспокоенность, и решает, что Назаров ей подходит больше, чем Виктории. Мисина по ее приказу пробирается в больницу и фотографирует Викторию — наша девушка решает, что Назарова это зрелище отпугнет, но Мисина больше ей не нужна. Ирина убирает свидетелей одного за другим, методично и надежно, потому что снова собирается в постель к Назарову, считая, что уж теперь-то, когда внешность Виктории претерпела такие изменения, Назаров бросит ее. Но когда Назаров прогнал Ирину, объявив, что у них с Викой все снова наладилось, она обвиняет в этом Викторию.

— Мне другое интересно. — Вика поерзала на месте. — В нашем лесу и в овраге она отлично ориентировалась. Как это вышло?

— Ну, ты же сама ей рассказывала о том, как вы в Привольном росли. — Павел оглянулся. — Она и об Алене от тебя узнала. Налейте мне кто-нибудь чаю, что ли... Ты сама ей рассказала о Привольном, и она хотела быть как ты. Вот и приезжала, бродила там, но осенью, о змеях не знала. И когда поняла, что тебя мало того, что ни в чем не обвиняют, но и прежние обвинения снимают, то похищает Алену. Ей хочется причинить тебе как можно больше боли, она поджигает кафе, а сама похищает Алену по дороге к месту пожара. Она знает, что ты станешь ее искать, и знает где.

— То-то Николай Андреевич удивлялся, что Вика не пришла к нему. — Назаров был очень зол, но понимал, что толку от его злости не будет. — А ты думала, что это он за всем стоит?

— Да. — Вика вздохнула. — Мы же знали, что он за человек. Вернее, мы видели одно, а слышали другое, и не доверяли собственным суждениям. Как это глупо...

— Ты не могла знать. — Виктор дотронулся до руки Вики. — Угрожали твоим самым близким людям, и ты выбрала их, а не себя.

— Я знала, что пока я молчу, с ними ничего не произойдет. — Вика устало кивнула, благодаря Виктора за чай. — И если бы Валерия меня не узнала, если бы девчонки не привлекли Павла...

— То она бы убила тебя, и все. — Павел отпил из стакана и откашлялся. — У девушки оказался очень редкий талант, папа должен наконец это признать.

Какое-то время они обсуждают произошедшее, выстраивая картину преступления, Назаров делал пометки в блокноте — он должен точно знать, что из этого ему можно обнародовать, а что станет тайной следствия.

— Кстати, укусы гадюки оказались практически смертельными, Ирина в реанимации. — Бережной вздохнул. — Ладыжников нанял адвокатов, они собираются ссылаться на невменяемость.

— Это его дочь, он будет ее защищать. — Вика подумала о своих родителях и о том, что она для них никогда ничего не значила. — Она не ценила то, что имела. Ей хотелось того, что было у других, и я никогда этого не пойму, наверное.

Они с Павлом простились с полицейскими, а Назаров остался, чтобы определиться с тем, что даст в печать.

— Паш, я не могу сейчас, ты ее отвези, пожалуйста. — Назаров виновато посмотрел на Вику. — А вечером я приеду и сделаю кольца с моцареллой и стейки, купи у Насти мяса.

Вика кивнула и пошла вслед за Павлом. Она устала и была голодна, но сейчас она приедет домой, а дома тишина и цветы, и надо пойти к Женьке и покормить кур.

— Есть разговор. — Павел остановил машину у двора. — Уделишь мне минутку?

— Ну разумеется. — Вика старательно скрыла досаду. — Ты девчонкам сам расскажешь? На выходные мы с Женькой ждем вас всех на шашлыки.

— Обязательно приедем. — Павел вошел во двор и сел на скамейку. — Тащи наливку, что ли... Не такой это разговор, чтоб на трезвую голову.

Вика кивнула и пошла в летнюю кухню. Бутылка хранилась в буфете, как и синие стопочки, еще бабушкины.

— Хорошо. — Павел довольно прищурился. — И наливка хороша, ты сделаешь состояние, продавая ее.

— Так ты хочешь в долю? — Вика засмеялась. — Ну, я подумаю.

— Да если бы. — Павел вздохнул. — Я ведь хочу все ударения расставить, Лунная Девочка. Я знаю, что Зайковского убила ты. И то, что Ладыжников тебя не сажал, ты поняла еще в колонии, да? Остыла, подумала — и поняла. Тогда-то с горячки наделала глупостей, а потом у тебя было время подумать. Инициировать пересмотр дела ты не могла, но привлечь внимание... Зайковского ты заметила, дурак где-то засветился, когда следил за тобой, и ты запомнила номер машины, влезла в полицейскую базу и узнала его домашний адрес.

— Паша, глупости какие! Я ни в какую базу не могла влезть, я ничего такого не умею!

— И ресницами похлопай для пущего эффекта. — Павел засмеялся. — Я твой комп взломать не смог, там встроенный код. В тюрьме ты работала в библиотеке, доступ к Интернету у тебя тоже был стараниями Ладыжникова. За три года ты многому могла научиться — и научилась. Ты поняла, что тебя загоняли в Интернете, ты даже, скорее всего, вычислила ник «Морган» и тех, кто прятался под ним.

— Тех?!

— А ты думала, только Зайковский писал из-под него? Нет, они в три смены вкалывали. — Павел покачал головой. — Сволочи, конечно, слов нет. И вдруг ты вычисляешь адрес по номеру, и это оказывается Морган! Так что вечером ты взяла у Алены в сарае скутер, поехала в город, пришла к Зайковскому в дом и убила его таким же точно ударом, каким была убита Дарина. Села на скутер и вернулась, и никто тебя не видел, и не узнал бы никто, если бы Алена не записывала показания спидометра всех скутеров.

— Это мог быть кто угодно — взяли скутер покататься.

— Но у Алены во дворе очень большой и громкий пес, который по ночам не привязан. Он бы лаял и напал на чужака, разбудив хозяев, — а прикормить его не могли, он от чужих еды не берет. Но в ту ночь пес молчал, а из всех людей, которые живут вне этого двора, пес не лает только на тебя. Алена говорила, что их грозный пес тебя очень любит.

— И это делает меня убийцей?

— Ты знала, что улик против тебя нет, только ты знала, какой именно нож был использован при первом убийстве, а убит Зайковский точно таким же ножом и точно таким способом, что и Дарина, а это значит, что возобновят следствие по убийству Дарины. Тебе просто нужно было выманить Ирину, чтобы она нервничала, чтобы сорвалась. Теперь, когда вскрылись все эти убийства, никто не поверит, что Зайковского убила не она. Но это была ты.

Вика молча отпила из стопки тягучий сладкий напиток.

— И что?

— Да ничего. — Павел хмыкнул. — Убила и убила, так бывает. В данном случае это было справедливо и оправданно, и возвращаться к этому разговору мы с тобой больше не будем.

— Значит, проехали. — Вика подставила лицо солнцу. — Люблю лето.

— Ага, я тоже.

Это был момент полнейшей ясности между ними, и Вика поняла: что бы ни случилось, Павел отныне будет в ее жизни, потому что такие, как они, должны держаться вместе.

— Смотри, желтый георгин расцвел, который твоя Ровена сажала. — Вика толкнула Павла. — Да смотри же!

— Скажу тебе по секрету, мне уже приходилось видеть георгины. Налей-ка мне еще наливочки, и я поеду домой, меня жена ждет.

* * *

— Свадьбу нужно сделать в бело-розовых тонах. — Ника размахивала вилкой, планируя торжество. — Вике очень идет розовое. Жень, кольца поедем вместе покупать, а Валерия и Рона поедут по магазинам и привезут образцы приглашений.

— Ника, зачем нам приглашения, если все вы сейчас здесь? — рассмеялся Назаров. — Мы вам просто скажем, вот прямо сейчас.

— Ты ничего не понимаешь! — Валерия осуждающе покачала головой. — Обязательно нужно, чтоб были приглашения.

— А торт закажем в «Восторге»! — Ника захлопала в ладоши. — Такой замок, на балконе стоит невеста, а под балконом рыцарь на лошади! И много роз, ну это Лерка обеспечит, она знает, где купить.

— Праздновать будем у Алены в кафе, там ремонт закончился уже. — Назаров смотрел, как Ровена и Вика куда-то отправились со двора, вооружившись лопатками. — Надеюсь, у них какой-то мирный план?

— Даже не сомневайся. — Павел подошел почти неслышно. — Я буду шафером.

— Заметано.

— Паш, а что там с этой... Ладыжниковой?

— Сидит в психушке, идет экспертиза. — Павел нахмурился. — Следователя, который вел дело об убийстве Викиной сестры, отдали под суд. Адвокат Багдасаров лишился лицензии, ну и так по мелочи головы полетели. Думаю, ее признают невменяемой и больше не выпустят на свободу.

— Интересно, а родителей Вика будет приглашать?

— Ника, а ты бы пригласила? — Валерия, до этого момента молча наблюдающая, как дети возятся на лужайке с машинками под присмотром Никиного мужа, досадливо поморщилась. — Когда вышла та статья в «Субботе» — это был взрыв, ты вспомни! Вику пришлось в Озерном прятать, а двор Пашкины охранники патрулировали, столько было желающих лично поддержать, извиниться, привезти что-то в подарок, а писем сколько было, посылок! Ее обратно на телевидение берут, предлагают программу, мы все так радуемся, а родители даже не позвонили.

— У них с сыном беда совсем. — Панфилов отпил пива и вздохнул. — Похоже, Никита у них совершенно потерялся в параллельном мире.

— Это не причина. — Ника нахмурилась. — Могли бы извиниться хотя бы.

— Можно подумать, Вике нужны их извинения. — Назаров чувствовал, как глухое раздражение поднимается в груди. — Эти люди... это не родители.

— Согласен. — Павел кивнул. — У них своя жизнь, у вас с Викой — своя. Алена с мужем подтянутся или снова под самый конец придут?

— Сказали, скоро будут. — Назаров улыбнулся, радуясь наперед приходу друзей. — Кстати, актер Осмеловский попал под следствие за связь с какой-то малолеткой, на съемках познакомился, а ей оказалось пятнадцать. Ну, я верю, что он мог не знать насчет пятнадцати лет. Девицы сейчас есть ого-го.

— Бог не фраер, он все видит. — Валерия поднялась. — Леш, ты иди поешь, а я сама за ними присмотрю.

Она пошла к детям, и Назаров с удивлением увидел, ***как*** холодноглазый бесстрастный Панфилов смотрит на свою жену. И как могли ужиться двое таких разных людей? А вот ужились и счастливы.

— Сколько недель у Вики? — Ника налила Назарову сока. — Ты не сказал.

— Шесть... — Назаров поперхнулся. — А ты откуда знаешь, мы даже Алене еще...

— Мне говорить не надо, я и так вижу. — Ника хихикнула. — Думаю, это будет девочка. Ладно, я никому.

— Но мы же слышим. — Панфилов кивнул на Павла. — Как же — никому?

— Ну, вот больше и никому, только Лешке.

— Ага, а Панфилов Лерке, и Ровена из меня все вытащит, вот и все твое «никому». — Павел засмеялся. — Женщины!

Во двор вошли Алена с Юрием, и компания оживилась — Юрий принес два больших арбуза.

— А Вика где?

— Куда-то с Роной умотали, с лопатками наперевес. — Павел засмеялся. — Надеюсь, поголовье местных жителей после этого не сократится.

Он не стал говорить ни Ровене, ни Назарову о том, что знает о Виктории, он и не собирался, это осталось между ним и ею, и он считал, что это правильно. Убийство — вещь интимная, а уж месть — тем более. В мире так все и устроено, кто-то хищник, кто-то — добыча. Но иногда добыча вдруг оказывается хищником похлеще того, кто на нее вздумал поохотиться, и Павел считает, что всякий вправе одолеть супостата, если может справиться.

— Нет, ну это невероятно!

Вика и Ровена принесли две большие коробки, в которых что-то пищало.

— Назаров, ты вообще в курсе, что в нашем курятнике вывелись цыплята? — Вика поставила коробку на траву, Ровена тоже опустила свою ношу. — Смотри, еще выводятся.

В коробке Ровены оказалась красноватая курица вместе с гнездом, она беспокойно оглядывалась и, кажется, была готова сбежать, во втором ящике копошились цыплята.

— Эти мокрые еще...

— Вы спятили, не иначе. — Алена осторожно взяла коробку с курицей и унесла в летнюю кухню. — Ей покой нужен... Вот еще цыпленок. Несите сюда остальных.

Они гурьбой потащили коробку в кухню.

— Видимо, сама яиц нанесла и высидела, а никто внимания не обратил со всеми этими проблемами. Жень, ты же яйца не вынимал?

— Нет, забыл.

— Ну, вот вам в хозяйстве прибавление. — Алена зашарила по полкам. — Вот, пшено, надо им насыпать. И водички поставить. Все, ступайте все на улицу, наседка беспокоится.

Лето раскрасило перед кухней яблоки на яблоне-боровинке. Назаров взял Вику за руку, ее лицо оказалось совсем рядом.

— Флоренция у нас в планах остается в любом случае, несмотря на цыплят. **Всех** цыплят.

— Жить пока будем здесь, а там посмотрим. — Вика обвела взглядом двор. — Георгины цветут, конечно, на совесть.

Мир вокруг них жил своей жизнью, а их мир был похож на спокойную воду в реке, а вода — это путь.

Литературно-художественное издание

ОТ НЕНАВИСТИ ДО ЛЮБВИ

Полянская Алла

ПРОТИВ ВЕТРА, МИМО ОБЛАКОВ

Ответственный редактор *А. Антонова*
Редактор *И. Першина*
Младший редактор *П. Рукавишникова*
Художественный редактор *А. Сауков*
Технический редактор *Г. Этманова*
Компьютерная верстка *Г. Балашова*
Корректор *В. Соловьева*

ООО «Издательство «Э»
123308, Москва, ул. Зорге, д. 1. Тел. 8 (495) 411-68-86.

Өндіруші: «Э» АҚБ Баспасы, 123308, Мәскеу, Ресей, Зорге көшесі, 1 үй.
Тел. 8 (495) 411-68-86.
Тауар белгісі: «Э»
Қазақстан Республикасында дистрибьютор және өнім бойынша арыз-талаптарды қабылдаушының өкілі «РДЦ-Алматы» ЖШС, Алматы қ., Домбровский көш., 3«а», литер Б, офис 1.
Тел.: 8 (727) 251-59-89/90/91/92, факс: 8 (727) 251 58 12 вн. 107.
Өнімнің жарамдылық мерзімі шектелмеген.
Сертификация туралы ақпарат сайтта Өндіруші «Э»

Сведения о подтверждении соответствия издания согласно законодательству РФ о техническом регулировании можно получить на сайте Издательства «Э»

Өндірген мемлекет: Ресей
Сертификация қарастырылмаған

Подписано в печать 05.07.2017. Формат 84x108 1/32.
Гарнитура «Гарамонд». Печать офсетная. Усл. печ. л. 16,8.
Тираж 3 000 экз. Заказ 3410.

Отпечатано с электронных носителей издательства.
ОАО "Тверской полиграфический комбинат". 170024, г. Тверь, пр-т Ленина, 5.
Телефон: (4822) 44-52-03, 44-50-34, Телефон/факс: (4822)44-42-15
Home page - www.tverpk.ru Электронная почта (E-mail) - sales@tverpk.ru

В электронном виде книги издательства вы можете купить на **www.litres.ru**

Оптовая торговля книгами Издательства «Э»:
142700, Московская обл., Ленинский р-н, г. Видное,
Белокаменное ш., д. 1, многоканальный тел.: 411-50-74.

По вопросам приобретения книг Издательства «Э» зарубежными оптовыми покупателями обращаться в отдел зарубежных продаж
International Sales: International wholesale customers should contact Foreign Sales Department for their orders.

По вопросам заказа книг корпоративным клиентам, в том числе в специальном оформлении, *обращаться по тел.: +7 (495) 411-68-59, доб. 2261.*

Оптовая торговля бумажно-беловыми и канцелярскими товарами для школы и офиса:
142702, Московская обл., Ленинский р-н, г. Видное-2,
Белокаменное ш., д. 1, а/я 5. Тел./факс: +7 (495) 745-28-87 (многоканальный).

Полный ассортимент книг издательства для оптовых покупателей:
Москва. Адрес: 142701, Московская область, Ленинский р-н,
г. Видное, Белокаменное шоссе, д. 1. Телефон: +7 (495) 411-50-74.
Нижний Новгород. Филиал в Нижнем Новгороде. Адрес: 603094,
г. Нижний Новгород, улица Карпинского, дом 29, бизнес-парк «Грин Плаза».
Телефон: +7 (831) 216-15-91 (92, 93, 94).
Санкт-Петербург. ООО «СЗКО». Адрес: 192029, г. Санкт-Петербург, пр. Обуховской Обороны,
д. 84, лит. «Е». Телефон: +7 (812) 365-46-03 / 04. **E-mail:** server@szko.ru
Екатеринбург. Филиал в г. Екатеринбурге. Адрес: 620024,
г. Екатеринбург, ул. Новинская, д. 2щ. Телефон: +7 (343) 272-72-01 (02/03/04/05/06/08).
Самара. Филиал в г. Самаре. Адрес: 443052, г. Самара, пр-т Кирова, д. 75/1, лит. «Е».
Телефон: +7 (846) 269-66-70 (71...73). **E-mail:** RDC-samara@mail.ru
Ростов-на-Дону. Филиал в г. Ростове-на-Дону. Адрес: 344023,
г. Ростов-на-Дону, ул. Страны Советов, 44 А. Телефон: +7(863) 303-62-10.
Центр оптово-розничных продаж Cash&Carry в г. Ростове-на-Дону. Адрес: 344023,
г. Ростов-на-Дону, ул. Страны Советов, д.44 В. Телефон: (863) 303-62-10. Режим работы: с 9-00 до 19-00.
Новосибирск. Филиал в г. Новосибирске. Адрес: 630015,
г. Новосибирск, Комбинатский пер., д. 3. Телефон: +7(383) 289-91-42.
Хабаровск. Филиал РДЦ Новосибирск в Хабаровске. Адрес: 680000, г. Хабаровск,
пер.Дзержинского, д.24, литера Б, офис 1. Телефон: +7(4212) 910-120.
Тюмень. Филиал в г. Тюмени. Центр оптово-розничных продаж Cash&Carry в г. Тюмени.
Адрес: 625022, г. Тюмень, ул. Алебашевская, 9А (ТЦ Перестройка+).
Телефон: +7 (3452) 21-53-96/ 97/ 98.
Краснодар. Обособленное подразделение в г. Краснодаре
Центр оптово-розничных продаж Cash&Carry в г. Краснодаре
Адрес: 350018, г. Краснодар, ул. Сормовская, д. 7, лит. «Г». Телефон: (861) 234-43-01(02).
Республика Беларусь. Центр оптово-розничных продаж Cash&Carry в г.Минске. Адрес: 220014,
Республика Беларусь, г. Минск, проспект Жукова, 44, пом. 1-17, ТЦ «Outleto».
Телефон: +375 17 251-40-23; +375 44 581-81-92. Режим работы: с 10-00 до 22-00.
Казахстан. РДЦ Алматы. Адрес: 050039, г. Алматы, ул.Домбровского, 3 «А».
Телефон: +7 (727) 251-58-12, 251-59-90 (91,92,99).
Украина. ООО «Форс Украина». Адрес: 04073, г.Киев, Московский пр-т, д.9.
Телефон: +38 (044) 290-99-44. **E-mail:** sales@forsukraine.com

Полный ассортимент продукции Издательства «Э» можно приобрести в магазинах «Новый книжный» и «Читай-город».
Телефон единой справочной: 8 (800) 444-8-444. Звонок по России бесплатный.

В Санкт-Петербурге: в магазине «Парк Культуры и Чтения БУКВОЕД», Невский пр-т, д.46.
Тел.: +7(812)601-0-601, www.bookvoed.ru

Розничная продажа книг с доставкой по всему миру. Тел.: +7 (495) 745-89-14.

ISBN 978-5-699-99665-0